DOCE GABITO

Francisco Azevedo

2ª edição

EDITORA RECORD
RIO DE JANEIRO • SÃO PAULO
2019

CIP-BRASIL. CATALOGAÇÃO NA FONTE
SINDICATO NACIONAL DOS EDITORES DE LIVROS, RJ

Azevedo, Francisco

A987d   Doce Gabito / Francisco Azevedo. – 2ª ed. – Rio de Janeiro: Record, 2019.

ISBN 978-85-01-09644-9

1. Romance brasileiro. I. Título.

CDD: 869.93

11-8333   CDU: 821.134.3(81)-3

Copyright © Francisco Azevedo, 2012

Todos os direitos reservados. Proibida a reprodução, armazenamento ou transmissão de partes deste livro, através de quaisquer meios, sem prévia autorização por escrito.

Texto revisado segundo o novo Acordo Ortográfico da Língua Portuguesa.

Direitos exclusivos desta edição reservados pela
EDITORA RECORD LTDA.
Rua Argentina, 171 – Rio de Janeiro, RJ – 20921-380 – Tel.: (21) 2585-2000.

Impresso no Brasil

ISBN 978-85-01-09644-9

Seja um leitor preferencial Record.
Cadastre-se em www.record.com.br e receba informações sobre nossos lançamentos e nossas promoções.

EDITORA AFILIADA

Atendimento e venda direta ao leitor:
sac@record.com.br

Cuidado: ficção é verdade — mundo real que nasce pelas mãos do escritor. Personagem tem vida própria. Com suas falas e atitudes, pode nos inspirar amor ou despertar ódio, ser boa ou má companhia. Pode nos influenciar os pensamentos e os atos tanto quanto nosso mais íntimo amigo. Como qualquer um de nós, interfere no andamento do universo. Cuidado.

a você, querido leitor,
que se aventura no desconhecido
e se dispõe a participar do mistério da criação.

Em cada linha que escrevo trato sempre, com maior ou menor fortuna, de invocar os espíritos esquivos da poesia, e trato de deixar em cada palavra o testemunho de minha devoção pelas suas virtudes de adivinhação e pela sua permanente vitória sobre os surdos poderes da morte.

(Gabriel García Márquez, "Eu não vim fazer um discurso")

Foi-se formando
a meu lado
   um outro
que é mais Gullar do que eu

que se apossou do que vi
    do que fiz
   do que era meu

e pelo país
   flutua
livre da morte
e do morto

pelas ruas da cidade
  vejo-o passar
  com meu rosto

mas sem o peso
  do corpo
que sou eu
culpado e pouco

(Ferreira Gullar, "O duplo")

Breu

Invejar o pássaro? Claro que não. Prefiro ser como sou. Não tenho asas, mas também não tenho bico. Bem melhor é ter boca para beijar. Anjos parecem privilegiados. Não são. Asas e lábios para quem desconhece o desejo e o sabor do beijo? Esse, talvez, o pior castigo.

Florentino está morto diante de mim. Sua fala não me sai da cabeça. Sem a veemência original, ela me volta agora monocórdia e encantatória, repetidas vezes, como se fosse mantra, como se assim eu pudesse devolver a vida ao ser amado. Gabito se aflige com minha lembrança. Acha melhor não remoer passado alegre, que é o que mais nos maltrata.

Reconheço, amigo. Inútil mesmo colecionar felicidade. Mas o que posso fazer? É minha forma de reagir ao vazio e à saudade. Que outro começo poderei criar? Me diz. Que esperar deste fogo que ainda arde em mim e, mesmo na desgraça, me faz ansiar por tudo o que é bom, belo e verdadeiro? Sonhos, sonhos, sonhos — sempre presentes, cheios de entusiasmo. Feito crianças, querem participar de tudo. Às vezes, chegam a ser inconvenientes, me cansam. Mas, acaba, são eles que vêm para me dar algum sentido, algum alívio e me compensar a perda inexplicável. Maturidade, bom senso, ponderação, comedimento: nada disso presta quando a tragédia mete o pé na porta e entra falando alto, causando estrago — tragédias não são dadas ao diálogo nem se sensibilizam com sábios argumentos.

E o amor? Gabito quer saber se para mim o amor não conta. Não me fale de amor, Gabito! Por favor, não me fale de amor, qualquer que seja ele! Não aqui! Não agora! Gabito se arrepende da pergunta. Conhece a minha história. A morte de quem me é querido sempre chega assim, com violenta crueldade. Nunca o jeito natural e gradativo que me conforme aos poucos e me prepare o adeus. Nunca um mínimo aviso que me permita enfrentá-la com dignidade. Foi assim com meus pais, com meu avô Gregório e, agora, com Florentino.

Queixar-me? Nunca. O sofrimento não me intimida faz tempo. Mérito nenhum. Encarar a dura realidade é o menos difícil — jogo para principiantes. Em todas as espécies, racionais ou irracionais, de uma forma ou de outra, somos obrigados a lidar com ela — questão de sobrevivência. Quero é estômago para, apesar de tudo, perseverar no sonho. Quero é coragem para me aventurar nas infinitas realidades que me escapam, mesmo aprisionada a tanta carne, osso, sangue, nervos e vísceras. Aqui, por onde andamos, nossos olhos já estão acostumados ao desfile cotidiano de belezas e horrores. Novidade nenhuma. Faz parte do espetáculo no Paraíso Terrestre. Borboletas e ratazanas, miséria e fausto, salvamentos heroicos e covardes assassinatos, delícias e nojos, vaias e aplausos, gritos de bravo, gritos de Munch, tudo no seu devido tempo e lugar, tudo de repente, tudo misturado. Desde que o mundo é mundo, você sabe.

Gabito sabe. É claro que sabe. Permanecer no ramerrão desta visível realidade, por pior que seja, é bem mais cômodo. Por isso, se encanta a me ver aos beijos com Florentino, aconchegada no asfalto recém-tornado mar de rosas amarelas. Não me acha ridícula nem despudorada. Entende meu lúcido desatino. Quer é que eu tenha forças para me levantar depois. Equilíbrio para dar o próximo passo, não encontrar o rumo e acreditar, ainda assim, que faz sentido seguir adiante.

Gabito, doce Gabito, que bússola ou estrela nos orienta? Civilizações já se foram e os que se arvoram doutores continuam tão vaidosos e assustados quanto os ancestrais macacos. Não se convencem de que, nesta obrigatória andança coletiva, pós-graduados e analfabetos somos todos iguais — crianças sem escola, todos. No mistério, que diploma nos habilita? Que brevê nos autoriza o voo? Queria tanto ter acompanhado Florentino na imprevista viagem! Sem ele, quanto chão me resta? Quanto sonho?

Gabito pressente que meu companheiro logo me será arrancado dos braços. Melhor nos falarmos outra hora. Prefere me deixar a sós com Florentino — o pouco que dele ainda há. Que eu não tema o que ainda me vem pela frente. Sou feita de sonho. Isto me basta. Obrigada, amigo, por ter vindo. Muito obrigada.

Volto ao concreto, ao mar de rosas amarelas recém-tornado asfalto, ao corpo do meu homem. Quero estar assim entregue a ele por toda esta breve eternidade. A esse corpo sem vida, coberto de sangue e mutilado? Diante de todo esse povaréu? No meio da rua?

Parece louca. Sim, deve ter perdido o juízo. A mulher está deitada sobre esse homem faz tempo! Que coisa mais mórbida, credo! Não há quem a faça sair de cima dele. Várias pessoas já foram lá tentar. A sensação é de que estão mortos os dois. Cruzes! Claro que não, ela está viva! Respira e tudo, olha lá! É, está viva. Nem foi atingida, eu sei. Mas presenciou a cena, todos viram. O pobre velho foi jogado longe, morreu na hora. Coitada, deve ser filha. E filha por acaso beija na boca? Filha, nada. Na certa, a mulher. Pode ser amante. Pelos beijos que dá, bem mais nova... Amante? Será? O automóvel avançou o sinal em alta velocidade. Incrível como as coisas acontecem. Que tristeza. Covardia. Carrão importado. Vidros negros até em cima. Arrogância. Imprudência assassina.

Buzinas. Outras tantas latas — a que o matou já não está. Aglomeração. Sirene infernal chega fazendo estardalhaço. É lata-patrulha? É lata-ambulância? É socorro? Ainda há tempo? Vozes de comando. Que ordem é essa? Que mundo é esse?

— Por favor, não! Deixem-me ficar um pouco mais com ele, por favor!

Truculência solidária. É preciso pulso para me tirar dali. É a lei que se impõe e fará o trânsito voltar a fluir normalmente. Depois, o esquecimento. Alguma alma ouvirá o meu desespero? Imploro.

— Só mais um beijo! Um último beijo!

A multidão mistura sons incompreensíveis. Harmoniosa dissonância. De lá, anônimo e primitivo, um berro de mulher exige que me soltem. Autoritária súplica. É possível? Autoritária súplica?

— Deixem que ela o beije uma vez mais! Tenham compaixão! Custa nada!

Permissão Divina? Decisão vinda do Alto? Mais um sonho ou o quê? Os guardas me soltam. Liberta, quero correr de volta para o que restou de Florentino. Mas de que me vale a liberdade? Se me faltam pernas... e não tenho asas...

A real dimensão da desgraça afugenta o sonho. Apaga-se toda luz dentro de mim. Breu.

Depoimento

Rio de Janeiro, 18 de setembro de 2010. Sentada na cadeira sem braços, cumpro obrigação. Desconforto inútil. Anotaram a placa do carro, identificaram o jovem assassino. E daí? Sei de antemão que o processo não vai dar em nada. Lugar-comum: rigor e castigo só para o pequeno. Para o poder e o dinheiro, sempre a impunidade que alimenta e revigora. Do outro lado da mesa, o inquiridor, corpulento e desleixado, me faz as perguntas de praxe. Pelo enfado com que se dirige a mim, não sou vítima, sou estorvo. Ao fim de cada fala, ouço o barulhinho da tecla do computador.

— Nome.

— Gabriela Garcia Marques.

— Data de nascimento.

— 6 de março de 1967.

— Natural de onde?

— Tiradentes.

— Não ouvi. Fale mais alto.

Ouço o riso de quem tecla. Sem tirar os olhos do inquiridor, repito a resposta com firmeza.

— Tiradentes. Cidade histórica situada ao sul do estado de Minas Gerais.

O homem se sente ofendido com a explicação. Faz questão de mostrar ali quem é que manda. Gira o botão da boca e aumenta o volume.

— Não preciso de aula de geografia. A senhora se limite a responder as perguntas que lhe faço. Filiação.

— Egídio Marques e Luzia Garcia.

Endereço, profissão, estado civil, escolaridade, número da carteira de identidade, CPF, telefones de contato e por aí vai. Cumprida a formalidade, devo recompor, com o máximo de detalhes, meus últimos momentos com Florentino. Abro o arquivo recente e volto à cena desde o início.

Tínhamos acabado de almoçar com dom Mario e dona Regina no La Trattoria, ali na rua Fernando Mendes, em Copacabana — a conversinha gostosa de sempre. Duas horas da tarde se tanto. Vínhamos a pé pela avenida Atlântica, passeando de mãos dadas, nenhuma pressa. Passamos em frente ao Copacabana Palace, dobramos na rua Rodolfo Dantas e seguimos em direção à estação Arcoverde para tomar o metrô, que é a melhor condução para quem mora na Glória. Suportamos o forte cheiro de urina em um trecho da calçada — espaço que pertence a todos, mas a incontinência de alguns finge não saber. Sorte é que o desgosto ficou lá atrás esquecido, quando, alguns passos adiante, reparamos em um casalzinho jovem e apaixonado. Úmidos e seminus, saídos da praia, os dois pequenos amantes se beijavam com distraída sensualidade — a inocência do Gênesis, talvez. O quadro erótico, autêntico Tintoretto tropical!, nos contagiou pela luminosidade e graça, pela harmonia das cores, pelo movimento dos traços. Abraçados, Florentino e eu, concordamos que esta nossa cidade é mesmo abençoada e, nela, imortalizado de geração em geração, o amor prevalecerá em tudo e toda parte.

O inquiridor se impacienta. Quer que eu vá direto ao instante do atropelamento. Ele está certo, admito. Peço desculpas. É que, apesar de tudo, não me livro deste hábito de colecionar felicidade e imaginar utopias que me parecem perfeitamente realizáveis.

Pois bem, senhor inquiridor. Estávamos os dois na calçada da avenida Nossa Senhora de Copacabana esperando para atravessar. Alguns automóveis ainda vinham em velocidade, quando o sinal fechou. Eu sempre espero que todos parem, dentro ou além da faixa, e só então me atrevo a pôr os pés fora da calçada. Florentino, não. O sinalizador de pedestres ficava verde, ele logo atravessava. Eu o aconselhava a esperar do meu lado. Nunca me ouvia. Achava absurdo o sinal estar aberto para nós e ainda assim termos de aguardar para ver se os motoristas se dignariam a respeitar ou não a nossa vez. Achava essa atitude um estímulo à contravenção. Os primeiros carros pararam, mas o que vinha na terceira pista avançou em velocidade no momento em que Florentino já atravessava a avenida. Não houve tempo para nada. Seu corpo foi atirado longe e o criminoso seguiu em disparada como se nada houvesse acontecido. As pessoas começaram a gritar. Fiquei paralisada diante da brutalidade da cena. Alguém veio para me amparar, mas eu já não precisava de ajuda. Não havia horror nem gritos nem tumulto. Havia um Mozart, que tocava apaixonadamente, e havia Florentino aconchegado sobre um mar de rosas amarelas, e havia o desejo incontido de lhe beijar a boca e me deitar sobre aquele meu corpo dele, porque nele ou em mim tudo era nosso...

Florentino, 25 anos mais velho do que eu. Apenas na idade. No atrevimento, eterno adolescente. Nos conhecemos no jardim do Palácio do Catete, em um dos bancos que ficam ao redor do chafariz de Vênus. Foi ele que tomou a iniciativa de se sentar ao meu lado e puxar assunto. Sem nenhum constrangimento, me interrompeu a leitura.

— Conheci esse livro em uma tarde. Mergulhei e fui até o fim. "Conheceu?!"

Educada, apenas sorri. Voltei ao texto. A história prendia de fato e eu não estava a fim de conversa. Ele insistiu. Sua voz grave, agora dita em tom baixo e sentido, me perturbou.

— *Memória de minhas putas tristes*. Só o título já me comove.

Não sei se fez o comentário olhando para mim. Sequer levantei os olhos. Respirei fundo, tentando disfarçar a sensação de desconforto, e voltei ao início da página. Ele se aquietou. Eu, não. Sua presença ali, mesmo silenciosa, havia se tornado incômoda. Estranhamente incômoda.

"Estará me observando? Fará outro comentário? Tomará alguma nova iniciativa?"

Me desconcentrei várias vezes — recomeçava a linha, o período, o parágrafo. Inútil. Impressas, as palavras não me diziam mais nada. Emudeceram. Faltavam a elas a voz e o sentimento dele. Loucura ou o quê? Passei a utilizar o livro como biombo. A cada virar de página bem-encenado, aproveitava para discretamente lhe controlar os movimentos, que eram mínimos. Fui reparando na roupa, no cabelo, nas expressões do rosto. Nas mãos... Ao menor gesto do vizinho intruso, eu imediatamente disfarçava o olhar para a leitura, fingia estar onde não estava, porque meu pensamento era todo dele. No papel, agora, apenas um amontoado de letras embaralhadas. Meu possível romance começava a ser escrito fora do livro! O personagem principal tinha vida e respirava perto! Imaginação minha? Certo que não, porque, logo, o primeiro susto: quando ele se ajeitou no banco, acomodando-se melhor, agora quase de costas para mim, temi que ele se levantasse e fosse embora sem se despedir — o que teria sido perfeitamente natural. Não havia nenhum vínculo entre nós. Senti calor. Abri um pouco mais a blusa sem que ele percebesse. Pensei em lhe dizer alguma coisa. Precisava retomar o diálogo que amorosamente ele me havia inseminado e eu, displicente, abortei. Ansiava pela próxima fala dele que não vinha. Ansiava por me tornar prenha novamente daquela voz. Imaginei que nossos sons combinados dariam belos frutos. Quem era aquele homem? Irreconhecível, quem eu era? Por que me dedicava assim a um estranho? Afinal, o que é uma voz? Ainda que voz--sentimento, emissão grave que hipnotiza e seduz.

"Tenho de criar algo para que ele volte a falar. Não. Melhor, não. Melhor esperar e confiar no sonho que, cuidadosamente, me tece o acaso."

A súbita certeza de felicidade me permitiu respirar fundo, criar coragem e parar de vez a falsa leitura. Para ser notada, fechei o livro ostensivamente. Ao meu gesto inesperado, a reação dele imediata. Cena ensaiada, coincidência ou o quê? Ele se levantou e se afastou sem dizer palavra. Mas sua partida não me causou receio, porque dentro de mim já não havia temor, havia amor antecipado e todos os atrevimentos que esta opção envolve. Seu jeito despreocupado de andar me disse que ele não iria longe. E, ainda que fosse, voltaria. Eu estava certa.

Ele chegou ao chafariz, molhou várias vezes o rosto com as mãos em concha e só então olhou para mim e me flagrou a admirá-lo. Não se surpreendeu. Enxugando as mãos na calça, sorriu incontido, quase encabulado. De mim, ouviu o primeiro som que, distante, saiu alto em forma de pergunta.

— Está com tanto calor assim?!

Também de longe, me respondeu como se anunciasse aos quatro ventos.

— Não é água que refresca! É água que desperta! Às vezes, preciso saber se estou acordado!

Interpretei a fala como galanteio. Ele notou, é claro. Sem perder o riso, veio vindo em minha direção com andar vitorioso de quem arriscou tudo e ganhou fortuna. Já sentado de volta, completamente à vontade, me instigou.

— Não acontece o mesmo com você? Querer saber se está sonhando ou não?

Respondendo sem pensar, brinquei com o que era sério. Mas fui sincera.

— Acontece, sim. Só que, em vez de molhar o rosto, eu me belisco.

Garantia? Mostrei o vermelho recente no braço. Ele gostou da brincadeira e a entendeu como sedução. Com intimidade que não ofende, tocou o local com a ponta dos dedos e me afagou de leve, como se quisesse saber de que matéria eu era feita. Foi nosso primeiro contato de pele. Logo que sua mão se afastou, senti saudade daquele tato que veio tão repentino e foi embora. O que viria em seguida? Que outro movimento? Que outro passo, que ousadia?

Não houve resposta. Corte súbito. Acontece. Fazer o quê? Com pose de vagabundo, um pássaro pousou bem diante de nós. Desocupado, com certeza. E inoportuno. Ficou o tempo todo querendo atenção. Sem ser chamado, cantava e pulava de lá para cá. Petulante, chegou ainda mais perto, ao alcance. Parecia mesmo disposto a nos testar. O que pretenderia com o improvisado número de rua? Moedas de pão? Ensaiei vários assobios, tentando me comunicar em língua estrangeira. O pássaro virou a cabeça para um lado e para outro, como se quisesse se certificar de que eu estava falando mesmo com ele. E se foi sem mais um pio, intempestivo como havia chegado. "Terei assobiado algo inconveniente?" O exibidinho fez escala rápida na borda do chafariz. Depois, indiferente a tudo o que anda e rasteja, alçou voo radical até o alto da palmeira. Meu companheiro de banco não apreciou o espetáculo gratuito.

— Pássaro bobo. Por que se mostrar desse jeito? Exibicionismo puro. Se for para competir em prova de fôlego, eu atravesso oceanos. Ele, não.

Provoquei.

— Isso está me parecendo inveja.

Ele foi veemente ao discordar de mim.

— Invejar o pássaro? Claro que não. Prefiro ser como sou. Não tenho asas, mas também não tenho bico. Bem melhor é ter boca para beijar.

Tornei a fustigar.

— O que você me diz então dos anjos?

Ele sorriu. Olhou para o céu, como se os procurasse, e filosofou.

— Anjos parecem privilegiados. Não são. Asas e lábios para quem desconhece o desejo e o sabor do beijo? Esse, talvez, o pior castigo.

Calamos naturalmente e ficamos ali a observar movimentos. De bicho, de gente, de vento nas folhagens, de jorros no chafariz de Vênus. Não precisei refletir muito sobre minha condição humana para reconhecer.

— Você está certo. Apesar de tão incompleta, também prefiro ser como sou.

Em triste sintonia, ele compreendeu meu tom de voz. Feitos do mesmo barro, nos olhamos com apaixonada resignação: "cuidado, frágil". Estávamos prestes ao beijo, eu sabia. Ele sabia. Fazer o que quando os corpos se atraem? Sem apresentações nem nomes de batismo, bocas coladas, sugamos nossas salivas e nos demos muito prazer em conhecer um ao outro. Recorremos ao que, aqui embaixo, nos permite perder noção, apagar os limites do ego e voar.

Este primeiro encontro com Florentino me vem à cabeça em fração de segundo. Mas, na sala de interrogatório, ninguém sabe da lembrança que me ocorre. Uma das utilidades do pensamento é justamente esta: guardar muito bem guardadinho tudo o que é só nosso — arquivo portátil que abrimos apenas para nós mesmos ou para quem nos é querido.

O tom alto, quase raivoso, do inquiridor me traz de volta à dita realidade.

— Vou repetir a pergunta. Por favor, responda. Seu marido ainda estava com vida quando a senhora foi até ele e se deitou sobre o seu corpo?

Dizer o quê? Que foi inexplicável desatino? Que, afinal, fui eu que o matei com meu peso sobre o seu corpo exangue? É isto que ele está pretendendo insinuar?

— O laudo da perícia me inocenta, senhor inquiridor. Para a ciência, Florentino teve morte imediata. Quando me deitei sobre ele, seu corpo, ainda quente, já não dava sinais de vida. Para a ciência, repito. Não para mim.

A premeditada contradição de minha resposta desconcerta. Poderá esse homem entender que Florentino continua vivo e que, a meu ver, o laudo da perícia, sim, é letra morta? Contenho a emoção diante do estranho — mero boneco, iludido pela transitória função de autoridade. Pobre coitado. Digno não de desprezo, mas de piedade. Diante dele, finalmente, ponho a máscara adequada ao triste espetáculo. Pouco me importa saber que disfarce estará usando. Vejo a aliança em sua mão esquerda — indício de que alguma outra vida segue a seu lado por este mundo. Como agirá fora destas quatro paredes? Será bom pai? Marido amoroso? Que papel representará ao meter a chave na porta de casa? E pensar que é a isso que chamam realidade. A esse jogo de dúvidas e aparências, a esse faz de conta cotidiano. Pois não saiba, senhor inquiridor, que, agora mesmo, nesta sala de interrogatório, viajo nas lembranças sem pedir licença. Viajo sentada, de pernas cruzadas, sem me mexer da cadeira. Volto ao passado. Vou ao encontro de Florentino. Encontro que você e os que estão à sua volta não conseguem ver. Porque só têm olhos para o que parece óbvio. Nada mais que um simples e cansado par de olhos.

— Meu nome é Florentino, porque minha mãe gostava da terminação. Meus irmãos são Severino, Jesuíno e Balduíno. Não há relação alguma com o personagem de García Márquez.

— Claro. Imagino que você tenha chegado a este mundo bem antes de *O amor nos tempos do cólera*.

— Desapontada? Se você quiser, posso ser seu Florentino na ficção desperta! O que você acha?

Ah, Florentino! Meu Florentino da ficção desperta! Mesmo sabendo que você me seria tirado dessa maneira covarde, teria recomeçado igual desde o início. Sou grata à vida pelo tudo que experimentamos juntos. Lamentar o quê? Anos de felicidade?!

Vez ou outra, o inquiridor me examina com ar de superioridade, como se eu estivesse respeitosamente diante dele. Não imagina que o que vê é apenas um corpo de mulher ausente. Corpo visível e palpável, respirando e tudo, é claro, mas cujo coração passeia irreverente por outros universos.

Gabito me chega de surpresa e interrompe a lembrança de Florentino. Está preocupado comigo aqui neste ambiente hostil, vivendo situação surreal. Sabe que não durmo há mais de 48 horas. Sugere que, quando acabar o suplício, eu vá direto para casa, procure me alimentar e tente descansar um pouco. Descansar um pouco? É o que mais quero, meu amigo. Aliás, é o que todos queremos, não é verdade? Velhos, jovens ou crianças. Todos precisamos descansar um pouco. O sono de oito horas seguidas é o prêmio maior. Se vier acompanhado de belos sonhos, então, aí é o bem supremo, a viagem fantástica! Mas haverá neste planeta alguém que, em paz com os dois lados do travesseiro, ainda consiga realizar essa proeza? Alguém que tenha o hábito de bater direto na cama, mergulhar no desconhecido e só voltar à tona pela manhã? Duvido muito. A real dimensão da desgraça, nossa ou alheia, espalha o sono. Quem é que cata sono espalhado pelo quarto? Quem domina a técnica? Ah, Gabito, até parece que você não me conhece! Fique tranquilo, sempre trago comigo aquele kit de sobrevivência. É, aquele mesmo, do tempo de menina. Nele, todas as fórmulas de cura que me foram ensinadas: "ânimo!, força!, coragem!, tem coisa bem pior por aí, Gabriela!". Não, Gabito, não estou me fazendo de forte. Quantas vezes confessei dores, medos e fraquezas a você? Quantas? Me diz. É que, nesta altura do campeonato, já não me desgasto com culpas ou perguntas inúteis: por que comigo? Por que logo agora? Não fui a primeira nem serei a última a provar tragédia. Difícil é ter olhos para ver o ocorrido por ângulo que não seja o do absurdo aparente. Mudar o enfoque da situação equivale a mudar a situação, todos sabemos. Dar sentido ao sofrimento: este, o grande desafio. Gabito volta a ponderar que o amor é que dá sentido a tudo.

Enquanto conversamos, o infeliz inquiridor confere atestados, certidões, laudos periciais, papéis e mais papéis. Finalmente, ufa!, se dá por satisfeito. A mulher ausente diante dele está liberada, já pode ir. Agradeço com a frieza que a encenação exige. Outra testemunha passa a ser ouvida naquela dita realidade. Pego meu corpo, minha bolsa e me levanto. Com um simples boa-tarde, saio da sala de interrogatório, indiferente a tudo e a todos que ali ficaram.

Confidências

Gabito, cheio de cuidados, insiste em me fazer companhia. Agradeço a delicadeza do gesto. Eu, que banquei a durona e decidi vir sozinha ao depoimento, reconheço agora que estou mesmo precisando de presença amiga. Como não temos hora, vamos caminhando sem destino. Tentamos conversar amenidades, mas Copacabana não está em seus melhores dias — muita pobreza, sujeira, trânsito pesado, barulho. Decidimos pegar a primeira transversal e andar pela orla. Céu aberto e mar — verdadeiro alívio. Respiramos melhor. Logo adiante paramos em um quiosque. Sorte: está vagando mesa em lugar privilegiado. Já sei o que quero. Pedido simples.

De bem com a vida, o vendedor volta em seguida com a água de coco e o canudinho, me serve com alegria gratuita. Sua voz torna a me conectar com o mundo. A fala é espontânea. O som, sem máscara, sai bonito e transparente.

— A madame vai ver que a água desse coco tá mais doce que o primeiro beijo!

— É mesmo?

Com ar provocador.

— A senhora se lembra do primeiro beijo?

— Lembro, sim.

Malicioso, escancara um sorriso.

— Garanto que não!

— Lembro até quando e onde. E, olha, não foi tão doce assim...

— Ah, mas esse num foi o primeiro beijo!

— Não?

Ele se diverte com a pegadinha.

— Tô falando é do beijo que a senhora ganhou quando sua mãe lhe viu pela primeira vez! Desse, a senhora não se lembra! Tô certo ou num tô?

Antes que eu lhe diga alguma coisa, lá vai ele se rindo atender outro freguês. O diálogo, ainda que breve, me traz a uma realidade terrena que não dói. Acho fantástica essa intimidade, natural e inocente, das pessoas simples. Sempre me cativa. Gabito também se encanta com o jeito do vendedor, repara na maneira afetuosa e informal com que ele trata a clientela — traço, aliás, característico do brasileiro. Será? Não importa. O elogio à minha gente me cai bem, o assunto fica por aí.

Olha só aquela velhota com o cachorro, Gabito! Que gozados! Ele é que leva a dona para passear. Parecem crianças atrapalhadas! Parecemos todos... Diferentes cenas com transeuntes nos vão entretendo. Calamos, naturalmente. Volto-me para o lado da areia. Gosto de ficar assim em silêncio, olhando o mar. O movimento das ondas me transporta. Florentino ensaia me vir à lembrança, mas Gabito, vigilante, não deixa. De repente e do nada, quer saber há quantos anos a gente se conhece. Ah, sei lá, faz a conta. Mas por que isso agora?

Diz que nossos encontros lhe fazem imenso bem. Comigo, se sente confortável, leve, disposto. Para falar a verdade, está cansado do outro, tão responsável, pesado e mortal. Do outro, avesso aos discursos. Do outro, prêmio Nobel de Literatura, que é chamado a dar entrevistas e a dizer coisas interessantes sempre. E o principal: gostaria de entender por que só ele vem me ver e eu nunca o visito. Nunca.

Ah, Gabito! Que posso fazer se vivo sonhando acordada? Se, para mim, você é tão real ou mais que o outro? Já conversamos sobre isso uma infinidade de vezes. A criatividade, o encantamento, a mágica, tudo vem de você. Bobagem? Bobagem coisíssima nenhuma. É lindo vê-lo se desdobrar em milhões por esse mundo afora. É dádiva, é dom! Que você não tenha controle algum sobre a experiência, que você se deixe levar por instinto, chamamento divino, sei lá! Que diferença faz? Quantos mais você visita além de mim? Quantos você alimenta, alegra e emociona? E quantos vão visitá-lo? Nenhum de nós, não é? Pois lhe digo: aparentemente, nenhum de nós. Na realidade, todos que fomos levados a mergulhar na sua criação devolvemos, em forma de amor, o alimento recebido. É a única coisa que temos a lhe oferecer, Gabito: amor. E você conseguiria viver sem isso? Me diz. Conseguiria? Então? Te amo muito, sabe? Muito.

A conversa segue. O tempo passa e não percebo. Gabito se despede em algum momento durante o meu trajeto de volta para casa, mas continua presente na saudade que dele sempre fica. E na ideia que agora me ocorre e quase me entusiasma, porque talvez me dê forças para não desistir do sonho: escrever, escrever, escrever! Sim, vou contar ao mundo a história de nossa bela amizade. Modo de ocupar a mente e esquecer a dor. Que outro melhor? Precisarei da permissão dele... Precisarei? Claro que não. Se uma voz boa chega e me sopra que devo tornar público o que se dá entre nós, é porque isto nos fará bem. Quem sabe assim, pela primeira vez, eu o faça sonhar comigo ou pensar em mim e, dessa forma, eu também vá até ele?!

A decisão

De volta ao meu quarto. Estas paredes sem janelas. Estas paredes que, desde os meus 15 anos, são o meu mundo, o meu refúgio. Aqui, do chão ao teto, pé-direito altíssimo, tomo posse de mim e me liberto. Aqui — por falta de janelas, repito —, sem saber se é dia ou noite, se há mover de Lua, de Sol, de chuva ou vento, sem pousar de pássaro, sem transitar de gente, sem ruídos de rua, o tempo se exibe menos. É isso mesmo. Aqui, o tempo, esse velhaco, é bem mais modesto e, portanto, melhor companhia. Sem ter o que fazer, é a mim que ele acompanha — desde cedo quando me levanto, até tarde quando me ponho. Aqui, neste cômodo interno do velho casarão — que por milagre ainda existe e não me foi tirado —, eu me reinvento. Aqui — além de ter me deitado com homens e mulheres — vivi meus melhores dramas e comédias, renasci inúmeras vezes. Minha sina, esta: renascer, quando tudo me leva a desacreditar, a desistir. Não vou mudar de hora para outra.

Entro e vou logo tirando os sapatos com os pés, jogando a bolsa na cadeira, deixando a roupa em cima da cama. O depoimento acabou, a sala de interrogatório é passado, o inquiridor se perdeu lá atrás, agora chega. Tenho mais o que fazer. Que o motorista assassino fique solto e impune. Quem sou eu para entender desígnios ou decidir destino? Nesta realidade terrena, e só nesta, Florentino está morto e enterrado. Pronto. Nem aviso no jornal nem missa de sétimo dia. A dor me pertence. Só uns poucos a conhecem. Irei superá-la, como todas as anteriores — pelo caminho, há sempre uma água de coco mais doce do que o primeiro beijo! Não há?

Troco-me diante do espelho que, para meu consolo, continua amigo. Nele, vejo-me por inteira, mesmo que apenas na aparência. Nele, conheço minha forma, meu todo, meus limites. Sincero, ele me mostra como realmente sou em proporção, peso e altura. Nada contra. Faz isso com todos, revelando a beleza ou a feiura, o apogeu e a decadência, sem dó nem piedade. Os incomodados que não se mirem. Não é o meu caso. Gosto de me ver. Pelo menos por enquanto. A carne está toda no lugar. A alma? Não faço ideia. Também não esquento com isso. Quero é que as duas mantenham um mínimo de dignidade, se entendam e me deixem sossegada. Sinto-me bem assim de short e blusa sem nada por baixo. Tão bom se pudéssemos também usar a pele sem nada por baixo!

Enfim... Me olho nos olhos e repito: está decidido. Vou escrever minha história. A estranha história de Gabriela Garcia Marques e seu amigo homônimo. História que será escrita com o coração — a cabeça ajudará no que puder. Será relato sincero, sem censura e do começo: na favela Santa Marta, com meu avô. Antes, em Xambioá, com meus pais. E finalmente neste casarão da Glória, com as meninas, desde os tempos de minha tia Letícia.

Está mesmo decidido. Preciso passar para o papel, deixar registro. Questão de saúde, de sobrevivência até. Segredos, intimidades, o sexo sempre presente. Sempre realidade ou sonho, êxtase ou sofrimento sempre. A desarmada entrega, a manipulação do outro. O peso da família, a importância dos filhos alheios e dos que não tenho, mas carrego comigo. Alegrias miúdas que distraem a alma, pequenas felicidades que dão fôlego. Ingenuidades. Encontros apaixonados, decepções, rompimentos. O sair e bater a porta. Adianta? O que tenho a dizer terá consequências, é claro. Como tudo que fazemos, haverá de interferir no andamento do universo. O que acontece comigo e Gabito e as pessoas ao nosso redor não é muito comum. Que seja visto como ficção, delírio, não me incomodo. A morte trágica de Florentino me dá total liberdade para me expor — o que confirma que, se formos ver, em tudo na vida há o lado bom.

E tem mais. Vou avisar as meninas. Que me tragam as refeições aqui no quarto, as mudas semanais de roupa de cama e banho. Que me providenciem também o que costumo usar para a higiene. Só saio daqui depois de terminar a história. A poeira baixará e cobrirá os móveis sem que eu me importe. Usarei o celular apenas como interfone para pedir a comida caseira. Nada de internet, televisão, revistas ou jornais. Notícia de espécie alguma. Meu contato com o mundo se fará apenas no abrir a porta para quem me vier trazer as refeições. As meninas se revezarão e, durante o tempo que durar o relato, não verei ninguém além delas — não adianta insistir, ordens expressas. Radical? Sigo exemplo. Imito a vida, que sempre tem sido extrema comigo. Sem culpa, sem revide. Necessidade apenas de mergulhar neste meu universo prestes a transbordar. Necessidade de levantar a tampa do ralo. Necessidade de me deixar escoar, sem medo ou pudor. Ir fundo. E por caminhos estreitos, escuros e subterrâneos, quem sabe?, chegar ao lado de lá, onde o sonho vive.

Computador ligado. Novo documento aberto. Título? O que me vem ao coração de imediato: *Doce Gabito*. A cabeça precisa entender. Pergunta: Por quê? Porque é assim que o vejo, ora! Influência, talvez, da água de coco. Que importa? Teclo "salvar".

Diante da tela branca, sinto-me como alguém que acaba de saltar do trampolim, mas ainda não tocou a água: voo obrigatório, braços abertos como se fossem asas, viagem sem volta. Só me resta o mergulho.

Vovô Gregório

Sempre quis voar. Desde menina. Não de avião, não de asa-delta, nenhuma dessas geringonças. Queria voar por mim mesma. Abrir a janela e alçar voo com o atrevimento dos pássaros. Adolescente, ousei ainda mais no sonho. Quis, insana idade!, voar acompanhada. Imaginei possível o voo de mãos dadas com alguém — o voo lírico das figuras de Chagall, noivos apaixonados nas alturas. Lá onde as roupas não pesam, os sapatos não pesam, nada pesa. O infinito à disposição da curiosidade dos amantes!

Quem me fez assim foi meu avô Gregório — mulato belíssimo, saúde de ferro, uma tora. Inteligente, sensível. Dizia-se protegido por entidades do candomblé, mas também era devoto de santos católicos. Por ele, fiquei sabendo que meu nome me foi dado em homenagem ao arcanjo Gabriel. Arcanjos, ele afirmava, são os anjos de patente mais elevada na hierarquia celeste. Estão acima de serafins, dominações, tronos e querubins. São respeitados por todas as potestades. Lembro-me do vovô comigo no colo, me contando essa história, enquanto me coçava as costas, feliz da vida, porque minhas asas estavam nascendo perfeitas, no lugar certinho. A cena me marcou. Está nítida como se tivesse acontecido hoje.

Sei muito bem por que meu avô me desenhou asas logo cedo. Ele queria que eu reencontrasse meus pais de um jeito fácil e que não doesse muito. Nunca me conformei com a ausência de mamãe e papai. E ele a me garantir que os dois estavam no Paraíso, podendo cuidar de mim melhor do que se estivessem aqui na Terra.

Vovô e eu morávamos no ponto mais alto da favela Santa Marta, em Botafogo. No morro, nenhum outro barraco acima do nosso. Era lugar de risco, escondido, que alternativa? Apesar de todo o perigo e desconforto, vovô se orgulhava daquelas paredes de madeira, daquele telhado de zinco. Tínhamos a melhor vista, a proximidade da mata e o céu ao alcance da mão. Não era por acaso que estávamos ali, ora! No dia em que minhas asas crescessem, eu iria ver mamãe Luzia e papai Egídio. Era só uma questão de tempo e paciência, ele me prometia.

Ainda que projeto incipiente de anjo, asas em formação, eu me esforçava para encontrar meus pais: quem sabe em alguma nuvem que passasse — branca, cinzenta ou rosa? Uma aparição de repente para me fazer surpresa, eu pensava. Talvez hoje eles venham. E meu coração batia forte. Eu olhava, esperava, as nuvens passavam e nada. Vinham, sim, o cansaço e a decepção. Volta e meia, dormia encostada na soleira da porta. Era o vovô que me pegava no colo e levava para dentro.

Certo dia, a cabeça deu um basta no coração. Como entender esse eterno jogo de esconde-esconde, onde só um procura e os outros nunca aparecem? Jogo bobo e sem graça. Quer saber do que mais? Tirei de ideia. Desisti. Que mamãe, papai e os seres alados ficassem lá onde estivessem. Fui brincar de outra coisa e fiz muito bem. Descobri que o chão era tão fantástico quanto o céu, só que mais perto. Mergulhei fundo naquele novo universo. Chão de terra, chão de cimento, o chão que fosse. Olhava para um lado, a mata. Olhava para outro, a favela. E eu ali, na fronteira. Muito espaço para conhecer, muita gente, muito bicho, muita coisa de tamanho, forma e cor diferentes. Fui aprendendo, por mim mesma, a gostar aqui de baixo. Nunca mais me preocupei se minhas asas cresciam ou se estavam no lugar certo — agora, por onde andava, não precisava delas. Vovô parecia aprovar minha nova opção de vida. Pelo menos, nossas conversas eram outras. Eu não queria mais saber de anjos, aparições, viagens ao Paraíso, nada disso. E ele também não tocava no assunto. Estávamos felizes assim. Eu, igual a ele, igual a todo mundo, podia viver muito bem sem asas.

Foi nesta nova fase que aprendi a ler e a escrever. Ganhei dois cadernos em pé: um de pauta e outro quadriculado. E um caderno deitado, de folhas brancas para desenho. Ganhei lápis preto, borracha, apontador e régua. E um estojinho de lápis de cor, que conseguia colecionar tons mais variados que os do arco-íris. Eu não tinha de ir ao colégio. Vovô era meu professor e me ensinou o básico. As noções de português, matemática, história, geografia e ciências, aprendi com ele. A aula que eu mais gostava era a de música. Vovô dizia que era aula. Aula, nada! A gente cantava junto as canções que ele dedilhava no violão. Eu acabava decorando as letras e ele ficava todo orgulhoso de como eu aprendia rápido. O repertório era bastante variado. Aos 6 anos, eu já tinha razoável conhecimento de nosso cancioneiro popular. Os sábados eram sagrados — os vizinhos próximos se reuniam religiosamente e iam lá para casa nos ouvir. O bom Jeremias, que vovô considerava como filho, sempre levava umas cervejinhas. Dizia que era prazer e que a cantoria valia a contribuição. Eu adorava me exibir. Já amanhecia me preparando para a apresentação. A plateia amiga, a felicidade no rosto de cada um, o riso solto, o aplauso, tudo me embevecia.

Com o tempo, atraída pela melodia dos versos, passei a me interessar mais pelas letras que pelas músicas e procurava decifrar o que aquelas palavras combinadas queriam me dizer. O vovô era autor de todas elas. Quando a gente cantava "Carinhoso", eu lá pensava em Pixinguinha ou em João de Barro? Nem sabia da existência! Afinados, íamos os dois de ouvido com o violão: "Meu coração, não sei por quê/ bate feliz quando te vê/ e os meus olhos ficam sorrindo/ e pelas ruas vão te seguindo/ mas mesmo assim/ foges de mim./ Ah, se tu soubesses como sou tão carinhoso/ e o muito, muito que te quero (...)"/ Esta canção, é claro, tinha sido feita especialmente para mim. Os versos contavam direitinho a nossa história: quantas vezes, às gargalhadas, eu corria do vovô e ele, feito o bicho-papão, tentando me pegar. "Volta aqui, menina levada, volta aqui!" Quando me alcançava, cheio de calor, me cobria de beijos e me dizia que, se eu soubesse o quanto ele me amava, eu não fugiria dele assim.

Decididamente, as brincadeiras do chão eram muito mais divertidas que as do céu. Fui me apegando ao morro, que era o meu lugar. Meus sonhos, agora, tinham a ver com o que eu poderia fazer aqui embaixo: cuidar do vovô — que era também meu pai, meu amigo, meu tudo — e de mim, sua companheira. Cuidar da nossa casa, cuidar de aprender coisas novas e, é claro, decorar canções e entender o recado que me davam: "O morro não tem vez/ e o que ele fez já foi demais/ mas olhem bem vocês/ quando derem vez ao morro/ toda a cidade vai cantar". Tom e Vinicius que me perdoem, mas de todas as composições do vovô, essa era uma das que mais me inspiravam. Letra e música. Perfeitas! Enquanto cantava, eu sentia a luta de toda aquela gente que morava ali comigo. Luta para viver com dignidade, para segurar o emprego e educar os filhos. Luta para ficar sossegado no nosso canto, longe dos bandidos e da polícia. Luta para não perder a esperança e continuar sonhando que um dia o morro ia ter vez, sim, e que aí, então, toda a cidade ia cantar de verdade.

Argolas de fumaça

Perdas, medos, dores. Quando fui morar com meu avô, eu já conhecia esses avessos do destino. Conhecia porque, antes, em Xambioá, houve colo de mãe, brincadeira de pai, banho de cachoeira, quintal, bicho de estimação — pedaços de infância que eu precisava esquecer, porque me machucava pensar em pessoas e lugares que, contra a minha vontade, haviam desaparecido assim da noite para o dia. Mudança de mais, explicação de menos. Fazer o quê? Ainda não tinha noção de coisa alguma. Ter noção com 4, 5 anos? Imagina! Ia só sentindo na pele os prazeres e os desprazeres que me eram dados e pronto.

O sexo, este, é claro, ainda não tinha se atrevido a contracenar comigo. Nem na favela Santa Marta — onde aprendi os escondidos da vida muito cedo. Dele, sabia apenas de ver e ouvir falar. Sabia que, para as meninas, o sexo chegaria quando bem entendesse, sem avisar e sangrando — a Tininha, minha amiga, me contou. Primeiro, a gente sangrava para se tornar moça e, depois, sangrava de novo para se tornar mulher — muito sangue para o meu gosto! Sabia que beijo de língua era sexo e abraço colado de corpo inteiro, de frente ou de costas, também era sexo. Namoro no escuro dos becos era sexo e namoro no mato era muito mais sexo. Homem e mulher casados na mesma cama era sexo que a igreja deixava, e se entrasse mais um no meio, aí já era pecado, mas era sexo também — sexo em dobro que, quase sempre, acabava em briga e confusão. Neném na barriga da mãe era sexo que, em menos de um ano, ia começar a dar muita canseira e despesa. Pé esfregando pé embaixo da mesa era sexo, eu vi uma vez. E a mão do Ronald escorregando devagar por dentro da blusa da prima dele também era sexo — de onde eu estava, deu para olhar bem de perto, mas eu não contei nada para ninguém. Pombo perseguindo pomba era sexo, mosca em cima de mosca era sexo, cachorro cobrindo cadela era sexo — cenas eróticas que eu presenciei por acaso e sem cortes de censura, todas muito engraçadas. Enfim, tão pouca idade e eu já conhecia muito bem o que era sexo.

Conhecia? Nem tanto assim. Nunca imaginei que, para mim, o sexo pudesse aparecer precocemente antes mesmo de eu sangrar. E aparecer assustando, ainda por cima. Dar de cara com o sexo e o medo, juntos daquele jeito, atiçou instinto, provocou arrepio, confundiu ideia. Mas também desencadeou pensamento novo, despertou curiosidade. Como esquecer? Aquela mão horrível tocou o meu corpo onde não devia e mudou tudo. Trouxe aflição e choro, sim. Mas, por caminhos tortos, me serviu. O medo me deu coragem. Corri até meu avô e, passado o susto, contei a verdade para ele.

Outubro de 1975. Eu, com 8 anos. Pulo da cama cedo. Já ouço vovô assobiando na cozinha. Ele se espanta quando me vê.

— Deu formigueiro, é?

Formigueiro, nada. Vontade doida de ir lá para fora, isso sim. Fogo de criança que não se explica. Engulo o café, quase me engasgo.

— Devagar, Gabriela. Comer tão rápido faz mal.

E eu lá me importo? Acho é graça. No barraco vizinho, o rádio amanhece um tom acima, combina comigo. Canta samba feliz da vida. Vovô reclama.

— Música alta já a essa hora?!

Não me incomodo, até gosto. O volume exagerado acompanha minha animação. Um beijo apressado no meu avô, que me aconselha a não ficar andando muito longe de casa, e lá vou eu, misturada com o povo. Céu lavado, brisa fresca, dia útil. Bocejos honestos dos que trabalham cedo. Uma quase alegria nos rostos. A obrigação hoje desce o morro temperada com o bom humor das sextas-feiras. Paro no meio do caminho, encontro o meu lugar de aconchego, "não muito longe de casa" — custa nada seguir a recomendação. Aproveitando a sombra da árvore, que resiste sozinha contra centenas de barracos de tábuas emendadas, acomodo-me na escada que vai ter a uma das alamedas da favela. Saído não sei de onde, o vira-lata despreocupado vem, me cheira a perna, me lambe a mão e segue em paz abanando o rabo. Nenhum indício de que o sexo e o medo rondam perto.

Eu, quieta no meu canto. Eu, feliz da vida com meu caderno de letras de música, preparando a "lição" da tarde, decorando versos. Alheia a tudo o que se passa em volta, porque mergulhada naquele mundo de poesia. Às vezes, ouço uma voz ou outra que passa: "Oi, Gabriela!", "Bom dia, Gabi!", "E aí, Gabi, tá estudando?". E eu: "Oi", "Bom dia", "Tô". Vou respondendo a todos de forma mecânica, apenas por educação, sem tirar os olhos do papel.

De repente, feito nuvem que cimenta o sol, alguém me cobre e eu não percebo. Junto, vem a voz que chega machucando e bate por bater.

— Isso é lugar de ficar, infeliz? No caminho atrapalhando os outros?

Não dou importância, deixo passar. Nem é comigo. Continuo quieta no meu canto. Mas a voz insiste com maior agressividade.

— Gabriela, estou falando com você!

Levo susto ao ouvir meu nome dito com tanta raiva. Faço pouso forçado. Levanto a cabeça e me deparo com o vulto ameaçador que me tirou do sonho sem pedir licença. Não reconheço o rosto na contraluz, mas a voz rouca me parece familiar. Claro, só pode ser! O velho Rufino, dono da birosca do beco das Latas!

— Você é surda, por acaso? Não me ouviu chamar? O que é que está fazendo aí atrapalhando a passagem?

— Estou estudando e não estou atrapalhando nada. Um monte de gente já passou por aqui e não reclamou. Só você.

— Além de tudo, atrevidinha.

Não estou a fim de assunto, não levo o bate-boca adiante. Volto para os meus versos. Adianta? Seu Rufino, com encosto no corpo, parece mesmo disposto a me infernizar.

— Estudando, é? Pois aposto que isso aí não é estudo coisa nenhuma. Você nem vai pra escola, que eu sei.

A paciência se despede, mas não me deixa sozinha. O orgulho continua ali comigo e me dá ar de superioridade.

— Estou estudando "Carinhoso", uma música que o vovô escreveu só pra mim!

— Ah, é? O Gregório escreveu "Carinhoso" pra você?

— Escreveu. A música fala de nós dois.

— Não me diga. É mesmo?

A voz se torna pastosa e arrastada. Impossível descrever a transformação do velho diante de mim. Os trejeitos insinuam baixezas. Medonho e ridículo ao mesmo tempo, Seu Rufino começa a me fazer perguntas totalmente sem nexo. Já sentado comigo, quase segredando, quer saber se o vovô me dá beijo de língua na boca, se bota a mão em partes escondidas do meu corpo. "Esse velho é maluco!", penso. Colado em mim, ele começa a me acariciar com falsa doçura. Primeiro, os cabelos. Depois, os ombros, o peito, os joelhos, as coxas... É o sexo que, junto com o medo, me surpreende feio e entra em cena.

— O Gregório é um mulato muito bonito, você não acha?

Estou paralisada, incapaz de esboçar qualquer reação. Ele insiste com lubricidade.

— Você não acha, minha paixão?

Automaticamente, faço que sim com a cabeça. Ele abre sorriso de satisfação.

— Você também é muito linda, sabia? Teu avô manda você usar vestidinho curto, manda? É por aqui que ele te obriga...?

Não sei o que fazer. Chorar, não choro. Ao notar que um morador se aproxima, Seu Rufino puxa rapidamente o meu vestido para baixo, olha para o lado, disfarça. Movida pelo pavor, agarro meu caderno, subo correndo as escadas e disparo para casa. Não tenho coragem de virar para trás, mas sei que, como figura de pesadelo, o velho me persegue.

— A Gabriela é uma criança traumatizada, Gregório! Não é de hoje que eu estou vendo isso. Agora mesmo, por causa de uma conversa boba, fugiu apavorada! Você anda abusando dessa menina?!

— Que loucura é essa, Rufino?! Você não tem noção da monstruosidade que está dizendo!

— Tenho noção, sim! Muita noção até, está sabendo?! Uma música que fala de calor dos lábios meus que procura os teus, que fala de paixão que devora o coração e a Gabriela me diz que foi você que escreveu essa música pra ela, porque conta a história de vocês dois! Que pouca-vergonha é essa?!

— Sua cabeça doente é que está vendo sujeira onde não existe! A Gabriela está apavorada é com todos esses absurdos que você está dizendo!

— Que aí tem coisa, tem. Posso apostar! Sempre achei muito estranho isso de você, um mulatão saudável, cheio da disposição e sem mulher, morando sozinho junto com uma menininha, sem ninguém da família vir visitar. Muito estranho, muito estranho mesmo!

— Você pense o que quiser. É direito seu.

— E por que é que você nunca deixou a Gabriela ir pra escola?! Por quê, hein?! Por que tudo que ela aprende tem que ser escondido dentro de casa?! Me diz!

— Rufino, vai embora ou eu não respondo por mim!

— Eu vou, Gregório, eu vou. Mas você toma cuidado porque eu tenho primo que é da polícia, Serviço de Informação, sabe? A especialidade dele é revirar vida de povo que tem rabo preso. Manda até dar um corretivo se precisar. Sou bem capaz de pedir a ele pra vir aqui com o juizado de menor te fazer umas perguntinhas e tirar tudo isso a limpo!

Vovô vira bicho. Pega Seu Rufino pelo braço e o põe para fora do nosso terreno.

— Vai! Vai lá falar com teu primo ou com quem quiser! Estou me lixando! Agora, chega! Fora daqui! Fora!!!

Diante do destempero de seu contendor, Seu Rufino exibe um risinho odiento. Com soberba, de longe, ainda ameaça.

— Que aí tem coisa, tem. Eu vou voltar. Pode apostar que vou. E ainda trago meu primo e o pessoal dele junto.

Vovô bate a porta com violência, leva a mão à testa, anda de um lado para outro, não sabe o que fazer ou dizer. Nunca o vi assim. Seu rosto mostra raiva do mundo, desejo de ir à forra. O murro na mesa balança tudo na sala. E o berro com que amaldiçoa o velho Rufino me assusta. Confuso, vem e me pede desculpas por aquele avô destemperado que eu não conhecia. Volta a lembrar a promessa que fiz a ele de nunca revelar a ninguém nosso segredo. É preciso tomar cuidado, previne.

Só depois de acender o cigarro, dar duas ou três tragadas, vovô começa a se acalmar. Nem precisa me pedir, eu já levo o cinzeiro. É combinação nossa. Antiga. Ele não diz obrigado. Nunca. O agradecimento que recebo é outro e sempre o mesmo: argolas de fumaça soltas no ar — segundo ele, auréolas para atrair anjos que estejam por perto. A proeza me encanta. O seu significado, mais ainda. Acontece que agora não acho o cinzeiro em canto algum. Vovô continua fumando. Vai batendo as cinzas no chão.

— Vô, cadê o cinzeiro?

Ele diz que quebrou. Hoje de manhã. Escapou da mão sem querer. Tudo bem. Que eu não me preocupe. Depois, a gente compra outro. Tudo bem coisa nenhuma. Chão lá é lugar de jogar cinza? E se não tem cinzeiro, não tem brincadeira, não tem argolas de fumaça nem anjos. Pedir? Não peço. Não é o combinado. Qual a graça? Aos poucos, o cigarro vai acabando. Preciso encontrar um jeito. E encontro. Vou até ele e ofereço a minha mão em concha.

— Vô, pode jogar a cinza aqui também.

Vovô entende, não diz obrigado. Me beija, me abraça apertado. Depois, dá uma longa tragada e solta argolas de fumaça.

Bebê dentro da barriga não chora

Segredo, eu sabia, é coisa que não se pode contar a ninguém. Nem ao melhor amigo. É coisa para ficar bem guardada dentro da gente a vida toda.

— A vida toda?! Poxa, vô! A vida toda é muito tempo!

Vovô concorda comigo. Diz que exagerou. Foi modo de dizer. Nosso segredo, pelo menos o nosso, poderá ser revelado um dia. Daqui a uns anos, talvez. Mas agora, de jeito nenhum, nem pensar. Ele me pergunta de novo o que aconteceu para o velho Rufino chegar assim acusando e ameaçando até trazer polícia. Não consigo abrir a boca. Me faltam as palavras. Sei muito bem o que ele fez, mas sinto vergonha de contar.

Vovô diz que está certo. Se não quero falar, não falo. Não vai forçar. Ele me ouvirá quando eu quiser. Ainda bastante preocupado, acha que chegou a hora de termos longa conversa. Mas, pelo que está vendo, agora não é o momento. Diante das ameaças do Seu Rufino, precisa pensar sobre o nosso futuro. Promete que nada de mau vai me acontecer, que ninguém nunca vai nos separar. Ele não deixa.

— Vô, posso ficar perto de você? Eu deito ali no sofá. Não vou te atrapalhar.

— Claro, minha querida, claro. Você não me atrapalha em nada, imagina.

— Você não vai embora que nem o papai e a mamãe, vai?

— Que ideia é essa, Gabriela? O vô nunca vai te deixar. Nunca, está me ouvindo? Você quer que eu fique no sofá com você?

Faço que sim com a cabeça. Poder ficar grudada com o vovô no sofá me deixa mais tranquila. Seu abraço volta a me passar segurança — aquela raiva do mundo parece que foi toda embora. Protegida pelo seu corpo, me sinto tão querida que insisto em me perguntar se não terei nascido dele. Loucura minha, eu sei. Imaginar o vovô grávido de mim! Vez ou outra acontece. Um dia falei isso para ele. Caímos os dois na risada. Ele, pelo absurdo da ideia. Eu, pelo nervosismo de querer que tivesse sido mesmo verdade. Cheguei a pedir que me levasse na barriga, só para eu ter a sensação de ser neném. Vovô, generoso como sempre, me fez a vontade. Com imaginação e poesia, em um lençol amarrado ao pescoço, me embrulhou toda encolhida e saiu me carregando pela casa. Pode?! Um homem grávido de um bebê de 6 anos?! Eu, quietinha lá dentro, me fazendo de neném. E ele cantando canções de embalar e dizendo que dentro dele morava uma menina muito, muito linda, que logo iria nascer para trazer mais luz ao mundo. Tão gostoso aquele passeio! No final da brincadeira, fingi que estava chorando. E o vovô, perdido de riso, dizia que eu não podia chorar, porque bebê dentro da barriga não chora. Talvez por isso, foi tão difícil me convencer a sair daquele lençol para brincar de outra coisa. Talvez por isso, ainda agora, aqui neste sofá, me dá vontade de ir morar dentro da barriga dele. E ficar bem quietinha. Lá onde bebê não chora.

Algum tempo depois, vovô fecha os olhos. Fica ainda mais bonito. Faço festa nele, dou beijo no rosto, na mão. Por mim, ficaríamos os dois assim abraçados para sempre. Mas tempo e cansaço nada entendem de eternidade. Logo em seguida, deitada sobre ele — corpo moído por tudo que aconteceu —, caio no sono. O cochilo vira pesadelo. Acordo, coração disparado. O velho Rufino tornou a aparecer na minha frente, medonho e tão ameaçador quanto antes! Pior ainda, tamanho descomunal, eu juro! Aparição pode ser mais de verdade que carne e osso?! Mais real?! Pode chegar assim desse jeito, apavorando, estragando tudo?! Pode?! Por quê?! Quem manda mais que a aparição?! Quem obriga ela a calar a boca, a ir embora e a não voltar nunca mais?! Quem?!

Vovô se assusta com meu choro súbito que não para. Se aflige com meu silêncio que, sabe, esconde o algo que me causa medo.

"O Gregório te dá beijo de língua na boca? Põe a mão embaixo desse seu vestidinho curto? É por aqui que ele te obriga...?"

Não quero lembrar, não quero! Então por que é que eu lembro mesmo contra a minha vontade?! Por que minhas pernas tremem sem controle?! Por que ouço os tiros de Xambioá?! Por que papai e mamãe sumiram sem mais nem menos?! Por que minha cabeça mistura tudo sem parar?! Eu tenho tomada?! Onde é que desliga?! Onde?!

Vovô me segura firme nos braços. Me olha direto nos olhos — voz de autoridade que o amor lhe confere.

— Gabriela, querida! Ouve teu avô! Você vai ter que me contar o que está acontecendo! Só assim vou poder te ajudar, entende?!

Mal faço que sim com a cabeça, me atiro em seus braços. Não consigo parar o choro. Queria mesmo é ir para a barriga dele, ficar escondida lá dentro.

— Olha, o vô vai preparar um suco daqueles que você gosta e depois nós vamos conversar lá fora, no nosso esconderijo. Prometo que essa assombração vai embora de vez e nenhum outro pensamento mau vai assustar você.

Para espantar os males que nos afligem, vovô repete a velha receita caseira: uma canção tirada de pronto e um suco de frutas feitinho na hora. Só que, desta vez, seu canto sai triste.

— "Tem dias que a gente se sente/ Como quem partiu ou morreu/ A gente estancou de repente/ Ou foi o mundo então que cresceu/ A gente quer ter voz ativa/ No nosso destino mandar/ Mas eis que chega a roda-viva/ E carrega o destino pra lá/ Roda mundo, roda-gigante/ Rodamoinho, roda pião/ O tempo rodou num instante/ Nas voltas do meu coração..."

— Vô, por que você fez essa música?

— Já disse a você, Gabriela. Não fui eu que fiz essa música nem escrevi esses versos. O autor é o Chico Buarque.

— Ela é triste.

— Você acha?

— Acho. É muito bonita. Mas é triste.

Vovô continua compenetrado preparando meu suco. Descasca a maçã e a cenoura, espreme a laranja, põe o mel e o gengibre.

— Então você escolhe outra mais alegre e a gente canta junto, tá?

Sempre boa em dar palpite, não encontro letra ou música que me anime. Vovô liga o liquidificador. Fecho os olhos e descubro que aquele barulho triturando tudo exprime com perfeição o que se passa dentro de mim. Essa é a música sem versos que combina e me conforta agora.

Depois, silêncio. A mão que cuida me passa o suco. Sorrisos de cumplicidade apenas. Gosto da cor dentro do vidro. Vovô despeja para ele o restinho que sobrou no liquidificador. Ergue o copo num brinde calado. Vira o pouco de uma vez. Só então, a pergunta de sempre.

— Está gostoso?

Muito. Bebo tudo até o final. Mas o sabor me é estranho. Como se, desta vez, houvesse outra fruta no suco. Fruta desconhecida. Proibida, talvez. Ainda não sei, mas antevejo: minha fase de menina está por terminar. Nova árvore do conhecimento? Novo paraíso terrestre prestes a desaparecer? O paladar se altera diante do aprendizado forçado. Sinto o gosto antecipado da tristeza. Premonição ou o quê?

Antúrios

Assobiando Pixinguinha, vovô me leva pela mão até a parte mais íngreme do terreno atrás do barraco — onde, misturados com a mata, os sentidos ganham força. Gosto de ouvir o assobio que me conduz. Gosto quando me sinto assim: bicho curioso que espreita o céu e fareja o chão, a cabeça vazia de pensamento. Vamos subindo devagar a trilha de degraus incertos cavados na terra. Ao final e ao ar livre, estará o nosso esconderijo. Paraíso sem dono. Ameaça de espécie alguma.

O portão de madeira, gasto pelo tempo, dá acesso simbólico ao pequeno jardim secreto: a goiabeira e o pé de tangerina, nascidos antes da nossa chegada, a horta disposta em três canteiros e vários tufos de antúrios vermelhos crescidos no chão. O lado esquerdo é o meu predileto. Ali, o tronco de árvore caído nos serve de banco e o caramanchão improvisado está sempre coberto por uma trepadeira perfumada, que o vovô plantou assim que nos mudamos para cá: jasmim-dos-poetas — ela dá umas flores brancas e tem de ser podada com frequência, porque cresce muito rápido.

Sentados onde estamos, podemos ver os antúrios bem de frente. Não tiro os olhos deles. Vovô rne pergunta se já quero contar o que aconteceu com o Seu Rufino. Diante do desafio, remancho. Meu pensamento voa longe e, em vez da fala difícil do presente, me vem a imagem fácil do passado. Talvez de lá, quem sabe, eu tire coragem para dizer o tudo que é preciso. A voz baixa quase não sai. A frase vem aos poucos e aos pedaços.

— Antúrios... são corações que fazem careta... mostrando a língua.

Vovô se surpreende com minha lembrança. Já nem sabe direito quando inventou isso. Pois eu sei muito bem. A cena continua tão nítida que sou capaz de reproduzi-la com detalhes. Vovô desacredita, me desafia. Quer conhecer de novo a história que ele mesmo contou. Não o desaponto. Vou desfiando o enredo tim-tim por tim-tim. Primeiro, ele se queixando da filha mais velha, tia Letícia — mulher prática, calculista. Vivia em função do dinheiro, incapaz de entender que alguém pudesse sacrificar a vida por sonho ou ideal. Custava a crer que ela e mamãe fossem irmãs e houvessem sido criadas juntas. Tia Letícia se afastara de todos, se tornara hostil à família. Como é possível?! — ele se indignava. Com ela, nenhum diálogo, nenhum entendimento. Enfim, história complicadíssima que, quando eu fosse maiorzinha, ele iria me contar. Depois do desabafo, o silêncio e, logo em seguida, os antúrios. Perguntado se sentia raiva da filha, ele coçou a cabeça, olhou para um lado, para o outro e, meio sem graça, me confessou que sim. Raiva e pena. Mais raiva que pena. Mas não queria falar sobre isto naquele momento. Melhor deixar para lá. Encerrando o assunto, arrematou com suas costumeiras saídas de emergência. Exibiu cuidadosamente aquelas exóticas flores vermelhas com suas espigas amarelas e me fez ver bem de perto que elas, na realidade, não eram flores. Eram corações que mostravam a língua para espantar as tristezas do mundo. Desse modo, digeria a raiva que sentia de tia Letícia: visualizava os antúrios fazendo careta para ela e, pronto, afastava os ressentimentos todos. Na época, não levei fé na invencionice, mas, por incrível que pareça, são esses corações e suas pontudas línguas que agora me dão força para falar.

— Hoje deve ter nascido mais um antúrio, vô. Ele deve estar bem ali no meio, fazendo careta pra espantar toda a minha tristeza.

Não ouço o que meu avô responde. Nem olho para ele. Algum comando dentro de mim me faz querer enfrentar o medo sozinha. Escolho um dos antúrios para fixar os pensamentos. Em voz baixa e de forma mecânica, vou contando o que aconteceu comigo. Terá a minha mente sido programada? Espécie de confissão ou o quê? Mistérios. Só quando mostro o jeito com que o velho me levantou o vestido e me pôs a mão no meio das pernas é que meu corpo ameaça tremer, mas é impressão e logo passa. Respiro fundo. Alívio. Me dou por satisfeita. Consegui verbalizar o mal que me afligia. Está tudo certo, o recado foi dado.

— Eu mato o Rufino! Eu mato!

Não sei quem verbaliza. Se vovô Gregório ou o antúrio que faz careta. Não importa. Ouvi direitinho. Mais que ameaça, é sentença de morte que não deixa dúvida. A aparição medonha está com seus dias contados. Bem feito. Quem mandou?

Aqui pode, aqui não pode

Meu avô continua inconformado com o que acaba de ouvir. Para ele, o velho miserável mereceria, no mínimo, uma boa surra. O certo seria denunciá-lo, botá-lo na cadeia. Mas nosso segredo o impede de ir à polícia. O importante, agora, é que eu esqueça de vez toda essa safadeza do Seu Rufino. Não sou uma menina forte, esperta, inteligente? Então? Fui corajosa, não me intimidei, contei toda a verdade. Tenho mais é que sentir orgulho, levantar a cabeça e seguir em frente. A vida tem dessas coisas desagradáveis. A gente não pode se deixar impressionar. Sou saudável, juízo firme, ele garante. O abuso que sofri não vai confundir minhas ideias nem meus sentimentos. E o velho vai ter o troco que merece. Promessa. Juramento até.

Pela primeira vez, alguém fala sobre sexo comigo. Sexo de verdade. Nada daqueles meus conhecimentos bobos e infantis que eu pensava ser pós-graduação. Conversamos sobre meu desprazer e repúdio à mão do velho e sobre as coisas que ele me disse. O assunto é bastante complicado. Mesmo assim, cuidadoso, vovô vai desfazendo todas as insinuações maldosas que me foram feitas. Sem rodeios, me explica também o que acontece com o corpo de meninos e meninas. As mudanças, os desejos que começam a surgir, a vontade de fazer carinho, de beijar e até de ter relação mais íntima. Ensina que o amor que sinto por ele é completamente diferente daquele que um dia eu vou sentir por um rapaz.

— A atração é outra, o toque é outro, o beijo é outro. O corpo fala de modo diferente.

Vejo que ainda tenho muito que aprender. O toque é outro? O beijo é outro? O corpo fala de modo diferente? Como? Para entender, procuro as referências que há em mim. Os tatos da minha outra infância distante, os cheiros, os gostos, os sons. Voltam todos de repente. Vovô nem imagina o que se passa dentro da minha cabeça. Viajo desacompanhada.

Xambioá. Alto Araguaia. Eu, 3, 4 anos. As primeiras memórias do corpo. Mais fortes que as da mente. É possível? Desde cedo, sempre o corpo a ditar as regras, a se fazer presente.

Cachoeira, barulhão, água fria. Papai, comigo no colo, mergulha e sobe, mergulha e sobe. Eu amo o brinquedo. Depois, pássaro perto pousado na pedra. Ele, alegre surpresa, aponta.

— Olha ali, Gabi! Cocó!

Eu imito, aponto, repito baixinho: "Cocóóóó..." Súbito, o pássaro voa. Eu fico. Fico porque papai me prende em seus braços. Por amor? Por segurança? Papai existe apenas da cintura para cima. A parte inferior do corpo sempre submersa naquelas águas revoltas. Eu, mínima, caibo inteira em seu peito nu e no rosto de barba que sorri para mim. O resto todo dele, não conheço.

Rede na varanda. Eu, com fome. Mamãe ainda me dá de mamar, me beija, me ajeita.

— Calma, Gabriela, calma!

Já bem taludinha, abocanho o bico do seio com voracidade. O leite materno sacia e farta. É ele que me sustenta, prato principal. Mamãe lá se importa? Até se orgulha da fertilidade. Amorosa, me troca de peito, me aconchega. Mamãe: minha refeição cotidiana, meu melhor alimento. O cheiro dela, o gosto dela, a consistência dela. Ficou tudo em mim.

Cachorrão preto vem e me lambe o rosto, quase me derruba. Abraço seu pelo retinto, faço festa. É o Che — travesseiro quente e macio que respira. Gosto do calor que me passa, de deitar a cabeça na barriga dele assim. Ele late. Som diferente. Outro modo de falar, de se expressar. Mas a gente se entende.

— Junto, Che! Junto!

A voz de papai chama, ele dispara. Eu fico. Por preguiça, por brinquedo, por alguém que estava ao lado e não me deixou ir ou o quê?

Fogão a lenha. Mamãe abana o fogo, a chama aumenta.

— Cuidado, Gabriela, não chega tão perto.

Teimo, não tiro os olhos do fogaréu. De repente, dá na veneta, atiro a fatia inteira de bolo pelo buraco da fornalha, queimo o dedo. Pode? Impossível, eu. Fico sem o doce e ainda ganho tapa na mão para aprender a não fazer de novo. Mamãe põe meu dedinho na água fria da torneira. Bem feito. Quem mandou?

Fim. As lembranças de papai e mamãe ficam por aí. Sinto falta desses poucos tatos que me deixaram de recordação. Até o tapa na mão e o ardido no dedo me fazem falta. Sempre o corpo a ditar as regras, a se fazer presente. Saudade imensa.

Engraçado. Só vejo meus pais durante o dia. À noite, nunca, por mais que me esforce. Também não tenho a menor ideia da última vez em que estivemos juntos. Minha última cena com eles não foi escrita. A história acabou assim, sem mais nem menos. Até hoje procuro entender o que o Autor Lá em Cima pretendeu com o corte súbito. Obra hermética. Genialidade ou incompetência?

Vovô pergunta por que fiquei tão calada. Aposta que meu pensamento já vai longe. Eu minto. Às voltas com papai e mamãe, digo que não é nada, não. A resposta não convence.

Ele me atiça, faz cócegas. O toque inesperado no sovaco causa riso. Volto para o presente, me encolho toda, ele faz de novo. Perdida de tanto rir, mando ele parar, mas gosto da provocação. Coisa curiosa: cada parte do meu corpo sabe muito bem o que quer e o que não quer. Meu sovaco agora se diverte, diz que esse tato é alegre, que o dedo do vovô sabe brincar. Meu sovaco não gosta é do desconforto de ficar colado com termômetro que mede febre. Sempre que isto acontece, ele detesta.

Depois das cócegas, o afago, a companhia que me faz tão bem. Bom estar de volta ao nosso esconderijo, ouvir essa voz que me inspira confiança. Bom abraçar alguém de verdade. Alguém que posso ver e pegar, que entende de tato e de mim. Alguém que conheço de corpo inteiro, que é meu pai e minha mãe ao mesmo tempo. Aqueles outros, embora tão queridos, que fiquem onde estão: na terra que foi embora ou no céu que não alcanço. Sou feliz com meu avô aqui neste lugar.

De volta à nossa casa, já na cama para dormir, prometo a mim mesma que não vou mais pensar no velho nem na sua mão nojenta. Não sou uma menina forte, esperta, inteligente? Então? Fui corajosa, não me intimidei, contei toda a verdade. Tenho mais é que sentir orgulho, levantar a cabeça e seguir em frente. Vovô está certo.

Viro de um lado para o outro e nada de pegar no sono. Muita coisa na cabeça. Procuro lembrar outros tatos de agora. Tatos de meninos e de meninas como eu. Tatos de amizades que me dão prazer. O Ronald, a Tininha... Fico cismando: e se tivesse sido a mão de um deles no mesmo lugar proibido? Será que eu ia deixar? Ia gostar? E se fosse o contrário? A minha mão no lugar proibido deles. O que ia acontecer? Aí tinha que dar beijo na boca? É assim? A gente avisa antes e combina o que vai fazer um com o outro? A vontade que eu sinto de estar perto deles é começo de amor? Quando a gente briga é paixão? Ou não é nada disso? Nossos corpos são cheios de avisos e proibições, isto eu sei. Aqui, pode. Aqui, um pouquinho mais para baixo, já não pode. Nossa, é tudo muito doido. Chega. Melhor dormir.

Sobre anjos, palácios e subterrâneos

Dias estranhos. De horas incomuns. Em tudo. Em casa ou na rua, a sensação de despedida. Tristeza pela necessidade de procurar outro canto para viver. E também apreensão. Soubemos, pelo Jeremias, que o primo do Seu Rufino — o tal do Serviço Nacional de Informações — andou rondando a favela. Queria confirmar uns dados sobre um mulato Gregório, chegado ao morro fazia uns quatro anos, e que morava com a neta, escondido não se sabia do quê. A partir daí, vovô não desgruda mais de mim. Me proíbe de sair sozinha, mesmo perto. Quando desce o morro, à procura do nosso novo futuro, me leva junto. Andanças diferentes, com o vovô sempre desconfiando de quem se aproxima.

Logo cedo, vamos ao velho casarão da Glória, onde vivem tia Letícia e suas meninas — meninas, ele me esclarece, são moças que trabalham para ela e dão muito lucro. Quando pergunto que tipo de trabalho, ele se dá conta de que falou demais, mas não foge do assunto.

— Encontros amorosos com clientes ricos. Geralmente, são homens mais velhos que pagam bem para ter namoradas novas.

— Como assim?

É trabalho meio complicado. Em casa, com calma, vai me explicar direitinho, que ali não é o momento. Ficamos olhando de longe a construção imponente. Peço para entrar. Ele diz que não. Nem pensar, imagina! Não fala com a filha faz tempo. Então, por que irmos ali? Muita saudade, ele confessa. E também é bom eu conhecer o lugar que me receberá, caso aconteça alguma coisa com ele. Nunca se sabe, ninguém é eterno. Apesar de tudo, Letícia Garcia tem o mesmo sangue correndo nas veias, não me deixará desamparada nunca.

Por que isso agora? O tempo todo falando de morte e do que vou precisar fazer quando ele não estiver mais aqui para cuidar de mim. Que coisa chata! Irritada, respondo que vou ser mulher bem rica, a gente vai continuar morando junto e pronto. Vovô sorri, gosta dos meus planos. Mentalizar coisas positivas é bom. Mas os violentos e os feios da vida acontecem, chegam de surpresa. Chegaram muito cedo para mim, lá em Xambioá, não foi? Então? Não sobrevivi? Por mãos amigas não consegui encontrá-lo? Não vivemos felizes até agora? É preciso que eu continue a ser forte, insiste. Estar preparada para o que der e vier. Do feio e do violento, não se foge. A gente encara e pronto. Não há melhor receita. Às vezes, os dois são até necessários. Fazem parte.

— Está vendo esse estrago todo na sua frente? Os tratores, a poeirada, a barulheira infernal? É mais um sonho que nasce em cima de tudo que está sendo derrubado.

Perto do relógio da Glória, por este trecho da calçada, quase não conseguimos transitar, tantos os desvios, passagens bloqueadas e avisos de "Atenção! Perigo!". Na parte alta da rua, por sobre os tapumes, vovô me mostra a massa de operários trabalhando nas obras do metrô: o novo transporte subterrâneo que irá facilitar a vida de milhares de pessoas. Os homens que ali estão — naquelas crateras imensas, sol a pino, britadeiras, soldas, ferragens e todo tipo de trabalho pesado — fazem parte de mais um projeto. De mais um sonho que deve ser realizado. A vida é assim, ele ensina. Se prestarmos atenção, há uma ordem no caos aparente. E, amanhã, haverá beleza onde hoje só existe feio.

— A gente vai viajar por debaixo da terra? Vou ficar sem ar.

— Deixa de ser boba. São túneis ventilados, trens rapidíssimos. Esse tipo de transporte já foi adotado há muito tempo nas grandes cidades do mundo. Nós é que estamos atrasados.

Vovô parece mais animado. Decide na hora: vamos seguir caminhando até o Palácio Monroe. Quer me mostrar algo muito especial. O quê? Não pode contar, é surpresa. Minha curiosidade aumenta. Ele percebe, provoca, pede para eu adivinhar. Vou falando o que me passa pela cabeça. Ele acha graça, duvida que eu vá descobrir. Enfim, chegamos. Ele aponta para o alto do palácio. A cúpula de bronze com todos aqueles anjos!

— Então? Gostou? Não são lindos?

Se gostei? Que pergunta! Impossível definir o que sinto. Solto a mão do vovô, ele não se opõe. Vou rodeando o palácio sem tirar os olhos dos anjos. Certeza de que não irei tropeçar em nada. Certeza de que, quando estamos voltados para o alto, o chão não oferece perigo. Certeza de que esses meus amigos esperavam por mim. Estarei voando? Por que os vejo tão perto? À medida que completo o círculo, suas asas mudam de perspectiva em leves movimentos. De suas trombetas — não importa se história de criança — posso ouvir os mais belos sons. Por instantes, tenho a impressão de que papai e mamãe estão comigo. São eles que cuidam para que nada de mau me aconteça. Gostaria tanto de ver meu pai de corpo inteiro!

O toque de vovô em meu ombro é sinal de que preciso voltar à Terra. Resisto um pouco, mas volto. Novamente, o chão, os tapumes margeando toda a frente do palácio, a poeirada, a barulheira, os operários trabalhando. Agora, vistos lá no alto da cúpula, meus amigos alados parecem distantes e sem vida — anjos de bronze. Acabo de pousar e já sinto saudade do lugar por onde andei. A estripulia me reaviva a memória. Reflexo condicionado, procuro levar as mãos às costas.

— Vô, será que eu ainda tenho asa?

A pergunta causa espanto. Espanto por quê? Não foi ele que inventou toda essa conversa quando eu era pequenina? Não me trouxe agora aqui, estimulando fantasia, despertando imaginação? Mesmo pego de surpresa, vovô não perde oportunidade, é rápido e firme na resposta.

— Você nasceu assim, Gabriela. Será sempre assim. De carne e osso, mas com asas. Vê o mundo de modo diferente.

— Diferente como?

Difícil explicar. Vovô diz que faço tudo igual a todo mundo. Rio, choro, como, durmo, acordo, vou ao banheiro. Tudo igual. Mas vejo a vida de maneira apaixonada. Minha cabeça não para de funcionar nem por um segundo, porque quero acompanhar o coração, que voa solto, livre e sem dono. Volta e meia, algo incompreensível leva meu corpo para lugares distantes. Mesmo contra a vontade, eu vivo a experiência. Quero manter os pés no chão e não consigo. Não há nada que possa fazer com relação a isso. Nasci assim. Serei sempre assim. De carne e osso, mas com asas, ele garante.

Alegria, riso bobo. Felicidade pelas peças que se encaixam. Então é por isso. Agora, lá em cima com os anjos, sem que eu esperasse. E, antes, no jardim secreto, com o antúrio protetor que me deu coragem para contar toda a verdade sobre o Seu Rufino. Eu, aqui embaixo, no chão, e com asas. É engraçado. Como pode?

Vovô me garante que, juntos, a cabeça e o coração nos dão asas. São eles que nos libertam e nos transportam sem passe de mágica. Simples assim. Sejamos jovens saudáveis em permanente atividade ou, depois de muitos anos, já velhos, doentes numa cama. Não importa. Com a cabeça e o coração em sintonia, vamos voar do mesmo jeito. Vamos sentir as mesmas emoções, as mesmas alegrias, os mesmos sustos ao nos vermos transportados para outros mundos, fantásticos, inimagináveis. Pena que poucos se acreditam e se veem com asas.

Como quem bate cuidadosamente à porta de alguém, vovô dá três toques de leve na minha cabeça e outros três no lado esquerdo do meu peito.

— A cabeça e o coração precisam voar de mãos dadas. Os mapas estão todos aí dentro com eles. Cada um com sua metade.

Continuamos a pé pela Cinelândia. As obras do transporte metroviário já rasgam todo o centro da cidade. Sério, vovô me explica que o traçado original das galerias subterrâneas foi modificado de modo a respeitar as fundações do palácio Monroe — importante monumento histórico que será preservado.

Nosso passeio acaba aí. As lembranças se recusam a ir adiante. Corte súbito.

A viagem no tempo, interrompida. Vejo-me de regresso a este quarto sem janelas. Diante de mim, a tela do computador, o relato à espera do que ainda virá. Que posso fazer se o coração e a mente juntos me obrigam a registrar o fato com olhar distante?

Pela engenharia, o palácio teria sido salvo com suas histórias e os seus anjos. Mas, pela prepotência de uns poucos — em temporária posição de comando —, o monumento foi posto abaixo. Todos os esforços, em vão: os estudos e cálculos, o desvio projetado, o escoramento do terreno, as escavações realizadas, os elevados gastos. Tudo desperdiçado, jogado fora. A demolição do palácio foi autorizada. Na caneta e na marra — como era uso. De janeiro a março de 1976, o serviço foi feito. Vovô não presenciou a cena. Morreu antes. Os 18 anjos partiram em silêncio, envergonhados com o triste desfecho.

Hoje, toda vez que tomo o metrô, presto atenção na pequena curva que o trem faz entre as estações da Glória e da Cinelândia. É a presença que me resta do palácio e de sua antiga guarda celeste. Ligeiro sinal esquecido debaixo da terra.

Pequena caixa de madeira

Aqui neste meu quarto sem janelas, depois de tantos anos, ainda me pergunto: o que pode conter uma pequena caixa de madeira? O que pode contar?

Vovô já havia encontrado o lugar seguro que nos abrigaria pelo próximo mês. Nossa saída da favela estava mesmo decretada. Teríamos apenas dois dias para separar o essencial e partir. Tudo combinado com o Jeremias, de total confiança — o único ali a conhecer os planos. De modo a não levantar suspeitas, ele passaria antes lá em casa para pegar nossa mala. Desceria com ela e a entregaria em local já acertado. Vovô e eu sairíamos do morro no dia seguinte, sem nada nas mãos, como a passeio. Quem iria desconfiar que estaríamos abandonando de vez a nossa casa, deixando tudo para trás?

Assim foi feito. Apenas uma mínima mudança de última hora. A pequena caixa de madeira não iria mais na mala com o Jeremias. Iria comigo, numa sacola de pano que costumávamos usar para trazer as compras da mercearia. A caixa, que pertenceu à minha mãe Luzia, continha algo que eu precisava ver antes da partida. Algo que me ajudaria a entender aquele novo e inesperado adeus. Algo que tinha a ver com o nosso segredo.

O nosso segredo eram muitos. Eram tantos que até perdi a conta. Segredos que se iam multiplicando — enredo sem fim. Vovô, meu traço de união com o passado, era o responsável pela trama interminável. Coitado. O pobre me ia revelando as histórias em doses homeopáticas e com todo cuidado. Às vezes, fantasiava, eu sei. Tentava apenas me pôr um pouco de ordem na cabeça e me atenuar a dor da saudade.

Há famílias que são marcadas pela tragédia. Sina, destino, sei lá. A minha é uma dessas. O Autor Lá em Cima, no meu caso específico, mostrou talento nesse tipo de literatura, criatividade de se tirar o chapéu, reconheço. Acontece que comigo pegou parada dura. Pretensiosa, eu. E daí? Não me conformo em ser marionete ou boneco de ventríloquo. Quero personagem com vida própria. Nada de barbantes ou voz que não seja a minha. Participo da criação, invento, questiono, desconcerto. Não entrego os pontos facilmente. Ele me conhece, Ele sabe. Por isso, talvez, sinta tanto prazer em me pôr à prova. Espíritos indômitos, dizem, são os que lhe despertam maior desejo de amansar, transformar em obediente montaria. São os filhos mais queridos. Não acredito muito nesta última sentença. Se bem que, reconheço, há fases em que, cheio de amores, Ele me poupa com delicadezas, me dá fôlego. Deve achar graça nesse eterno morde e sopra. Eu, na medida do possível, vou colecionando os intervalos de felicidade, agradeço o bom que me é dado e, confesso, em várias ocasiões até me divirto. Fazer o quê? Assim é a vida escrita a quatro mãos com um Ilustre Desconhecido.

Pois bem. Véspera da partida. Jeremias já levou a mala com nossas poucas mudas de roupa e só. Os objetos, que não são muitos, ficam. Impossível carregá-los conosco. Nada de lamentos ou tristezas. A experiência será boa, servirá para continuarmos treinando o desapego. Por menores que sejam, as coisas pesam. Se envolvem sentimento, pesam mais. Melhor seguir sem elas, vovô aconselha. O violão, por exemplo. Companheiro de toda uma vida. Dessa vez, vai ter que ficar. Por quê? Talvez tenhamos que pegar ônibus, recomeçar a vida em outra cidade, outro estado. Como viajar com ele sem chamar atenção, levantar suspeitas? Muito perigoso. Arriscado. A liberdade é mais importante.

Acontece que em toda regra há exceção. A pequena caixa de madeira viajará junto. Dentro dela, momentos essenciais que precisam ser revisitados de vez em quando, porque são a nossa história. Pontos de referência. Pedaços de pão que, nesta estrada sem volta, em vez de serem lançados para trás, nos acompanham e servem de alimento para que a gente não se perca, seja qual for o rumo. Absurdo que faz sentido.

Eu, atenta. Alguma ansiedade. Preciso, vovô acerta a combinação de seis algarismos na fechadura — mais um segredo que devo aprender na hora. Em seguida, um leve girar do trinco para a esquerda e outro para a direita. Perfeito. A caixa se abre. Sorrimos os dois ao mesmo tempo pela vitoriosa travessura.

— Viu como é simples? Não há mistério algum.

O sorriso dura pouco. O assunto agora é sério. O conteúdo da caixa me será revelado. Este é o momento ideal, vovô garante. Momento de transformação e mudança, momento que requer coragem e desprendimento. Mais que nunca, precisamos nos unir, confiar que o amor deve ser nosso guia — sempre e apesar de tudo. Se saímos desta casa, se abrimos mão de nosso jardim secreto, é para o nosso bem. Outros lugares virão. Mais lindos até. Preciso acreditar nisso. Enfim. Tenho 8 anos, entendimento de sobra. Melhor prestar bem atenção. Tudo o que verei nos diz respeito. As provas todas do que ele me vem contando há tempos. E outras tantas que me poderão servir no futuro. Há muito sentimento também. É que a cabeça e o coração dos meus pais moram ali dentro — o par de asas! Por isso, os dois voavam juntos em vida. E certamente continuam voando juntos agora. Pelo conteúdo da caixa, saberei que não é exagero.

Logo em cima, o diploma de médico de Egídio Marques e o certificado de conclusão do curso de enfermagem de Luzia Garcia. Os dois se conheceram no início dos anos 1960. Ligação fulminante. Os mesmos ideais quixotescos, os mesmos sonhos, a mesma disposição para se dedicar ao próximo e aliviar as dores do mundo. Saíram do Rio de Janeiro, foram para o interior de Minas Gerais, onde seriam mais úteis. Ele foi primeiro.

— Esses aqui? Sou eu, sua avó Teresa e sua tia Letícia, com 7 anos de idade. A Teresa estava grávida de sua mãe. Repara só no barrigão dela. Luzia sempre me pediu esta foto. Eu acabei dando como recordação para ela justo no dia em que foi embora para Minas ao encontro do Egídio. Foi a última vez que nos vimos.

Outras histórias se vão materializando diante dos meus olhos: as cartas que meus pais trocaram nos meses em que estiveram longe um do outro. Nelas, todos os projetos, inclusive o de formar família e ter muitos filhos. Um dia, poderei ler tudo com calma e saber belos detalhes sobre o início daquela relação apaixonada.

— Ah, isto aqui não se pode perder, é a sua certidão de nascimento!

Estou impressionada com os guardados de mamãe. Sinto até certa estranheza quando vejo a chupeta com o cartão datado de 6 de março de 1970 e o seguinte registro:

Hoje, no seu aniversário, Gabriela concordou em dar sua chupeta para o peixinho que acabou de nascer e mora no rio. De noite, na hora de dormir, ela não chorou nem pediu a chupeta de volta. Já é uma mocinha! Papai e mamãe estão muito orgulhosos!

— Essa letra é da sua mãe!

A letra é muito bonita. Adianta? Não me lembro de nada disso. E, se eu dei a chupeta para o peixinho, o que ela está fazendo ali? Fico confusa. Então eles me enganaram? Foi apenas esperteza para eu largar o hábito da chupeta? Bom, pelo menos o truque deu certo. Tenho 8 anos, entendimento de sobra, a cabeça pode até assimilar todas as informações e ir juntando o que resta do meu passado aos pedaços. Mas, espera lá, e o coração? Como digere a exumação de ossos? Que eu saiba, coração não é estômago. Coração aperta, bombeia sangue. Coração dói. Vovô não percebe o que se passa comigo, a divisão, o estranhamento. Duas infâncias tão distantes uma da outra, tão diferentes. Aquela Gabriela fui eu? Sou eu? Em silêncio, vou conferindo cada item que me é mostrado. Além da chupeta, um par de sapatinhos de crochê — que tinham sido de mamãe e passaram a ser meus —, um quadrinho com a imagem do arcanjo Gabriel, uma caneta-tinteiro cor de vinho com a tampa de prata — que pertenceu ao meu pai —, um livro de poesias de autor desconhecido — amigo próximo, talvez —, várias outras miudezas e, por último, o bem mais precioso: os diários de Xambioá! Dois cadernos vermelhos, grossos, de capa dura, que esclarecem tudo. Ou quase tudo. Vovô se emociona, acaricia a relíquia com amor extremo. Neles, a história dos seus queridos Luzia e Egídio, escrita por eles mesmos, nos anos em que viveram comigo no Alto Araguaia. A guerrilha. Os tempos difíceis de resistência à ditadura militar. Ali, a prova real e definitiva de que o que ele fez para ajudá-los e lhes dar cobertura valeu a pena. O abandono do emprego, o pouco dinheiro, as fugas constantes, a polícia sempre nos calcanhares. O medo. Não se arrepende de absolutamente nada. Ânimo ainda de sobra para dedilhar o violão e cantar suas músicas. O ter ficado comigo foi presente dos Céus, não cansa de repetir. A única recompensa. Precisava de outra? Os dois cadernos vermelhos, grossos, de capa dura, são para ele, Gregório Garcia, a razão de sua própria vida, a sua vitória. O seu final, quem sabe?

— Quis o destino que sua avó Teresa não vivesse para ver nada do que está aqui. Quando ela morreu, eu ainda era muito novo. Foi difícil superar a dor da perda. Mas superei. E me fortaleci até. Com ela viva, talvez eu tivesse agido diferente com seus pais e com sua tia Letícia. Teria dado mais importância à nossa segurança. Não teria ousado tanto, eu acho. A história teria sido outra.

Chegamos ao fundo da caixa e o que eu mais queria ver não apareceu. Nenhuma fotografia de papai ou de mamãe. Tanta expectativa para quê? Os dois continuarão como fantasmas nas poucas imagens avulsas que a memória retém. Imagens que se vão esfumando com o tempo.

Vovô tenta me consolar, não sabe onde terão ido parar os retratos de família. Tudo o que está ali dentro lhe foi entregue numa sacola, pelo meu tio Paulo, irmão de papai — o tio que me tirou de Xambioá, que viajou comigo e me entregou para ele, junto com a tal sacola.

— Não fica triste, Gabi. Ainda vou descobrir alguém que tenha alguma foto deles. Você vai ver.

Vovô vai reacomodando as coisas dentro da antiga caixa de joias, que acabou sendo perfeita para guardar suas relíquias, como costuma dizer. Relíquias que são minhas também. Peço que espere um pouco. Vou até o meu quarto e já volto. Um instante só. Pronto. O meu caderno com as letras de músicas copiadas. Será que cabe? Imagina, é claro que cabe! Para ele, algo novo para a coleção. Para mim, algo que realmente me pertence, algo ainda com vida. Vovô fica feliz, fecha a tampa, põe novamente o segredo. É uma caixa de madeira marchetada com paisagem do Rio de Janeiro — uma palmeira solitária, em primeiro plano, na enseada de Botafogo, e, ao fundo, o Pão de Açúcar e o morro da Urca.

— Qualquer dia, te levo para andar de bondinho, ver o Rio de Janeiro lá de cima! Tudo longe, miudinho, parece cidade de brinquedo, Gabi! É lindo!

Não falo nada, mas não gosto da ideia. Não quero ver um Rio de Janeiro de brinquedo nem distante desse jeito. A pequena paisagem de madeira na minha frente, trancando as cartas, os diplomas, os diários, o anjo Gabriel, a chupeta e tudo o mais, me dá vontade é de revirar a cidade por dentro. Entrar nos lugares, nas casas, em tudo que é canto. Ver bem de perto o que eu não sei nem entendo. Tentar encontrar outras pessoas — que seriam outras Gabrielas, outros pedaços de vida, de felicidade, quem sabe? Pessoas de verdade e não retratos, que não servem para nada! Pensando bem, não preciso de pai ou mãe de papel.

Melhor seria começar pelo velho casarão da Glória, conhecer tia Letícia e as meninas. Depois, adentrar ainda mais. Nas galerias escuras, no mundo subterrâneo onde os trabalhadores constroem o novo sonho. É preciso ir fundo. Não importa que tudo esteja sendo derrubado na superfície. A destruição, a poeira e a barulheira infernal fazem parte. Do feio e do violento, não se foge. Às vezes, os dois são até necessários, eu aprendi.

Falta tão pouco e eu não sei

Vento sul. O tempo muda de repente. Nuvens carregadas se aproximam ameaçadoras. Escurece rápido, começa a chover forte. Da nossa porta, aqui do alto do morro, vovô e eu apreciamos a cena. Súbito, um raio rasga o céu de cima a baixo. Aperto os olhos, aguardo o estampido que, bem maior do que o esperado, me assusta e muito. Me abraço com vovô, ele acha graça.

— Que medo é esse? Não é você que gosta das tempestades, dos relâmpagos?

É verdade. Temporais e trovoadas me apascentam, me descarregam. Só que agora tudo me parece diferente. Insegurança e medo, sim. Desconfiança da vida, outra vez. Me vejo solta, sem chão. Amanhã a estas horas estarei longe e a Tininha e o Ronald não sabem de nada. Foi difícil estar com eles hoje sem poder me despedir de verdade. Eu queria que eles soubessem da nossa separação, me dissessem que também vão sentir a minha falta, queria que ficassem tristes como eu, que a gente chorasse abraçado. Mas o adeus que eles me deram foram as implicâncias e as risadas de todo dia — adeus rotineiro, um até-loguinho de nada. A Tininha nem beijo me deu. O Ronald foi puxando ela, apressado, porque ainda tinham dever de casa para fazer — os dois estudam no mesmo colégio, na mesma sala de aula. Teve uma hora que eu quase contei tudo para eles. Mas fiquei calada, segurei minha decepção, forcei o sorriso. A máscara foi necessária, me vestiu com perfeição. Eles viveram uma realidade e eu, outra bem diferente. Fazer o quê? Afinal, segredo é segredo. Poxa. Muito difícil ser criança e adulta ao mesmo tempo.

Novo clarão, novo espanto, novo abraço apertado. A inédita sucessão de estrondos mostra que o Autor Lá em Cima não está para brincadeiras. Vovô acha melhor fecharmos a porta e irmos dormir. Amanhã o dia será longo.

Perfeito: tampar a casa que nem a caixa de madeira, deixar a paisagem de fora. Chega de espetáculos pirotécnicos. Só não podemos nos livrar é dos efeitos sonoros. Menos mal. Uma hora eles se cansam e sossegam. Sempre é assim.

Vovô passa enrolado na toalha, precisa tomar banho. Pergunta se não quero usar o banheiro antes. Digo que não, que ele pode demorar o tempo que quiser. Falo "o tempo que quiser" porque sei que nosso banho, de água gelada, costuma ser rápido. Fico na sala esperando para dar boa-noite. Puro pretexto. Vontade nenhuma de ir para a cama, apesar do sono. Por mim, a gente ia embora agora. Mesmo debaixo desse dilúvio. Para que adiar o inevitável, prolongar a ansiedade, o sofrimento? Mas não sou eu que decido. Nunca sou eu quem decide. Vovô encosta a porta do banheiro — sem chave, mas sempre fechada, como ele ensinou. Quem fica do lado de fora e quer entrar tem que bater primeiro, pedir licença. Intimidade. Acho que é essa a palavra que ele me falou uma vez. É engraçado, isso. Deve ser para poder ficar pelado e se ensaboar escondido. Que nem eu. Cocô e xixi, também escondidos. Muito engraçado. O certo é assim. Intimidade. É. Intimidade. A palavra é esta. Porta aberta do banheiro só para escovar os dentes, pentear o cabelo e outras pequenas vaidades. Minha cabeça não para de produzir pensamento bobo. Acho que é para distrair a tristeza. Me dou conta de que é o último banho do vovô nesta nossa casa. Nossa casa? Que mentira. Nada aqui é mais nosso. E ele ainda canta e assobia. Estará feliz com a partida obrigatória? Que estranho. Não entendo.

Sozinha na sala, que também é cozinha, fico olhando as coisas que durante anos nos fizeram companhia e que agora são passado. As louças e as panelas que eu lavava todo dia, porque elas são pequenas e não sabem tomar banho sozinhas. Os panos de enxugar e de cobrir, os enfeites. O violão encostado com as cordas viradas para a parede, calado e triste como se já soubesse de tudo. A mesa, as duas cadeiras e o sofá onde estou. Do lado de lá, separado por uma cortina, fica o canto onde o vovô dorme. Do lado de cá, fica o meu. Só entro ali quando estou com sono e vou dormir. Na minha cama. É o lugar da casa de que eu mais gosto. A minha cama! É nela que eu viajo quando o sonho deixa. Em noite de sonho, e não de escuro, eu viajo muito. A viagem tem cor, tem som, tem cheiro, tem vento, tem tudo. Nem preciso abrir a porta para sair. Passo pelo telhado, pela parede, por onde achar melhor. Fácil, fácil. Consigo até voar sem asas. Vou aonde não sei, converso com pessoas que nem conheço. Depois volto e pouso na minha cama. É só acordar, abrir os olhos e eu chego. Fácil, fácil. São passeios ótimos. Alguns me levam tão alto e com tanta velocidade que chegam a me dar frio no estômago. Eu adoro. Parque de diversões no espaço. Fico imaginando se, longe daqui, saberei sonhar assim voando. Queria levar minha cama comigo, mas não dá. Muita coisa para o Jeremias carregar. A esta hora, nossa mala já está lá encostada no novo endereço esperando por nós. Fechada que nem a caixa de madeira e esta casa. Sozinha. Coitada.

— "Vem, vamos embora/ Que esperar não é saber/ Quem sabe faz a hora/ Não espera acontecer.../ Vem, vamos embora/ Que esperar não é saber/ Quem sabe faz a hora/ Não espera acontecer..."

Quer saber do que mais? O vovô que continue cantando lá debaixo do chuveiro. Eu vou é dormir, aproveitar minha cama ao máximo até o finzinho. Quem sabe será noite de sonho e não de escuro? Quem sabe?

Tomo meu rumo. Impulso, instinto, sei lá. No aconchego do meu canto, me deito, me cubro, me abraço com o travesseiro. Vou com tanta sede ao sonho que nem me lembro de oração. Bem rápido, mas depois de não sei quanto, já estou no meio do caminho. Nem acordada nem dormindo. Lugar indefinido. Ainda ouço o vovô assobiando. A mesma canção de que ele tanto gosta: "Pra não dizer que não falei das flores". Estará feliz com a partida obrigatória? Não consigo mais abrir os olhos. O assobio vai diminuindo. Sono. Ponte. Travessia. Só faço continuar. Mas do telhado não passo. Nem das paredes. Não faz mal. Entrega total ao que me é desconhecido. Sempre.

O visitante noturno

Onde estou é longe e é perto. Voar, não posso. Voltar, não volto. A cama estará em algum lugar debaixo de mim. Corpo mais que leve. Quase sem. Fazendo o que não faz quando é corpo acordado. Gosto dele deste jeito. Até prefiro. Sensação boa.

A figura masculina chega sem aviso. Sem bater à porta, sem pedir licença. Mas não assusta. Seu corpo está tão leve quanto o meu — eu sei. Sua voz inspira confiança. Olhar de bondade.

Seu avô fica e você vem comigo, agora. Medo por quê? Bobagem, vai dar tudo certo. Anda, vem. No caminho, eu explico. Rápido, não temos muito tempo.

O pedido surpreende. Protejo a cabeça com o lençol e o travesseiro. Não quero ver nem ouvir. Mas o homem moreno de fartos bigodes continua do meu lado, teimando.

Deixa tudo aí, até a caixa de madeira que está na sacola. Não leva nada. Eu sei que é difícil, mas não há escolha. O que está aqui será perdido de um jeito ou de outro. Gabriela, querida, pensa nesta casa e no seu jardim secreto como algo bonito que vai com você no pensamento e pronto.

O que esse estranho quer comigo? Por que suas falas me seduzem? Vovô Gregório é meu ponto de referência, meu apoio, meu melhor amigo, meu tudo. Por que dou ouvidos a quem me aconselha a abandoná-lo?

Não fica assim, vai. Você ainda não tem noção da gravidade deste momento. Por favor, confia em mim, Gabriela. Eu só quero o seu bem. Não, eu não vou sem você, desiste. Impossível o que você me pede, impossível, e essa sua demora só faz tornar nossa saída ainda mais arriscada.

Por que o homem moreno de fartos bigodes não me deixa em paz? Sou apenas uma menina e sinto medo. Será que ele não percebe? Medo de sair de casa, no escuro, sozinha. E por que tanta pressa? Preciso de um tempo, um tempinho só. Quero primeiro conversar com o vovô. Sentirei muita culpa se não lhe der ao menos um beijo.

Culpa?! Culpa por quê?! Você sair daqui agora e sem ele é ato de coragem. Coragem, sim. Céus! É a sua vida que está em jogo, será que você não vê?!

Está decidido. Só vou embora com o meu avô, conforme o combinado. O Jeremias já até levou a mala com as nossas roupas.

Olha bem para mim, escuta: muitas pessoas dependem de você! É, muitas! Será triste se elas não puderem contar com a sua ajuda. Por isso eu lhe peço, não demora mais, vem comigo, agora. É, agora! Gabriela, por Deus, acorda! Nosso tempo acabou, a hora é esta! Você vem?! Ótimo! Então corre, minha querida! Corre antes que seja tarde demais! Voa!

É o tempo de me levantar da cama, dar a mão ao homem moreno de fartos bigodes e sair de casa. Do lado de fora, o céu se enfurece cada vez mais, o vento bate e a água desaba sem piedade. Posso bebê-la do meu rosto se quiser. Misturada com a noite, cabelo escorrendo, vestido encharcado, sou a própria tempestade. De repente, estrondo violentíssimo, aterrador. Muitos gritos. As luzes no morro todas se apagam e os sons se vão. Passo apenas a ouvir a voz que me protege.

Pronto, meu anjo. O perigo acabou, está tudo bem. Você está salva e isto é o que importa. Não tenha medo. A partir de agora, vou estar sempre perto.

Ainda chove muito. Confiança cega, deito ali mesmo e me aconchego na lama. Sinto uma leve carícia em meus cabelos — carícia em forma de bênção, que cobre e põe para dormir.

Meu nome é Gabriel. Mas já somos amigos, pode me chamar de Gabito.

Quando acordo, dia claro, no quarto de uns vizinhos, a realidade sim me parece sonho. Não reconheço o lugar nem as pessoas à minha volta. Os sons voltam aos poucos, embora confusos. Ainda não sei que minha casa foi soterrada e que meu avô está morto.

Jeremias

Mesmo deitada, percebo o que se passa no quarto. Todos vão e vêm, agitação desencontrada — parecem formigas que tiveram a trilha pisada por um gigantesco pé (que só fez causar estrago e ir embora). A sensação de que esta realidade é sonho permanece. Não consigo falar nem me mover. O corpo não quer participar de nada disso. Aonde foi vovô Gregório? O homem moreno de fartos bigodes desapareceu. Só vejo imagens soltas e ouço sons incompreensíveis. Jeremias chega. Fala com um e com outro. Sente raiva. Me pega no colo, me tira da cama. Diz que estarei melhor na casa dele — é a primeira fala que entendo. Meu corpo é receptivo ao abraço forte e decidido. Abraço que sequestra com amor, abraço disposto a tudo. E ai de quem o queira impedir de me levar. Uma mulher ainda tenta me puxar, mas meu corpo (e não eu) se agarra ao homem que me leva. É o primeiro sinal de vida que consigo dar. Jeremias não diz palavra, mas o corpo dele sente que foi agarrado pelo meu e responde com um aperto ainda maior e mais protetor. Nossos corpos se querem e não haverá força no mundo capaz de nos separar. Xifópagos, saímos. Umas poucas mulheres nos seguem, mas acabam ficando pelo caminho. Seus xingamentos ainda nos acompanham de longe e logo se perdem. Jeremias é animal bravo, melhor não chegar perto. Rosnando, comigo nos braços, entra por uma passagem e outra e segue morro acima até a sua toca.

Cômodo bem pequeno. Nunca tinha entrado aqui. Gosto do aperto — que é mais aconchego que desconforto. Gosto do escuro e do silêncio. É tudo o que peço no momento. Jeremias me põe sentada em um sofazinho. Cama não, que não estou doente. Deitar para quê, não é verdade? Vai me preparar uma laranjada bem gostosa e já volta. Diz que não se compara com os sucos do vovô, mas é o que pode me oferecer. Pergunta se quero pão com manteiga. Faço que não com a cabeça. Então está bem, mais tarde eu como.

Jeremias é homem bom, valente, de inteira confiança. Encara qualquer parada e corre risco por amizade. Pena que é um pouco bronco. E pavio curto. Nunca pensa duas vezes, vai falando o que lhe vem à cabeça e age na emoção. Não tem freio — limitação que, às vezes, lhe causa sérios problemas. Mulherengo. Nossa. Mas mulher nenhuma fica com ele, não aguenta. Como também prefere morar sozinho, está tudo certo. É assim que o vovô vê o Jeremias. É assim, portanto, que eu o vejo.

A laranjada chega com presteza e olhar de expectativa. Bebo tudo com vontade. Jeremias sorri agradecido e satisfeito, pega o copo de volta. Diz que agora precisa me falar uma coisa. E fala. Sem mistério e sem suspense. Sem rodeios. Fala natural e doce como a laranjada que me trouxe.

É coisa triste. Muito triste. Hoje de madrugada, choveu demais da conta. Nunca ninguém viu tanta água. Parecia o fim do mundo. Ele nem dormiu, só espreitando pela janela. De repente, ouviu barulhão imenso. Tudo apagou. Muita gente gritando, um horror. Estou viva por milagre, ele garante. Foi meu anjo da guarda, só pode ter sido. Ninguém entende como fui salva. O barranco desabou inteiro, a casa ficou toda debaixo da terra, não sobrou nada. O meu avô Gregório ficou lá dentro, coitado. E eu, deitada do lado de fora, sem nenhum arranhão, dormindo tranquila debaixo do maior pé-d'água. Coisa de louco. Quando me acharam, pensaram até que eu tinha morrido. Que nada. Vivinha da silva, coração batendo direitinho, pulso forte. Eta, menina sortuda! O povo vibrou, bateu palma, chorou emocionado. Foi bonita a cena. Muito. No fundo, no fundo, apesar de tudo, nossa gente tem coração mole. Quer ajudar tanto que acaba atrapalhando, como foi no meu caso. Cheguei a ser disputada. Todo mundo querendo me dar abrigo. A coitada não tem teto e está só na vida, ficavam propagando. Aquela casa lá embaixo, onde me botaram, quase virou santuário, ele diz. Romaria do povaréu querendo ver a neta do Gregório que tinha escapado por milagre. Mais um tico e eu viro santa. Povo besta. Quer logo inventar moda. Os bombeiros ainda estão lá em cima tentando encontrar o corpo do meu avô.

Jeremias diz que queria muito estar junto, ajudar, presenciar o resgate do companheiro, mas tem de ficar aqui comigo. É mais importante cuidar de mim. Obrigação dele, dever de gratidão. Um nada se comparado com tudo que deve ao meu avô. Aquele sim era amigo de verdade, um segundo pai. Minha tia Letícia já está avisada, posso ficar sossegada. Foi a primeira coisa que fez quando soube da desgraça, ir lá no tal do casarão da Glória. Recomendação do meu avô: "Qualquer coisa, corre e avisa a Letícia. Ela é durona, não se dá comigo, mas não vai se negar a cuidar da única sobrinha." Só que ele nunca imaginou que a morte viesse desse jeito. Se preveniu tanto contra os homens e acabou que foi a natureza que surpreendeu e armou a emboscada. Mas foi melhor assim. Deus sabe o que faz. Meu avô era homem de ouro, Jeremias afirma com os olhos cheios d'água. Nunca conheceu ninguém tão generoso. Capaz de tirar a camisa para dar ao primeiro que pedisse. Se Céu existe, ele deve estar lá agora. Melhor que aqui, naquela vida atribulada, sempre se escondendo como se fosse bandido, um homem honesto daqueles. Não era certo. Não mesmo. A vida às vezes é injusta. Faz maldade que a gente não entende. E tanto cabra safado aprontando por aí e se dando bem. Como é que pode?

Não falo nada. Só ouço. Para mim, tudo isso é sonho, uma hora eu acordo. Jeremias está nervoso, eu vejo. Sinto pena dele, mas não posso fazer nada. Sonho é assim mesmo, as coisas vão acontecendo sem controle nenhum. Diante do meu silêncio, o pobre fala sem parar, pergunta e responde, conversa com ele mesmo. Conta como foi a chegada dos bombeiros, do povo todo amontoando, a luz forte que arrumaram, televisão filmando. Conta do Rufino olhando de longe feito um Judas, sem coragem de se aproximar. Deve estar é arrependido de tanta safadeza. Quer ver agora que mal o primo dele do SNI pode fazer para o meu avô. E por aí vai. Ah, sim! O Ronald e a Tininha também já sabem que eu estou aqui com ele. Devem chegar a qualquer momento para me ver. Dito e feito. Voz de menino lá fora.

— Seu Jeremias?

Surpresa alegre. Ele sorri aliviado.

— São eles!

Jeremias fala alto em direção à porta aberta.

— Entra, gente! A Gabi tá aqui querendo ver vocês!

O Ronald e a Tininha surgem de mãos dadas, sérios e curiosos. Um precisa do outro para seguir adiante. Pisam com cuidado. Não tiram os olhos de mim. De onde estou, sinto a respiração deles que é a minha também, ansiosa e descompassada. Os dois vêm e me abraçam ao mesmo tempo — abraço desajeitado dos que não têm experiência de vida e não sabem direito o que fazer ou dizer. E precisa saber? O abraço que eu dou neles é igualzinho, desengonçado, engatado de qualquer maneira. Mas o engate é tão abraço de tamanho abraço que a gente perde noção no tato e no cheiro. Quero este nosso grude e este nosso perfume para sempre. Mesmo com este choro junto. Choro ignorante de quem não sabe de nada, só sente. Choro de amizade? Choro de perda, de dor, de morte? Quem diz? Da minha parte, choro misturado com alegria pelo reencontro que não estava programado — e essa minha felicidade eles nem cogitam. Pelos planos, eu já estaria longe com o vovô. Pelos planos, este abraço não haveria. No final, aconteceu o que eu desejei. Melhor ainda. Nós três abraçados, chorando. Só que, agora, chorando não pela despedida. Mas pelo retorno.

O abraço se desfaz. Nem acredito. O Ronald e a Tininha aqui do meu ladinho, a gente se olhando assim de perto, de mãos dadas, amigos para sempre. Gosto de pegar neles e de ser pegada por eles. Tato bom. Cheiro bom. Sinto fome, quero pão com manteiga. Jeremias diz que é para já. E é. E eu saboreio o que foi preparado com tanto amor. Depois, surpreendo.

— Quero ver o vovô, quero ver a minha casa.

O vestido vermelho

Jeremias pondera. Logo ele. Diz que é melhor eu ficar aqui com meus amigos, longe do povo. Lá em cima, deve estar uma confusão dos diabos. Se eu quiser, ele vai e depois me conta o que viu. Agora, que estou acompanhada, pode me deixar um instante sem nenhum problema. Confessa que está ansioso por notícias. Promete que não demora nada, é rapidinho.

Não sei direito o que acontece comigo. Às vezes, tudo é sonho. Às vezes, é realidade. Ou sonho acordado, talvez. Não defino nem posso nem quero. Acredito no que o Jeremias me contou — afinal ele é de total confiança, não ia inventar toda esta história. Mas alguma coisa me diz que o vovô Gregório espera por mim e quer me ver. Ninguém vai encontrar ele sem eu chegar. Vovô sempre soube se esconder muito bem. Insisto com autoridade que me desconcerta.

— Jeremias, eu quero ver o vovô e eu quero ver a minha casa.

Vamos todos, então. Mas, antes, preciso estar preparada: o que verei é tristíssimo. O que aconteceu foi bem violento e feio. Uma lameira danada, a terra engoliu tudo, inclusive a casa. Jeremias não me poupa, torna a perguntar se é isso mesmo o que eu quero encontrar. Pode ser até que o corpo do meu avô já tenha sido retirado e levado pelos bombeiros para outro lugar.

Do feio e do violento, não se foge — vovô me ensinou. A gente encara e pronto. Às vezes, os dois são até necessários. Este conselho e a lembrança de nosso último passeio me dão petulância. Me fortaleço ao rememorar o estrago das obras do futuro trem, os tapumes, as britadeiras, os homens trabalhando nos subterrâneos, construindo no escuro um novo sonho, vovô me garantiu. Então? Quem diz que agora ele também não está trabalhando debaixo da terra, sonhando alguma coisa boa para mim? Quem diz?

Chegamos ao lugar onde morei durante quatro anos. Jeremias estava certo. Não existe mais nada. Nem um mínimo sinal da história e do encantamento que havia. Só que me recuso a acreditar na nova aparência desse meu mundo. Me recuso e pronto. Simples assim. Culpa do vovô, que me desenhou asas logo cedo e me ensinou que, quando há amor, todo sonho é possível. Ele está aqui, eu vejo, debaixo desse montão de terra, olhando para mim, feliz com a minha visita. Pede que eu guarde dele as coisas boas e o resto esqueça. Toda a beleza que ele me transmitiu permanece indiferente à lama e à devastação. Olhos bem abertos. Fechar para que se há tamanha nitidez? Devaneio? Realidade? Que diferença? Nosso jardim secreto, os antúrios fazendo careta para os que não acreditam e, no alto de tudo, o caramanchão florido com jasmins--dos-poetas. Sinto até o perfume. Jeremias vê de outro jeito. Me chama, acha que agora chega, a visita está de bom tamanho. Que sentido tem presenciar tanta destruição, alimentar o sofrimento?

Tudo bem, não faz mal. Vovô está mesmo de saída. Me manda um beijo soprado e diz que a caixa de madeira é presente dele para mim. Pergunto se vai ao encontro de mamãe e papai, mas ele não responde. Sua imagem se vai diluindo aos poucos. Súbito, só o barulho e as vozes aqui de fora.

— Encontramos! O corpo está aqui! Encontramos!

Reflexo condicionado, Jeremias cobre o meu rosto para que eu não veja a cena macabra. Gosto deste gesto de carinho que me poupa. Deixo-me estar com meu rosto escondido em suas pernas, sentindo o calor de suas mãos grossas e calejadas sobre minha cabeça. Não haverá mesmo mais nada a ver. Vovô Gregório já vai longe. Aquele que encontraram e levam no plástico preto não é mais ele. Podemos ir embora daqui.

Dou as costas para o que acabou, volto-me para a parte do sonho que ainda não conheço. Ao mesmo tempo, me vem a imagem de um homem moreno e bigodudo. Talvez, algum dos curiosos que estavam ao redor dos bombeiros esperando o resgate.

Jeremias me leva pela mão, puxa assunto que não me interessa. Deixo ele falar sozinho, vou bem calada, lembrando agora do vovô mandando beijo soprado para mim. O Ronald e a Tininha preferiram ficar afastados — estavam com medo de ver o vovô ser tirado da lama. Vou novamente para perto deles. Estão muito tristes, os dois. É por minha causa, eu sei, e isso me deixa feliz. Me sinto importante. Sem culpa alguma. Que mal tem se alegrar com prova de amizade? Errado não é. É? Ninguém para me dizer. Jeremias não entende dessas coisas.

— Olha, Gabi, quem vem ali. Sua tia Letícia.

O vestido vermelho me impressiona. E me agrada. É lindo! Ele chega primeiro e ocupa todo o espaço dos meus olhos. Quem está dentro dele é minha tia — a tia do casarão da Glória, me dou conta. Tia Letícia! Em silêncio e sem demonstrar, um tanto curiosa e um tanto com medo, vibro por dentro. Que vestido bonito!

Jeremias não concorda comigo. Cara amarrada, resmunga baixo para ele mesmo.

— Isso lá é cor de se vestir para ver o pai morto coberto de lama?

Claro que é! — penso. Jeremias também não entende nada de vestidos. Além do mais, ela não veio ver "o pai morto coberto de lama". Vovô Gregório já vai longe, saiu daqui assobiando, feliz da vida. Tia Letícia veio me ver, isso sim! Adoro vermelho, é minha cor predileta. Como é que ela adivinhou? Será que ela sabia?

— Olá, Gabriela. Sou sua tia Letícia. Vim buscar você.

O primeiro encantamento acaba aí. A voz seca e autoritária me faz esquecer o vestido e prestar atenção na mulher que me estende a mão sem demonstrar o menor afeto. O rosto lavado é de quem chorou e muito. Não combina com o distanciamento e a frieza do gesto.

— Dona Letícia, a Gabi vai dormir hoje na casa da Tininha, já está tudo acertado com a mãe dela e...

— Não, Jeremias. A Gabriela desce agora.

Tininha, Ronald e eu nos olhamos decepcionados. Jeremias percebe, tenta argumentar.

— Eu levo ela amanhã cedinho, dona Letícia. Não se preocupe e tem também a mala...

— Jeremias, a Gabriela desce agora comigo.

O tom não foi mais de aviso. Foi de comando que não dá margem a negociações. O arremate vem em seguida.

— Tenho planos para amanhã e é preciso que ela esteja presente. Do meu lado.

— Está certo. Como a senhora quiser.

Me agarro na cintura do Jeremias. Ele, carinhosamente, me vai soltando com jeito.

— Gabi, sua tia tem razão. É melhor você ir com ela. Amanhã, eu busco a sua mala e levo lá na Glória, tá bem? Despede da Tininha e do Ronald, vai. Quem sabe depois a gente combina de vocês se verem, hein?

Uma pequena pausa e o argumento decisivo.

— Olha, seu avô Gregório vai ficar muito contente se você for agora.

Tudo bem. Não posso me queixar. Acabou sendo uma despedida como devem ser as despedidas de verdade: com abraços apertados, tristeza e acenos dos dois lados. Tia Letícia me apresenta a amiga que está com ela. Verônica. Bem mais jovem, cara de moça levada. Ganho um sorriso de presente, um beijo na bochecha e a promessa de que seremos boas amigas. A fala parece sincera, embora não me entusiasme nem um pouco. Prefiro esperar para saber.

Jeremias, Tininha e Ronald já sumiram. Ficaram lá pelo alto da favela. Sob o olhar curioso de um ou outro morador, vamos descendo o morro. Verônica me leva pela mão, puxa assunto que não me interessa. Deixo ela falar sozinha, vou bem calada, só lembrando do vovô me dizendo que a caixa de madeira é presente dele para mim. Tia Letícia vai à frente. Pisa com firmeza. Imprime o ritmo da descida — o salto alto não a incomoda nem um pouco. O cabelo preto, sério, preso atrás, não está nada contente — pelo menos, é a impressão que me dá. Fico imaginando como estará o rosto de tia Letícia, agora. Os olhos já terão secado? Pensando bem, gosto mesmo é do vestido. Ele chegou muito primeiro que ela. Alegre, festivo, me cativando sem mistérios. Ele, sim, veio me ver. Posso apostar, certeza do coração. Adoro vermelho. Minha cor predileta. Vou ter um assim. Igualzinho. Um dia.

O casarão da Glória

Tia Letícia estende o braço, faz sinal com a mão. O táxi obedece e para. Devo me sentar no banco da frente — ela vai atrás com a Verônica, fica mais confortável. Não consigo abrir a porta, o motorista me ajuda, sorri para mim. É um negro de cabelo e barba bem grisalhos. Negro quando pinta, três vezes trinta, vovô dizia. Que exagero.

— Boa tarde. Vamos ali para a rua da Glória.

— A senhora prefere ir pelo Catete ou pela praia do Flamengo?

Tia Letícia é imperativa, mesmo sem elevar a voz.

— Não, o Catete, não. Aquilo está um inferno com as obras do metrô. Vá pela praia que é melhor.

Faz tempo que não passeio de carro. Nossa, já nem me lembro de quando o vovô tomou um táxi comigo. Acho que foi para ir à Tijuca visitar um amigo. Tijuca. O nome é esse. Tijuca. Engraçado. Visita muito chata e demorada. Só valeu pela ida de carro até lá. Mesmo assim. Era tanta rua que nem sei. E fui sentada no banco de trás com ele. Não dava para ver direito. Aqui na frente é bem melhor. Será que tia Letícia sabe disso? O motorista de vez em quando olha para mim e sorri. Mas não puxa assunto. Vontade, ele tem, mas não quer atrapalhar a conversa das duas passageiras. O que elas falam agora me interessa.

— Por enquanto, ela dorme com você. Depois, a gente vê como é que faz. Não posso dar um quarto só para ela e perder dinheiro.

— A Frida só volta na semana que vem. Por que ela não dorme lá esses dias?

— Não. A Frida é muito complicada. Se sabe que botei alguém dormindo no quarto dela é aborrecimento certo.

— Tem razão. Melhor mesmo ela ficar comigo. É mais tranquilo. Vamos nos dar bem. Não é, Gabriela?

Pergunta mais boba. Como é que eu vou saber? Não faço que sim nem que não e o assunto das duas muda de rumo. O táxi, também. Agora, posso ver o Pão de Açúcar bem perto. Parece a paisagem da caixa de madeira. Os bondinhos se cruzam no fio que liga as pedras. Tem gente dentro deles, eu sei. Mas não me interessa ir ao alto ver a cidade de brinquedo. Estou curiosa é para entrar no casarão da Glória. Isso, sim. Lá, onde o vovô nunca pôs os pés comigo. Só de pensar, me dá volta na barriga. Mal posso esperar para ver aquela porta se abrir. O proibido apetece.

Por causa dos tapumes, o acesso à nossa rua se torna bastante difícil. Com alguma irritação, tia Letícia pede que o motorista nos deixe um pouco antes.

— Você pode parar aqui mesmo. Chegaremos mais rápido a pé.

Ela e a Verônica vão logo saltando. Eu demoro, não me acerto com a porta. O motorista acha graça da minha dificuldade, volta a me ajudar. Ao estender o corpo para alcançar a tranca, fica com o rosto bem próximo ao meu. Dá até para sentir o cheiro dele. É gostoso. Sinto vontade de fazer festa e dar um beijo em sua barba, mas sei que não posso. Por que será que não posso? Ninguém para me dizer. Ele se endireita ao volante. Riso bom. De pai? De amigo?

— Gostei de você. Boa sorte!

— Que idade você tem?

— Sessenta e três. Por quê?

— Sabia que você não tinha 90 anos. Sabia.

— Gabriela, anda, vamos!

O comando interrompe o que seria o início de uma conversa. De uma amizade, quem sabe? Caminhamos uma quadra. Tia Letícia vai à frente, é claro. Verônica me pede para dar a mão — prefiro assim: pedido em vez de ordem. O tato é outro, a pele fala diferente. Trocamos olhares de sinceridade. Já sinto uma pontinha de afeto. Começo a achar que vamos mesmo nos dar bem.

O casarão da Glória se aproxima passo a passo. Meu coração acelera, ansiedade. Enfim, chegamos. Estou diante da Grande Porta! Tia Letícia, dona e senhora, tem a chave. Fala sem olhar para mim. Mais aviso que boas-vindas.

— A partir de hoje, Gabriela, vida nova. É bom se preparar.

Diante da advertência, Verônica arregala os olhos para mim numa expressão gaiata. Com cumplicidade e boa dose de nervosismo, devolvo a mesma expressão para ela. Sintonia, espontaneidade. Nossa parceria acaba de ser selada pelas costas de tia Letícia sem uma palavra sequer.

A Grande Porta é tão grande e tão alta que se abre em par. Com gesto solene, tia Letícia me autoriza o acesso. Olho para o teto, as paredes, os móveis, os quadros, as louças, o chão. Nunca vi nada parecido. Nem em tamanho nem em beleza. Muita informação ao mesmo tempo. Que mundo é esse? Não sei direito o que acontece comigo. Às vezes, tudo é sonho. Às vezes, é realidade. Ou sonho acordado, talvez. Não defino nem posso nem quero.

— Verônica, leva a Gabriela para tomar banho e jantar. Quero que ela durma cedo. Amanhã, ela vai conosco ao enterro do papai.

Fico quieta, mas não gosto da ideia. Vovô Gregório já não foi enterrado e já não tiraram ele de lá? Não quero outro enterro. Com ele morto ainda por cima. É muita maldade, muita. Nunca fui a um desses, mas já vi em filme. Sei bem como é. Não tem graça nenhuma. É triste, é feio, é tempo perdido. Vovô me ensinou. Aquela pessoa que botam no caixão e depois tampam não sente falta de ar, não sente dor, não sente nada, porque não é mais nada. A pessoa de verdade está bem longe, vivinha da silva, feliz da vida ou não, depende.

— Vem, Gabi, vou mostrar pra você o banheiro e o nosso quarto.

Depois do banho, janto na copa com a Verônica e outras moças: a Virginia, a Clarice e a Tarsila. Elas falam muito e, quase sempre, ao mesmo tempo. São alegres, dão risada. Perguntam se eu perdi a língua. Só pode ser, para ficar assim tão calada. Verônica pede para que me deixem em paz, explica a razão do meu silêncio, resume minha história.

— Gente, calma aí! A Gabi não tem pai nem mãe, acabou de perder o avô nesse desabamento lá na favela. A casa foi soterrada, ela foi salva por milagre. E vocês ficam aí falando um monte de besteira, aborrecendo a menina!

Virginia não quer saber, vai argumentando na lata.

— Se foi salva por milagre, tem mais é que agradecer ao santo e ficar contente, não é não?

Clarice e Tarsila concordam. Todas ali já passaram aperto de tudo que é jeito. Melhor ser órfã do que ter pai bandido ou bêbado, levar surra de cabo de vassoura sem nem saber por que é que está apanhando. Apostam também que eu nunca acordei de madrugada, barriga colada nas costas de tão vazia, e tive que beber água para enganar a fome. Vai fazer concurso para ver quem sofreu mais? Ridículo. Pois é. Alguma delas entregou os pontos, ficou se lastimando, chorando pelos cantos? Criaram casca no coração, isso sim. Difícil furar. Estão todas na batalha, fazendo amor gostoso e tirando carência de muita gente. Faturando um dinheirinho, lógico, que ali ninguém vive de brisa. Virginia insiste. Clarice e Tarsila fazem coro.

— Esse rosto lindo, cabelo de anjo, corpinho de futuro, quer mais o quê?

— Pode ter peninha, não, Verônica. Assim, você enfraquece ela. Pô, a garota tá viva, saiu sem nem um arranhãozinho. E ainda tem tia endinheirada.

— A bichinha é sortuda, nasceu foi com a bunda virada pra Lua!

Todas caem na gargalhada e eu acabo achando graça. Sinto carinho verdadeiro. Virginia me surpreende com o abraço que quase me sufoca.

— Tá vendo só? A danada já tá rindo. Isso aí não presta!

Verônica é a mais nova, mas é quem põe ordem na casa.

— Bem, meninas, a conversa está animada, mas amanhã a Gabriela e eu acordamos cedo.

Por mim, ainda ficaria ouvindo a falação. Afinal, eu era o assunto da mesa, o centro das atenções. Mas é só sair da copa e pronto, já me enveredo pelo ambiente de sonho e mistério do velho casarão. O corredor de tábuas corridas, o papel de parede de florzinhas miúdas, as luzes fracas que dão aconchego. Eu gosto. Meu corpo se sente confortável neste universo. Verônica sobe comigo a escada de madeira. Reparo nos degraus dispostos em caracol, no corrimão onde me vou apoiando, no balaústre trabalhado, no vão central que me permite ver lá embaixo. Tudo é mágico.

O segundo andar. Uma casa em cima de outra casa. Mais mistérios, mais segredos. Só pode ser sonho, só pode. Amo a aventura. Vamos caminhando por outro corredor até o nosso quarto, que é o último lá no fundo à esquerda. Todas as portas estão fechadas. Perto de uma delas, ouço gente conversando. Perto de outra, gritos e gemidos. Curiosidade. Paro. Tento ver alguma coisa pela fechadura. Verônica me repreende em voz baixa — acho que é para não acordar quem já está dormindo.

— Gabriela, sai daí! Anda, vem!

Nem precisa me chamar duas vezes, eu vou. Não sei o que me espera e começo a perceber que na minha vida isso é normal. Tem sido sempre assim desde que me conheço por gente. Já não me incomodo com surpresas, boas ou más, me acostumei ao ritmo do inesperado. Novamente, o nosso quarto. Nosso? Pelo que disseram lá no táxi, fico nele só uns dias. Depois, vão ver o que fazem comigo. Sou mesmo o centro das atenções. Bichinha sortuda. Nasci com a bunda virada para a Lua e ainda tenho tia endinheirada. Espelho grande. Posso me ver inteira e ainda sobra espelho. Cama grande. Posso me espalhar com a Verônica e ainda sobra cama. As dimensões da cômoda e do armário também impressionam. A janela que vai até o chão é mais porta que janela. Abre em par e tem como arremate uma pequena sacada, que dá para o pátio interno do casarão. O teto do quarto fica lá no alto bem longe. Quase céu. Tão diferente do meu cantinho na favela, onde tudo era baixo, pequeno e perto. Parece que estou vivendo *As viagens de Gulliver* — uma das histórias que vovô Gregório costumava me contar. Me sinto uma liliputiana na terra dos gigantes. A camiseta da Verônica em mim vira camisola. Abro os braços para ela ver como ficou. Riso bobo e encabulado. Agora, já para a cama. Deito de bruços, me viro de lado, de barriga para cima, olho tudo em volta. O mundo é espaçoso, sim. Súbito, não por vontade minha, a luz se apaga. Estranhamento. Primeira noite é sempre primeira noite. A fresta de claridade entre as cortinas é o único ponto de referência, o resto já não existe. Não sinto medo. Verônica está ao alcance. Estamos nos dando bem, ela acertou em cheio. Ganho meu até amanhã com beijo no escuro. O tato é bom, mas a boca que me beija logo vai embora — para algum lugar aqui do meu lado que não sei. O silêncio é interrompido por pequenos sinais de vida — um tossidinho à toa, um fungadinho seco, um bocejo. E também pelo eventual movimento de nossos corpos que, à procura do sono, se vão acomodando e aquietando de um jeito ou de outro. Pintado todo de preto, o mundo espaçoso torna-se ainda maior. Indefinido. O limite é onde eu quiser.

A segunda visita

Verônica pegou no sono, já vai longe com ele. E eu fiquei. Continuo aqui acordada no escuro. Engraçado, isso. Dormir junto na mesma cama não significa sonhar junto. Por que será? Os corpos, mesmo abraçados, colados um no outro, se separam. No sonho, cada um vai para o seu mundo. Posso até sonhar com ela e ela comigo, mas histórias diferentes, em lugares e com pessoas diferentes. Seria bem legal a gente viajar no mesmo sonho com alguém. Viver todas as sensações ao mesmo tempo. Já pensou? Eu acordar e, no café da manhã, poder dizer para as meninas que a Verônica e eu tivemos um sonho voando de mãos dadas? E ela confirmando que foi muito doido, sim. E a gente contando tudo o que aconteceu de verdade. Pena não ser assim. Em vez do "esta noite, eu sonhei" — que pode ser invenção e quase não interessa a ninguém — dizer "esta noite, nós sonhamos". Seria tão mais divertido.

Essa história de sonhar junto só se consegue de olho aberto. Vovô e eu conseguíamos. Várias vezes. Disso, eu sei. Ontem, a esta hora, ele ainda estava dormindo lá no canto dele e eu, no meu. Como pode a vida mudar tudo assim de repente? Parece sonho fora do sonho. Ele assobiando no banheiro, eu indo dormir na minha cama para, logo depois, acordar no quarto daquelas mulheres que já são passado. O Jeremias me tirando de lá à força, me levando no colo, dizendo que eu fui encontrada na chuva, salva por milagre. O Ronald e a Tininha me abraçando no reencontro inesperado. A minha casa que sumiu na lama — só o caramanchão florido e os antúrios em volta enfeitando o montão de terra que desabou. O vovô indo embora feliz da vida e o outro, que não é mais nada, sendo tirado do chão pelos bombeiros. O povo em volta, o feio e o violento à mostra, o Jeremias escondendo o meu rosto nas pernas dele. O vestido vermelho chegando com a tia Letícia dentro, a Verônica, minha nova amiga. Meus companheiros ficando para trás e desaparecendo lá no alto do morro. O táxi e o motorista negro de barba e cabelos grisalhos, o rosto dele bem perto do meu, o cheiro bom, 63 anos. As obras, os tapumes, a destruição que vai permitir a realização do sonho maior debaixo da terra. O casarão da Glória, a Grande Porta se abrindo, Virginia, Tarsila e Clarice, o espelho grande, a cama grande, a camiseta que vira camisola — viagens de Gulliver!

Todas essas imagens me vão passando pela cabeça. Muita ideia misturada. A caixinha de madeira, que o vovô me deu de presente, ficou lá, perdida na lama, junto com o violão e tudo mais. Hoje, também não fiz minha oração. "Santo Anjo do Senhor/ meu zeloso guardador/ já que a ti me confiou a Providência Divina/ me rege, me guarda, me governa e ilumina/ amém." Acho que assim deitada não vale porque é preguiça. Me viro devagarinho para não acordar a Verônica. Nunca dormi em cama de casal. Como será nascer com a bunda virada para a Lua?... O sono vem vindo. As lembranças do dia se apagam. O pensamento dá descanso e o corpo, mais leve, agradece. Momento gostoso de entrega. Travessia.

Alguém, na sacada, bate à janela. Não preciso me levantar da cama para ir até lá. É ele, eu sei. O homem moreno de fartos bigodes. O que me tirou de casa e me salvou a vida. Como foi possível? Um dia eu descubro e vou me espantar quando souber. Faz parte do jogo de adivinhação. Quebra-cabeça. Dê tempo ao tempo, Gabriela. Você quer saber o que eu faço? Vivo a inventar histórias. É o meu ofício. Quando alguém, como você, consegue embarcar no sonho e na poesia, passa a fazer parte do meu mundo, entende? A amizade é eterna. Mágica da criação.

Esta segunda visita será rápida, ele me avisa. Veio apenas para me dar um beijo de boas-vindas. Sente-se aliviado por eu estar aqui neste lugar. Temos bastante trabalho pela frente. Temos? Ele desconversa, diz que meu tempo agora é outro. Tempo de ir para a escola, estudar, fazer novas amizades. Muito ainda o que ver e aprender. Muito o que errar e acertar.

Agora, vem cá e me dá um abraço que eu tenho de ir embora.

O convite me apetece. Eu vou e nos demoramos bem apertados um no outro. Depois do abraço, quer saber o que eu comi no jantar. Isso lá é pergunta que se faça em momento de despedida? Foi macarrão, por quê? Por nada. Use sua curiosidade e sua imaginação fértil, ele aconselha. Me debruço na sacada, quero vê-lo o máximo que posso. O homem moreno de fartos bigodes ainda se volta, me acena de longe e parte.

— Gabriela, o que é que você está fazendo aí, menina?!

A voz da Verônica me chama de volta. Fico zonza, me sinto um pouco perdida, lá e cá, no meio do caminho.

— Ele veio me ver de novo...

— Ele quem?

— O homem moreno e bigodudo...

Verônica, já do meu lado, olha em direção ao pátio, não há ninguém. Homem bigodudo, só faltava essa! Ela me tira da sacada, me põe para dentro do quarto, fecha de novo a janela e corre as cortinas. Impaciência, quase irritação — eu sinto em seu pensamento agora verbalizado.

— Homem bigodudo, pode?! Tinha de ser comigo! Vamos pra cama, anda!

Eu vou e me deito. Mas continuo zonza, lá e cá, no meio do caminho. Se eu comi macarrão no jantar, ele quis saber. Isso lá é pergunta que se faça em momento de despedida?

Os dois enterros

Dia claro. Verônica já não está na cama, aproveito para conhecer o espaço onde ela se deita — o lado da mesa de cabeceira, o lado de quem apaga e acende o abajur, o lado de quem controla a luz. Estico o braço, testo, calco o interruptor. A lâmpada, coitada, não tem força para enfrentar o sol e competir com a claridade que vem de fora. Acesa ou apagada dá no mesmo. Vai ter de esperar a noite para se exibir novamente, para depois ir embora e deixar tudo no escuro, só porque alguém mandou.

A porta do quarto se abre. Minha amiga entra, parece animada. Bate palma dizendo que é hora de levantar, puxa o lençol de supetão e me descobre. Tia Letícia está de pé faz tempo e perguntou por mim. O Jeremias já trouxe as minhas roupas. Não, não está mais. Veio cedo só para entregar a mala e foi embora. Deixou um beijo. Diz também que tia Letícia está lá embaixo separando o que presta e o que não presta. O que era do vovô Gregório vai para a caridade — roupa de homem que não serve para nada, muita coisa velha e surrada. O que é meu também não é lá grande coisa. Depois, diminuindo a voz, adianta que vou ganhar roupas novas, ouviu minha tia comentar, mas não é para falar com ninguém. Por favor, ela pede. Pedido fácil de ser atendido. Sei muito bem o que é segredo, meu avô me ensinou. Então vamos descer para tomar o café. O enterro é às 11 horas. Enterro? Não quero ir. Vai ter enterro, sim. Pelo que sabe, o corpo do vovô — aquele outro que não é mais nada — está na capela 5 do Cemitério São João Batista. Umas meninas estão lá velando ele. Contrariadas, mas estão. O Jeremias também deve ir. Pelo menos, foi avisado. Tia Letícia é dura, mas tem dessas delicadezas, reconhece quem é amigo verdadeiro e quem é amigo de ocasião. Este, tem certeza, sempre esteve ao lado do pai, cúmplice de todas as suas maluquices.

Verônica me vai pondo a par de tudo com detalhes. Ensina que serei tratada como todas ali dentro. Tia Letícia é extremamente severa. Bom ir me acostumando. Nada de regalias só porque ainda sou criança ou sobrinha. Mas, tudo bem, que eu fique tranquila. Ela sabe que acabei de chegar, ainda não estou ciente dos horários, das minhas obrigações, de coisa alguma. Entende que não posso cumprir o que ainda não me foi determinado. Por isso, me permitiu ficar um pouco mais na cama e... Duas batidinhas na porta entreaberta. Interrompendo a ladainha, tia Letícia entra com um vestido meu nas mãos.

— Bom dia, Gabriela. Dormiu bem?

— Dormi.

— Olhe, você vai usar este vestido aqui, no enterro do seu avô, agora de manhã. Foi o melhorzinho que eu encontrei.

— Meu avô já foi embora faz tempo. Esse aí que vocês vão enterrar de novo não é mais ele.

Tia Letícia não perde tempo argumentando ou me dando satisfações. Respira fundo como quem conta até dez. Dirige-se a Verônica.

— Quando vocês estiverem prontas, desçam para que ela tome o café. O carro que vai nos levar estará na porta em meia hora.

Tia Letícia sai em seguida.

— Eu não quero ir. Eu não vou ver outro enterro. Já vi um e pronto.

— Gabriela, ouve. Esse enterro é diferente. É uma homenagem ao seu avô. Você não acha que ele merece?

— Eu já disse. Meu avô não vai estar lá, eu sei.

— Está certo, vamos supor que seu avô não esteja lá. Mas o corpo dele está. E precisa ser enterrado, como o de todo mundo.

— Então enterra, ué? É só mandar alguém enterrar e pronto.

— Você vai deixar sua tia Letícia ir lá sozinha?

— Se ela quer ir, ela vai. Ninguém obriga.

— E o Jeremias? Vai estar lá, aposto. Você não quer ver seu amigo? Ele foi tão bom com você, Gabriela. Trouxe suas roupas hoje logo cedo... Já pensou como ele vai ficar feliz vendo você?

A lógica do sentimento me convence e o absurdo acontece: fui ao enterro não pela morte, mas pela vida. O parente ali — vovô me ensinou — era nada, era ninguém. Fui para rever o Jeremias. E, surpresa feliz!, ainda encontrei o Ronald e a Tininha. Gosto tanto de pegar neles dois! Tato bom de amor com cheirinho de novo — meu corpo agradece quando gruda e reclama quando se afasta.

Posso afirmar porque presenciei. Vovô teve dois enterros. O primeiro foi bem mais bonito que o segundo. No primeiro, ele ainda estava vivo, dormindo quietinho no canto dele. A terra que cobriu a casa desceu toda lá do nosso jardim secreto. Veio tudo junto, a pitangueira, o pé de laranja, eu vi... O jasmim-dos-poetas bem em cima, todo florido e perfumado. E os antúrios vermelhos em volta, fazendo careta para o feio e o violento. Só lembrança boa do tempo que passamos juntos. Por isso, vovô Gregório foi embora feliz da vida, assobiando. No segundo enterro, ele já estava morto. Eu vi. Era ele e não era ele dentro do caixão de madeira escura — tia Letícia espantou o casal de moscas e me fez beijar aquela testa fria. Não adiantou nada o Jeremias ter escondido o meu rosto lá no alto do morro. Acabei vendo o avô que foi tirado de baixo do chão pelos bombeiros, o avô que já não era mais nada e ninguém. Durante o cortejo até o túmulo, passei por muito anjo. Uns tristíssimos, outros nem tanto. No cemitério, nenhum anjo é alegre. Nenhum anjo voa. Dá dó.

Tia Letícia não precisou de tesoura para cortar minhas asas. É preciso aprender a encarar a realidade. Sonhos não servem. Não dão futuro algum. Ela determinou.

O fio de macarrão

Semana seguinte. Já estou acomodada em outro quarto, sozinha. Depois do almoço, deitada na cama, sem nada o que fazer, folheio revistas velhas. Gestos mecânicos, desinteresse. Acabo dormindo. O sono pesado logo vira sonho que me transporta a lugar mágico e desconhecido. Sonho colorido, nítido, com fortes sensações de tão real: uma panela de macarrão cozinhando na água fervente. Puxo a massa com o garfo e provo para ver se está no ponto. Está. Ponho a água para escoar. A manobra com o escorredor é complicada — o utensílio é grande, o fogão e a pia são altos demais para mim. De repente, susto! Quase me queimo, foi por pouco. Respiro, tomo fôlego, me refaço e concluo a tarefa. Pego uma das pontas do único fio do macarrão e vou enrolando como se fosse lã. A atividade me dá prazer. Terminado o trabalho, entrego o novelo para o homem moreno e bigodudo que me salvou a vida. Ele aperta a massa, diz que a consistência e a temperatura estão boas. Me devolve o novelo e, como presente, me oferece duas agulhas de tricô. O macarrão não é para ser comido — ele previne. Bem-humorado, me segreda no ouvido o que devo fazer e se despede piscando o olho. Diz que volta outro dia para ver como progrido. Sua cumplicidade me alegra e entusiasma. Mal ele sai, dou início ao estranho tricô. Me atrapalho nos primeiros pontos, mas não me intimido. Aos poucos, vou ganhando ritmo e, com o fio de macarrão, começo a tecer o que não sei. A cena acaba aí. Acordo. Perco noção de tempo. O que aconteceu? Logo me localizo com as revistas velhas espalhadas em cima da cama e me vem de imediato o sonho que tive. Eu tricotando macarrão! Vou correndo ver a Verônica, preciso contar a ela!

— O homem bigodudo veio me visitar outra vez aqui no casarão! É sério!

Decepção. Verônica me toca do quarto. Me manda descer imediatamente e que não suba aquelas escadas sem autorização. O segundo andar é lugar de encontro com clientes, gente adulta circulando, entrando e saindo dos quartos. Não é lugar de criança. Se tia Letícia descobre que eu estou ali em dia de expediente, me esgana.

— Por favor, Verônica! É rapidinho. Eu preciso te contar! Foi muito engraçado! Ele me ensinou a tricotar macarrão! Foi agora, agorinha! É verdade, eu juro!

Não adianta implorar. Minha amiga não quer saber desses sonhos absurdos nem de homens — escanhoados, de barba ou de bigodes. Tem contabilidade do casarão para terminar. Trabalho difícil.

— Pelo amor de Deus, Gabriela, sai daqui! Não quero confusão com a sua tia. Volta lá pro seu cantinho, vai. Outra hora você me conta, tá bom?

O meu cantinho. Finalmente, encontraram onde me enfiar: a lavanderia, que fica no térreo e dá para o pátio interno. O cômodo é imenso, como tudo no casarão. Só que tão entulhado de cestos de roupa suja e mais as prateleiras da rouparia limpa e mais as duas máquinas de lavar e mais a mesa grande de passar a ferro e mais as araras para pendurar roupa de cabide e mais o armário para guardar artigos de limpeza, que o espaço livre é quase nada. Para mim, sobrou mesmo um cantinho, que atravancaram com a cama para eu dormir e uma cômoda bem pequena para eu guardar as minhas coisas.

Nem sei como vai ser quando eu estiver estudando. Fazer os deveres onde? E, ainda por cima, com a barulheira das máquinas lavando o dia inteiro. Tia Letícia me garantiu que me vai pôr na escola. Não quer criança dormindo os dias inteiros ou flanando à toa dentro de casa. Mente desocupada é moradia do diabo. Só mesmo o louco do pai para me deixar esses anos todos sem estudo. Sem estudo não, eu disse, porque ele me ensinou muita coisa boa e importante. Sem estudo sim, ela teimou, que sem diploma ninguém é nada na vida. E não são os dois mais dois e o beabá ensinado por um velho doido que vão servir para alguma coisa.

Que exagero. Falar assim do pai, onde já se viu? Ela pode ser rica, inteligente, ter tudo o que quer, mas melhor que meu avô não é mesmo. Ele sabia fazer jardim secreto, contar história, tocar violão, entendia de criança, de música, de tudo. Até de sonho debaixo da terra, com trem de levar gente, ele entendia. Ninguém me contou, não. Eu vi. Essas obras todas aí na rua, que tanto a irritam, são necessárias, ele me ensinou. A destruição primeiro, para depois vir a beleza. Duvido que ela saiba a metade da metade do que o vovô Gregório sabia. Duvido.

O tempo corre, os dias apertam o passo para acompanhá-lo. Tia Letícia mostra que não está mesmo para brincadeiras. Por meio de um grande amigo, figurão difícil na sociedade e figurinha fácil no casarão, arruma de me matricular no Colégio Pedro II. Tenho de fazer provas, várias matérias. Mas me saio bem, passo e consigo a vaga. Ganho parabéns e tudo. "Os dois mais dois e o beabá do velho doido" bem que me serviram — eu quase digo, mas prefiro ficar quieta. Como todo mundo, tia Letícia tem seu lado bom, é claro. Tira um dia inteirinho só para ficar comigo. Saímos para comprar o material escolar e o uniforme do colégio. É o dia mais feliz da minha vida. Ou quase. Digo quase porque nunca sabemos ao certo qual o dia mais feliz das nossas vidas. Quem é capaz de dizer?

Na papelaria, fico boba com a pilha de livros e cadernos. Queixo caído. E o estojo com a coleção de lápis? E a caneta que eu ganho de presente? Cor de esmeralda, linda! Mas o melhor ainda está por vir. O uniforme do colégio! Eu, rindo à toa. Quatro blusas com emblema e duas saias para alternar — saias pregueadas! Casaco para os dias frios, também com emblema, seis pares de meias e um par de sapatos. Tudo combinando, tudo estalando de novo. Enfim, um verdadeiro enxoval que, a partir de agora, estará sob minha inteira responsabilidade. E ai de mim se não cuidar direito, tia Letícia vai logo avisando. Imagina! Precisa avisar? A felicidade é tanta que, incontida, ali mesmo na loja, lhe abraço e dou um beijo. A vendedora repara na minha euforia.

— Nossa! Sua filha está mesmo feliz!

— Não é filha. É sobrinha.

O tom da voz é apenas informativo, desconcerta. A vendedora sorri para mim e volta a preencher a nota. Terei avançado o sinal com a ostensiva manifestação de carinho? O receio logo vai embora com a fala que vem a seguir e que pela primeira vez, eu sinto, transmite algum afeto.

— Está morando comigo, agora. Vamos ver se nos acertamos.

A vendedora prefere não se meter na intimidade familiar. Retira a nota do talão e nos entrega, o pagamento deve ser feito diretamente no caixa. A conversa fica por aí.

Depois que começo a frequentar a escola é que o tempo dispara de verdade. Tudo tem de ser programado. Hora para acordar, hora para tomar banho, hora para comer, hora para estudar, hora para dormir, hora para tudo. Com vovô Gregório era tão diferente! Nem relógio a gente tinha. O dia e a noite, o bom e o mau tempo é que determinavam os nossos movimentos, a nossa rotina. Não sei dizer se prefiro o antes ou o agora. É outra vida, outro mundo, outro sonho. Com outros encantos e desencantos. E muita novidade sempre. O Ronald e a Tininha ficaram lá na favela Santa Marta. Ainda não encontrei nenhum tato bom como era o nosso. Aquela vontade gostosa de viver se agarrando, sempre inventando brincadeira e pretexto para isso. Em compensação, neste novo sonho, minhas amizades se multiplicaram. São os companheiros de escola. Outras conversas, outras implicâncias, outras preocupações — entender as aulas, evitar as notas vermelhas, por exemplo. E também, o melhor de tudo, as novas descobertas! Agora, bem mais frequentes que antes, reconheço. Olhos e ouvidos sempre atentos. Nos colegas, nos professores, nas meninas do casarão — todos tão diferentes uns dos outros! Quantas informações, quantos ensinamentos embaralhados! Observo, principalmente, tia Letícia — universo à parte a ser explorado. São raras as ocasiões em que nos falamos, mas quando o encontro acontece, não perco um olhar, uma expressão, um gesto, nada. Tudo o que ela faz e diz me interessa. Palavra sua, me agrade ou não, eu guardo, coleciono. Arquivo todas. No futuro, verei o que fazer com elas. Muitas ainda me servirão. Muitas serão jogadas fora.

Volta e meia, penso no meu amigo bigodudo. Já não falo dele para a Verônica. Cheguei à conclusão de que é sonho meu. Vou tentando juntar as peças do quebra-cabeça e entender o mistério, sozinha. O que consegui até agora é muito pouco. Sei apenas que foi ele quem me tirou de casa no dia do temporal. Sei que se chama Gabriel, mas não se parece nem um pouco com o anjo. É meio feioso, mas tem um jeito que me agrada e muito. Veste-se de maneira bem simples. E tem o olhar mais doce que eu conheço. Sempre que ele vai embora sinto saudade. Sei também que nossa amizade está por um fio. Um fio de macarrão que, certamente, me irá devolver as asas que tia Letícia cortou. Muito trabalho pela frente.

O aniversário e os presentes

6 de março de 1976. Primeiro aniversário no velho casarão da Glória. Completo 9 anos de idade. As meninas não ligam para bolo, palmas ou velas com números. São festeiras, sim. Todas. Mas para outro tipo de festa. Festas de amor e prazer. Festas de beijos e carícias. Preferem dançar de rosto colado, sentir o calor de outro corpo, procurar o encaixe perfeito. E mais não dizem nem precisam. Segundo elas, logo logo vou arranjar namorado e vou saber.

Não tenho festa, mas ganho presentes. Primeiro, o relógio que tia Letícia, ela mesma, faz questão de me pôr no pulso. Entrega solene com mais um de seus discursos — este, sobre a importância de se cumprir horários, de ser pontual. Como fecho, vêm as costumeiras recomendações para que eu cuide bem do que é meu. O relógio é de marca, custou caro. Não é para ser deixado fora do estojo, em qualquer lugar onde eu possa perdê-lo. Depois, pede que eu a acompanhe até a lavanderia. Ela vai à frente, como sempre. Verônica, sorridente, já está lá a nossa espera e, em resposta a um simples aceno de cabeça, abre a porta para que possamos entrar. O ritual parece combinado.

— Veja se gosta da surpresa. Achei que você precisava de mais conforto para estudar. Não quero desculpas para notas vermelhas.

Se gosto? Levo as mãos à boca pelo inesperado. Não consigo me mover. Apenas olho, feito uma boba. Então por isso fui obrigada a voltar para o quarto da Verônica. A tal da infiltração, o problema com as máquinas de lavar, tudo mentira.

— Também não precisa ficar aí desse jeito feito uma matuta. Vai até lá, puxa a cadeira e senta... Anda!

Tia Letícia modificou completamente a arrumação da lavanderia de modo a ampliar o meu espaço. Separado por um biombo de quatro faces, irreconhecível, está o meu novo "cantinho" que, passe de mágica, acaba de se tornar um quarto de verdade. Além da cômoda e da cama, há agora um armário de duas portas, uma estantezinha com livros e uma mesa de estudos com a cadeira. Sobre a mesa, uma luminária de louça ajuda a compor o cenário de sonho.

Puxo a cadeira e me sento, conforme me foi determinado. Sinto-me mais importante que nunca. Aluna do Colégio Pedro II, com mesa de estudos e cadeira só para mim. De novo, o centro das atenções. Tarsila é que está certa: nasci com sorte. Incontida, vou até a estante ver os livros de perto. Embora curiosa, não ouso tocá-los. Contento-me em apreciar a ordem cuidadosa com que foram dispostos.

— Esses livros eram meus. Espero que faça bom uso deles. Estão aí alguns clássicos da literatura infantil e a coleção completa de Monteiro Lobato. Ainda sobrou muito espaço para você organizar o material do colégio.

— Obrigada, tia. É tudo muito lindo!

— O agradecimento virá quando você me mostrar o boletim com boas notas. Essa é a retribuição que espero. Já dei ordem para que as máquinas de lavar funcionem apenas no horário da manhã, enquanto você estiver na escola. À tarde, você terá o silêncio necessário para ler e estudar. Como já disse, não quero queixas ou desculpas para notas baixas.

Um ligeiro afago na cabeça e pronto. Aniversário comemorado, vida que segue. Tia Letícia me aconselha a não perder tempo. Melhor é abrir os livros e os cadernos e ir logo inaugurando a mesa de estudos. Pondero que amanhã é domingo, não tem aula. E hoje é o dia dos meus anos! Adianta argumentar?

— Desculpa esfarrapada, Gabriela. Hora de aprender é toda hora. Estudar hoje será até um belo presente de você para você mesma.

E chega de conversa que ela tem de ir à cidade. Combinou encontro agora de manhã com Belarmindo Cruz. Negócio de vulto. Não pode ficar ali dando importância ao que não tem. Eu que faça como bem entender. Quer é ver resultados no boletim no final do mês, isso sim. Pede à Verônica que, a partir das 10 horas, fique pronta e atenta ao telefone. O empresário pode querer companhia para depois. Nunca se sabe.

Tia Letícia sai. Verônica fica amuada com a recomendação que recebe, eu vejo.

— O que é que foi?

— Nada, não. Bobagem. É que esse homem é muito convencido, humilha as pessoas. Se acha dono do mundo. A gente se conhece faz pouco tempo. O infeliz caiu de amores por mim e eu tenho mais é que aturar. Fazer o quê?

— Não vai. Diz que está passando mal, inventa uma desculpa, sei lá.

— As coisas não são tão simples assim, Gabi. O Belarmindo é quase sócio da sua tia. Ele arruma um monte de cliente pra ela. Até empresário estrangeiro. Muito americano, alemão, italiano. Esse almoço deve ser pra isso.

— Mas hoje não é sábado? Não é dia de faxina aqui no casarão?

— O Belarmindo nunca vem aqui. O que ele quer é serviço externo de acompanhante. O sujeito gosta de me exibir para os amigos. Conheço o roteiro de cor e salteado. Tudo sempre igual. Uma chatice. Coquetel de trabalho, jantarzinho a dois, discoteca com alguns casais que ele conhece e ida para o apartamento dele. Aí, ele já está completamente bêbado. Cai na cama e apaga.

— Então não é tão ruim assim.

— Você que pensa. O cara é muito, muito chato. Insuportável, ridículo. Vem sempre com as mesmas conversinhas pegajosas, um horror! Ah, Gabi, não quero falar disso agora, não. Vamos mudar de assunto, vamos?

Verônica troca rapidamente de expressão. Seus olhos voltam a brilhar.

— Olha, eu também tenho algumas surpresas. Acho que você vai gostar.

Ela abre o armário. A minha roupa toda passada e na mais absoluta ordem.

— Fui eu que arrumei pra você. A Letícia me pediu. Fiz com o maior carinho. Reparou na quantidade de cabides vazios?

Verônica pisca o olho e adianta.

— Você vai ganhar uns vestidinhos novos, que eu sei!

— Você é muito legal, Verônica.

Verdadeira amiga, ela me puxa pela mão, me faz sentar na cama ao lado dela.

— Você também é, Gabi. Fico boba de ver uma menina da sua idade com essa cabeça boa, esse amadurecimento todo. Seu avô fez um belíssimo trabalho.

Me entristeço ao ouvir falar no vovô. Não consigo disfarçar. É meu primeiro aniversário sem ele. Verônica percebe.

— Não fica assim. Ele mandou um presente maravilhoso para você, sabia?

Pulo da cama feito mola.

— Presente do vovô Gregório?! Eu não acredito! Sério?!

Verônica faz sinal para eu me aquietar e abaixar a voz.

122

— Recebi ontem de noite, mas me pediram para lhe entregar hoje. Sua tia Letícia não pode saber disso. Pedido do Jeremias.

— O Jeremias esteve aqui?!

— Claro que não, Gabi! Ele me ligou, pediu para eu ir vê-lo lá na favela. Nos encontramos naquela pracinha em frente, na rua São Clemente. Ele estava muito emocionado. Gosta muito de você, nossa!

— Por que você não me levou junto? Por quê?!

Verônica torna a fazer sinal para eu abaixar a voz.

— Porque ele me pediu para ir sozinha, era surpresa, menina! Calma, você já vai ver!

Com cuidado, Verônica tira algo de dentro do armário e me entrega. Está embrulhado para presente. Meu coração acelera, porque a cabeça já sabe o que é. Arranco a fita e rasgo o papel de qualquer jeito, vinte dedos em cada mão.

— A minha caixa! A minha caixa! Eu não acredito!

Fico grudada com a caixa de madeira como se estivesse abraçando o vovô, o papai, a mamãe e o tio Paulo, que foi quem me tirou de Xambioá junto com ela. Todo mundo ali comigo. Se é assim que eu sinto, é assim que é.

— A minha caixa, Verônica! Meu caderno com as letras de música está aqui dentro!

— O Jeremias disse que tinha prometido revirar aquela terra toda até encontrar essa bendita caixa. E não é que o danado encontrou?

— Eu quero ver o Jeremias! Quero ver o Ronald e a Tininha, também!

— Vamos devagar, Gabi. Uma coisa de cada vez. Você não acha que já foi muita emoção para uma manhã?!

— Tá certo. Desculpa.

— Também não precisa se desculpar, eu entendo. Qualquer hora, eu levo você lá. Acho que sua tia não vai proibir. Não há motivo.

Verônica faz uma pausa. Muda o tom.

— Mas essa caixa aí, pelo que o Jeremias me contou, é bom você guardar ela bem guardadinha.

— É, eu sei. Quer dizer, sei mais ou menos. É por causa da briga do vovô com tia Letícia, não é?

— Isso mesmo. Você agora está morando aqui. Casa nova, vida nova. A responsabilidade pelo seu futuro é toda dela. Não é bom mexer com essas lembranças do passado. Lembranças que entristecem sua tia e podem até atrapalhar o relacionamento de vocês duas. O que é feio a gente esquece e pronto.

O feio, às vezes, é necessário — vovô me ensinou. Mas acho melhor já ir seguindo o conselho da Verônica. Fico calada.

— A gente sabe que a Letícia é difícil, fala duro, é mandona. Parece até um general.

Começamos a rir, as duas. Verônica se contém, pondera com carinho.

— Mas, embora não pareça, ela também é sensível. E tem sido muito boa pra você, não é verdade?

Faço que sim com a cabeça.

— Então? Vamos cuidar para que ela fique cada vez mais contente por você estar aqui. Certo?

— Certo.

Agradecida, me penduro na Verônica — no momento, a pessoa mais importante do mundo. Mais que tia Letícia. Com ela posso ser eu mesma e falar sem medos — mesmo sobre o que lhe desagrada ou lhe parece estranho. Poder falar sem medos com alguém é presente dos Céus. Me penduro na Verônica, sim. O corpo pede e eu atendo. Meus braços envolvem seu pescoço. E os dela me prendem deliciosamente pela cintura. Tato bom. Feminino. Diferente. Saudade de minha mãe? Sei lá. Dou-lhe um beijo na ponta do nariz, ficando vesga por querer manter os olhos abertos. Ela ri da minha palhaçada. Me puxa, me abraça. Gosto do corpo dela me recebendo e me acomodando com afeto. Verônica deve ter prática de receber e acomodar corpos, grandes ou pequenos, de homens, mulheres e crianças, eu acho. Deve ser dificílimo separar na mente tantos tatos assim e não se confundir toda. Saber quem gosta do quê e quando e como fazer com cada um. Nunca magoando, sempre dando prazer. Quanta experiência, nossa! Tenho muito que aprender com ela. Mas eu aprendo. Serei boa aluna. Ficarei atenta.

— Você já ganhou lindos presentes da tia e do avô. Nem vai ligar para o meu, aposto.

— Mais presente?!

Verônica me dá um carneiro de pelúcia. Isso mesmo. Não é urso nem cachorro nem coelho, bastante comuns por aí. Ela me dá um carneiro! Vem sem ser embrulhado, porque bicho tem vida, não se embrulha, ela me explica. Além do mais, o carneiro não foi comprado. Ela ganhou de um rapaz que conheceu faz tempo. Foi o primeiro homem — ou menino, ela brinca — com quem se deitou. Mas isso é outra história que não cabe contar agora. O carneiro já tem nome, é claro. Posso mudar, se quiser. Imagina. Mudar o nome só porque ele veio para mim. É ele ou é ela? Verônica acha graça. É ele. Não dá pra ver, mas é ele. E se chama Galileu. Vou logo abrindo as pernas do Galileu para conferir. Realmente, por ali, não dá para saber o sexo. Mas se a Verônica me garante que é macho, é macho e pronto. Galileu. Gostei. Ele é molenga, gostoso de pegar. E tem uma cara esperta. Por isso, ganhou um par de óculos. Ideia da Verônica, que tinha uma armação antiga do pai e pôs nele só de gaiatice. O adereço lhe caiu tão bem que ele passou a usá-lo só de charme. Pois é. Galileu. Um carneiro inteligente que usa óculos. Agora, é meu amigo.

Não me lembro de brinquedos com papai e mamãe nem tive brinquedos com vovô. Na favela, tive, sim, muita brincadeira com gente da minha idade. Principalmente com o Ronald e a Tininha: tudo brinquedo-divertimento. Pique-esconde, pipa, bolinha de gude, cabra-cega... e médico — este, é claro, nosso brinquedo preferido e o mais frequente, porque nos permitíamos apalpar e sentir o corpo sem nenhuma inibição. Afinal, éramos profissionais sérios ou pessoas doentes necessitando de ajuda. Éramos? Só mesmo na encenação deslavada. Estávamos todos acesos, fortes, saudáveis, e os toques despertavam ainda mais nossa libido. "Dói aqui?" "Dói, muito." "E aqui?" "Aí, também, doutor." Tudo brincadeira. A dor insuportável era, na realidade, prazer indizível, que nossa imaginação se encarregava de prolongar infinitamente. O melhor dia foi quando a gente resolveu imitar a cena da novela em que a moça quase se afoga e é salva pelo amigo com respiração boca a boca. No começo foi complicado, porque a Tininha e eu quase brigamos — queríamos ser a afogada. O Ronald dizia que, por ele, podia ter duas afogadas, que ele não se importava. Achava até que a história ia ficar mais emocionante assim. "Engraçadinho. Onde já se viu? Duas afogadas e um amigo para fazer tudo sozinho? Impossível." Nossos desejos escondidos encontraram a solução perfeita: o revezamento. Por questão de justiça, cada um de nós teria a oportunidade de se afogar, com um amigo para apoiar sua cabeça no colo, implorando que sobrevivesse, e outro para lhe fazer a tal da respiração boca a boca. Dramaturgia deliciosa e mais que convincente. Passamos a tarde toda nos dando beijos salvadores nessa safadeza inocente ou inocência safada, sei lá. Sei é que o revezamento foi completo. Tivemos fôlego e talento para representar todos os papéis no falso drama. Só que, no final, o Ronald estragou a brincadeira: quando eu era a afogada e a

Tininha era a amiga que me fazia a respiração boca a boca, ele não se contentou só em ver. Incontido, quis me salvar também, beijando a três. Tininha e eu não deixamos. "Ficou maluco, garoto? Sossega! Não existe respiração boca a boca com três!" E ele insistindo sem parar, dizendo que daquele jeito eu ia ser salva mais rápido. Ia ser muito mais bonito e gostoso. O que é que custava tentar? Foi a maior confusão. Diante de nossa recusa, o Ronald foi embora enfurecido. Eu e a Tininha não entendemos nada. "Eu, hein?!" "O que será que deu nele?!"

— Nunca tive brinquedo. Esse é o primeiro.

— Sério, Gabi? Não acredito.

— Sério.

— Nenhuma boneca, panelinha, nada?

Vovô Gregório achava que eu não precisava de brinquedo comprado. Nunca senti falta porque, com ele, eu tinha um monte de brinquedo-invenção. A gente criava nosso próprio passatempo. Cantava junto, desenhava, coloria. Logo que chegamos na favela, ele me fez um balanço, lá no nosso jardim secreto. Para eu ir aprendendo a voar — dizia. Voo seguro de vaivém. Voo de aprendiz. Voo contraditório, solto e preso ao mesmo tempo — uma tabuinha de madeira ligada a uma árvore por um par de cordas. Que importa? Foi assim que, pelas minhas pernas, esticadas e encolhidas, esticadas e encolhidas, fui me dando altura, fui ganhando asas.

Galileu

Sábado é dia de faxina no casarão, cliente não entra. As meninas é que sempre dão conta do recado. Dez ao todo: Clarice, Virginia, Tarsila, Rachel, Anita, Isadora, Frida, Camile, Simone e Florence. Aqui a função de faxineira é bastante divertida e o trabalho, animado. Não se escolhe serviço. Se pega pesado e leve, como na vida. Em cada fresta, em todos os vãos, nada escapa. O casarão sacudido e virado pelo avesso. Os salões, os quartos, os banheiros, a copa, a cozinha, a lavanderia, o pátio interno. Verdadeira loucura. Vidros, assoalhos, azulejos, móveis, lustres, cortinas, tudo. Mudam-se as roupas de cama e de banho, lavam-se as porcelanas. Grande folia, para a qual não devo ser convidada. Tia Letícia não quer. Nada que me desconcentre e desvie das obrigações escolares. Nada que me dê desculpa para notas vermelhas, ela repete incansavelmente. Pura perda de tempo. Mal ela sai, entro na farra. Com exceção da Verônica, que apenas consente, as próprias meninas me dão corda e estimulam a desobediência. Eu não penso duas vezes, vou correndo me juntar a elas e me divirto. Adoro passar lustrador no corrimão da escada. Venho vindo lá de cima até o térreo, participando de tudo, porque ali é passagem obrigatória para o segundo andar e, portanto, lugar privilegiado, de muito movimento. Cada menina que sobe ou desce mexe comigo, provoca, atiça. Tarsila é a que mais incensa minha vaidade. Garante que nenhuma delas conseguiria limpar com tanto capricho os pinos da balaustrada. E se diverte ao ver a agilidade com que eu passo a mãozinha no pequeno espaço entre eles.

— Essa aí vai ter uma prática! Melhor do que todas nós! Reparem como os pinos ficam lustrosos na mão dela!

As outras caem na gargalhada e eu, mesmo sem entender a piada maldosa, acabo achando graça. É quando Tarsila vem e me aperta e me beija com fúria e pede para eu não ligar para aquele bando de doidas, que ali ninguém presta, e diz que eu sou uma linda, uma gostosura e muito querida. Depois, lá vai ela com balde e vassoura fazer não sei o quê. Eu, com redobrada vontade, continuo ali, orgulhosa do meu trabalho. Agarrada ao corrimão, vou dando lustre nos pinos da balaustrada. Ganho prática.

Às cinco da tarde, a limpeza está terminada. Tia Letícia costuma chegar a essa hora. Estou no meu quarto faz tempo. Primeiro, porque não posso ser flagrada fazendo o que não devo — Deus me livre, nem é bom pensar. Segundo, porque também é meu aniversário. Muita novidade no meu cantinho, que agora é quarto de verdade.

Abro o armário. Deixo à mostra minha roupa, meus vestidos. Os cabides vazios me estimulam a imaginar os que não tenho. O espelho preso a uma das portas me apresenta à menina que sou eu. Muito prazer. Nele, posso vê-la de corpo inteiro. Mãos na cintura, convencida, faz poses, caras e bocas. Põe as manguinhas de fora, se exibe sem constrangimentos. Pisca para mim, me manda beijos. É minha personalidade que já começa a se revelar. Minha beleza, minha vaidade e o que mais? Melhor não saber, deixar para lá.

Volto a reparar no que me pertence. Gosto dos pares de sapatos enfileiradinhos na parte de baixo. Tudo tão arrumado. Verônica caprichou de verdade. Verônica é especial. Um dia vou ser que nem ela. Como estará se saindo com o tal do Belarmindo? Boba. Se fosse eu teria inventado uma desculpa para não ir ao encontro. Sair assim sem vontade, com um homem estúpido e chato ainda por cima. É muita maldade da tia Letícia. Mas, também, ela aceita porque quer. Ninguém é obrigado a nada. Ou é? Prefiro não me meter. É assunto delas. Elas são brancas, que se entendam — vovô diria. Vovô de onde está ainda me manda presentes! A caixa de madeira aqui comigo! Parece sonho! Vontade ao menos de vê-la e pegá-la novamente. Mas é preciso cuidado. Por isso, me contenho. Nem penso em abrir a gaveta onde ela está escondida. Quer dizer... Pensar, eu penso. Se não me atrevo é mais por medo que por prudência. Haverá a hora certa para remexer na história que causou tanto desentendimento na família. De madrugada, quando todos estiverem dormindo, por exemplo, não correrei tantos riscos. Se bem que algum susto sempre poderá acontecer. Nada impede que eu seja surpreendida por alguém. A porta da lavanderia só fecha, mas não tranca — tia Letícia tirou a chave. Parece que adivinha. Seja como for, gosto da ideia de vir a fazer algo escondido, procurando me proteger ao mesmo tempo. Haverá emoção, sem dúvida. Por enquanto, me contento em saber que só eu tenho acesso ao que é secreto. Secreto que me dá ares de importância. Secreto que de tão secreto está fora do alcance de tia Letícia. Volto a me mirar no espelho. Chego perto. Me afasto e...

— Está se admirando?

Pronto. Foi só falar e ela aparece. Quase me assusta. Que coisa! O tom da pergunta é de ironia, com um gostinho especial por ter me flagrado na intimidade. Fico meio sem graça, mas respondo assim mesmo. E de imediato.

— Estou. Gostei desse espelho, posso me ver bem.

Fecho o armário. Fico na frente dele como se protegesse o que é meu. Percebo que surpreendi pela resposta e pelo desembaraço do gesto. Ponto para mim. Tia Letícia senta-se na beira da cama, está satisfeita.

— A arrumação ficou boa, não ficou?

Sou sincera. Falo com gratidão.

— Ficou, sim. Muito boa.

— Ah! O Galileu veio pra você!

— É. A Verônica me deu ele de presente.

Tia Letícia se estica para alcançá-lo. Aconchega-o carinhosamente no colo. Faz festa nele. Beija-o, ajeita-lhe os óculos no focinho. Impressionante a transformação. Parece uma menina da minha idade. Galileu gosta dela, eu sinto. A maneira doce com que os dois se olham e se entendem me desconcerta. Como pode? A mulher autoritária, dura, exigente com todos à sua volta. A dona da verdade e senhora de tudo, que sempre comanda e vai à frente. Agora, essa atitude tão desarmada e de total entrega a um carneiro de pelúcia. Fico confusa. Nem sei o que pensar. Tão bom se ela fosse assim comigo e com as meninas. É, eu sei. Lidar com gente é mais complicado. Há de se ter reservas. Mas custava tentar um pouquinho?

Sentimentos contraditórios. Gosto dela. E também desgosto. Uma hora, quero abraçar. Outra, nem chegar perto. Tenho admiração pelo seu porte, pelo respeito que inspira nas pessoas, pela sinceridade com que fala. Mas não compreendo seu comportamento distante. E não suporto seu jeito repressor, suas recomendações constantes, seus avisos, suas advertências. Vovô não era assim. E tinha autoridade. De mim, conseguia tudo o que queria. Éramos companheiros. Falávamos a mesma língua. E seu corpo era tão importante para mim. Seu colo, seu cheiro, seu calor, sua voz, seu assobio. Vovô Gregório. Quanta falta ele me faz.

— O bichinho estará bem aqui, tenho certeza.

Tia Letícia se levanta. Com muito jeito, arruma o Galileu no lugar exato onde estava. Depois, parece brincar comigo. Parece.

— E então? Conseguiu estudar um pouco ou ficou só aí se admirando no espelho?

Em sua voz ainda há um resto de doçura, mas, mesmo na brincadeira, o tom já é de cobrança e isso me desagrada. Disfarço. Dissimulo. Minto com convicção.

— Estudei, sim. A manhã toda. Só parei quando as meninas vieram me chamar para o almoço.

A farsa veste como uma luva. Mas, ao fim, saio perdendo. Com uma confissão ao acaso, tia Letícia revida sem saber.

— Hoje até pensei em deixar você participar da faxina. Sei que faz tempo você tem esse desejo. Mas eu estava tão apressada para meu compromisso que acabei me esquecendo de lhe falar. Foi melhor assim. Ao estudar no dia do seu aniversário, você se deu um belo presente. E a mim, também.

Tia Letícia vem e me dá um beijo.

— Parabéns. Estou orgulhosa de você.

O elogio que não mereço me envergonha. Sinto-me péssima. Que saída? Contar a verdade, pedir desculpas? Com que coragem? Fico mal pela mentira e mal pela covardia. Meu corpo todo paralisa. Nenhum mínimo gesto de afeto que lhe retribua o beijo. Ela percebe. Nosso desconforto é visível.

— Gabriela... Mesmo que por motivo tão triste, estou feliz de você ter vindo morar comigo. Pode acreditar.

— Eu também tô feliz, tia. Prometo.

A fala sai sem pensar. A promessa, sincera, me contradiz, não combina com a afirmação. Pelo sorriso aparentemente compreensivo, tia Letícia entende o meu conflito.

— Sua promessa já é um bom começo.

E mais não diz. Sai em seguida, é claro. A palavra final deve ser dela. Palavra que, mesmo dita com docilidade, me entristece, porque me diminui, me inferioriza.

Não sei explicar, mas o corpo de tia Letícia não se ajusta com o meu. Antes mesmo de chegarmos ao tato, nossas energias já se rejeitam — como os lados opostos de dois ímãs. Haverá aproximação possível? Desencontro. Desacerto. Desde o início. Nunca mais a vi com o vestido vermelho que usou para me buscar. O vestido vermelho. Ele, sim, me encantou. Foi ele que me convenceu a vir com a mulher que trazia dentro. Ele, sim, era alegre, tinha vida. Apenas ele.

Pela mesma porta que tia Letícia saiu, tristezas chegam sem avisar. E ficam. São muitas. Tento identificá-las. Saudade? Carência? Solidão? Sei que doem onde não alcanço. Justo hoje? Depois de tantos presentes e surpresas boas? Coisas serão sempre coisas, entendo. Mesmo que tenham vida, que companhia podem nos fazer?

O relógio de pulso, que é de marca e custou caro, me lembra que já é quase hora do jantar. Digo que estou sem fome. Ele que volte cuidadosamente para o estojo e fique por lá até amanhã. Reparo — não é imaginação minha: o armário e a cômoda, fechados. A mesa e a cadeira, abraçadas, me observam a distância. E a pequena estante, assustada comigo, protege seus livros como se fossem filhotes. Podem ficar descansados. Não faço mal a ninguém. Me sinto só. Apenas isso. Tudo por causa dessas tristezas que vieram não sei de onde nem por quê.

Será que vovô, papai e mamãe não arrumam jeito de falar comigo? E o tio Paulo? Ainda estará vivo? Por que ele é assunto proibido com tia Letícia? Por onde andará o Jeremias? E o Ronald, a Tininha? Estes eu sei que estão aprontando no morro. Nossa querida favela Santa Marta. Tão perto e tão longe. Queria ir até lá de surpresa sem precisar de ninguém. Passar o dia. Depois, voltar. Porque minha história já é outra. E é aqui.

Deito-me com Galileu, presença que me resta. Pelúcia não é pele — a solidão vai logo me avisando. Não dou ouvidos. Amizade lá se importa com essas diferenças? Nos aconchegamos um no outro. Com sua cara travessa, Galileu me deseja feliz aniversário. Não me convence. Sei muito bem que a voz é minha.

Sei muito bem que a voz é minha

Paro de teclar. Os olhos presos à tela do computador. O que acabo de escrever me perturba.

Sei muito bem que a voz é minha.

Sei mesmo? Quantas vozes estão aqui para me orientar? Quantas, para me confundir? A graça será esta: o não saber de onde vêm as vozes e se o que elas dizem é confiável? Vozes silenciosas que me sopram ideias ao ouvido. Ideias de todo tipo. Eu que me dê o trabalho de selecionar as que prestam. Será esse o estímulo de que preciso para buscar a verdade, perseverar no sonho? O mistério dá gosto à trama de cada um de nós. Com ele, a vida é suspense. O impasse que pode se resolver agora ou mais adiante, a descoberta que causa espanto, a revelação que decepciona. É assim que, juntos, vamos escrevendo histórias e virando a página nossa de cada dia. Conformados com os tantos tropeços. Porque não sabemos direito que vozes são essas que elaboram nosso enredo e autorizam nossa biografia.

Da mesa de trabalho, vejo minha cama. Sólida, generosa, bem-vivida — essa tem o que contar! Dela, Galileu é complemento essencial. Galileu não fica velho. É o mesmo até hoje. Impressionante. Anos e anos e o focinho não muda. A cara travessa é igual e o corpo mantém a forma dos nossos tempos de infância lá na lavanderia. A pelúcia, é verdade, não tem o viço de antes, mas continua gostosa para se passar a mão. Galileu presenciou quase tudo comigo. Testemunha silenciosa. Porque, quando fala, sei muito bem que a voz é minha.

Batem à porta. Deve ser o almoço que pedi há pouco. Tornam a bater. Agora, com mais ênfase.

— Calma, já estou indo.

Verônica entra. Cara fechada. Pousa a bandeja na mesa redonda da antessala.

— É a última vez que trago seu almoço ou qualquer outra refeição. Tudo na vida tem limite.

— O que é isso, agora?

— E tem mais. Proibi as meninas de também trazerem sua comida no quarto.

Só achando graça.

— É motim a bordo?! Revolta da Armada?!

— Gabriela, pelo amor de Deus, me ouve. Estou falando sério. Faz quatro meses que você não sai aqui de dentro. Não vê a luz do dia. Desde que o Florentino morreu, você está irreconhecível, é outra pessoa.

— Sou outra pessoa, sim. E daí? Eu já fui tantas!

— Nunca essa Gabriela fechada, autoritária, obsessiva.

— É direito meu. A perda é minha, a dor é minha, lido com elas como bem entender.

— Você viveu outras tragédias em sua vida e as superou.

Faço ver a Verônica que não há comparação. Eu não escolhi meus pais, não escolhi meu avô Gregório. Se o destino os tirou de mim com violência, não tive participação naquelas desgraças, não me senti responsável por elas. Eu era uma criança. Mesmo tia Letícia, que morreu por doença, saiu da minha vida da mesma forma como entrou: independente da minha vontade. Antes de Florentino, para o bem ou para o mal, todas as convivências me foram dadas. Ou para ser mais precisa: me foram impostas. Eu apenas as aceitei.

— E Florentino? Não lhe foi dado por acaso?!

Florentino, não. Florentino foi escolha pessoal — a primeira e a única que fiz. Eu o convidei a entrar na minha vida. Consegui cativá-lo. E, a partir daí, como ensina o infeliz Pequeno Príncipe, me tornei responsável por ele. Quatro anos juntos. Como os quatro que passei com meus pais e os quatro que vivi com meu avô. Sempre os fatídicos quatro anos. Não quero me sentir culpada. Mas é como se esses números me provassem que eu chamei Florentino para um destino trágico que não lhe pertencia.

Verônica respira fundo. Por impaciência ou para ganhar tempo, talvez.

— Gabriela, eu compreendo o seu sofrimento. Mas, me desculpe dizer, você está se dando importância demais. Você acha realmente que tem poderes para decidir sobre a vida de alguém?

— Todos temos.

Verônica, sempre objetiva, não me rebate. Não quer entrar nesse terreno. Desconversa.

— Por que você não passa a fazer as refeições lá embaixo comigo e com as meninas? Pelo menos isso. Seria uma alegria muito grande.

— Preciso me obrigar a este quarto, Verônica. Preciso me obrigar a escrever. Por favor, entenda.

— Sair não a impede de escrever.

— Impede, sim!... Aqui, bem ou mal, vou realimentando meus sonhos, vou me esforçando para ganhar alguma forma. Como um feto. Escrevendo, me passo a limpo, revejo minha vida antes, procuro me dar sentido. É como se eu estivesse numa grande barriga me preparando para nascer de novo.

— Sei que não é só isso.

— É claro que é só isso. Desde o início me propus a não cruzar essa porta até entender e superar o que aconteceu comigo. E não vou cruzar, pronto. Se eu fizer minhas refeições com você e as meninas eu me disperso, desconcentro, perco o rumo. Fora deste quarto, a realidade já é outra. Realidade que não posso viver por enquanto. Será arriscado, eu sinto.

— Por quê?! Que loucura é essa, Gabriela?!

— Eu me conheço. Não vou resistir, vou acabar indo para a rua...

— Pois então vá! Melhor ainda! Saia! Veja os dias e as noites, sinta o bom e o mau tempo! Barulho, cores!

— Será pior, será o meu fim!

— Fim?! Que fim?! Um mundo real, de verdade! É disso que você precisa, Gabriela!

— Mundo real, de verdade?! Quem diz?! Quem me dá provas?!

Triste silêncio. Verônica não tem argumentos para me convencer do contrário. Eu a consolo.

— Pelo menos aqui, tenho alguma noção de onde piso. Pode ficar tranquila.

— Olha, nem sei o que dizer. Só sei que essa sua obstinação está indo longe demais e, sinceramente, não imagino onde isso vai parar. Cuidado com sua cabecinha, amiga. Que eu conheço muito bem e não é de hoje.

— E eu é que me dou importância demais. Conhece minha cabeça, é?

— Gabriela, estou preocupada com você. Não torça o que lhe digo.

— Você não me conhece, Verônica. Não sabe o que eu sinto, não sabe o que eu penso. Sempre me ouviu, é verdade. Nunca escondi nada de você. Mas só conversamos sobre o que é prático e cotidiano. No sonho, nunca nos entendemos. Nunca. Minha história com Gabito, por exemplo. Você não aceita, não acredita!

— Eu sabia! Sabia que tinha dedo do Gabito nesse seu comportamento! Sempre ele! Sempre!

— Não, Verônica! Gabito não tem nada a ver com esta minha decisão! Se você quer saber, desde que me tranquei aqui ele não vem me ver! Nem em sonho!

— Gabriela, já repeti um milhão de vezes: esse seu mundo com Gabito não me diz respeito. Para ser sincera, não gosto nem de ouvir falar. Você acha que é fácil para mim? Como é que eu fico, vendo minha melhor amiga enfiada meses seguidos aqui neste quarto, querendo se convencer de que é possível viver uma realidade fabricada, que não existe, hein?!

— Não pretendo provar nada a você nem a ninguém. A opção é minha, a viagem é minha. Ou o delírio, a loucura, chame do que você quiser.

— Talvez você acredite mesmo que Gabito vá ajudá-la a entender a perda de Florentino e a superar sua dor!

— Gabito não tem participação nenhuma no que estou fazendo, já disse!

— É lógico que tem! Por isso, você insiste nessa história fantasiosa de um amigo que só você vê e ouve! Um amigo que não existe!

— Você me machuca dizendo isso.

— Quem existe é Gabriel García Márquez, escritor colombiano que nunca viu você na vida!

— Gabito é Gabriel García Márquez!

— Não, não é! O verdadeiro García Márquez está lá no mundo dele, indiferente a tudo o que se passa aqui! Esse, sim, existe e está a quilômetros de distância! Quem existe sou eu! Sua amiga Verônica! Com mil defeitos e limitações... Mas viva e de carne e osso. E com quem você pode contar a hora que quiser. Será que é tão difícil assim?!

— Florentino era incapaz de ver e ouvir Gabito. Também não falava com ele. Mas não tinha ciúmes, acreditava em mim.

— Florentino era um homem cego pelo amor.

— Não é verdade. Pelo contrário. Florentino via muito além! Por isso era capaz de compartilhar sonhos, voar de mãos dadas comigo!

— Florentino está morto, Gabriela! Ponha isso na sua cabeça!

— Chega! Por favor, sai, me deixa sozinha!

— Você criticava tanto sua tia Letícia, ironizava tanto o jeito com que ela comandava as pessoas e a própria vida! Está fazendo muito pior. Com você e com todas aqui que somos suas amigas e queremos o seu bem.

— As incomodadas que se mudem. Porta da rua, serventia da casa.

— Vou fazer de conta que não ouvi.

— Por favor, Verônica, me deixa. A comida está esfriando.

— Que diferença faz? Você está morta e não sabe. Raios!

Verônica sai, intempestiva. Vou e bato a porta que ela, pela primeira vez, deixa aberta, escancarada. O estardalhaço é a minha resposta. Tentativa inútil de, como minha tia, ter a última palavra.

Respiro fundo. Tomo fôlego. Não levo a sério as ameaças. As meninas vão continuar a me trazer as refeições no quarto, tenho certeza. É claro que vão. Se duvidar, a própria Verônica virá. E ainda há de me pedir desculpas pela forma dura com que me tratou.

Queria tanto ter acompanhado Florentino na imprevista viagem... Sem ele, quanto chão me resta? Quanto sonho? Às vezes, até penso em sair deste quarto. Mas de que me vale a liberdade? Se me faltam pernas... e não tenho asas...

Não se preocupe. Está tudo bem. Esqueça essa conversa com a Verônica. Você fez o certo. Paciência. Não é fácil servir de ponte entre realidade e sonho — desafio que requer trabalho. E tempo.

Não dou importância a quem me dá conselhos e me conforta com tão nobres atribuições. A fala não me convence. Sei muito bem que a voz é minha.

Beijos na boca

Meio da noite. Acordo. Foi sono sem sonho. Viagem no escuro. Mesmo agora, de volta ao meu quarto, de olhos abertos, o tato é a única maneira de eu obter pontos de referência. Só o mover o corpo sobre a cama e o pegar o que estiver ao alcance me permitirão identificar formas e conhecer limites. A partir daí, pela ausência de luz, tudo é probabilidade e mistério.

É neste universo apagado, sem fronteiras, neste cenário de ausência, onde vazio e cheio são indistintos, que Gabito surge em forma de palavras e, mesmo sem som, me chama baixo pelo nome e logo me contenta — como se eu o pudesse ler na escuridão em vez de ouvi-lo. Gabriela? Não faço um movimento sequer, não quero perdê-lo. Apenas respondo. Doce e silenciosamente. Você...! Gabito surpreende sem fazer alarde. É seu estilo. Conheço bem sua forma de chegar. Do nada, como quem não quer, me vai encantando e me incutindo imagens e me dando vida ao pensamento. Assim, pelo correr da pena, mesmo de longe, já sou capaz de vê-lo. Amo sua presença! Rimos os dois. Felizes pelo reencontro. Parecemos adolescentes. Sempre. Por que tanto tempo sem vir?! Por amor, ele resume. Por amor? Como é possível amor em ausência premeditada? Gabito diz que descobrirei por mim mesma. Está certo. Não quero pensar nisso agora. Vem, amigo, deita aqui ao meu lado que é melhor.

Deitar-se ao meu lado. O convite, inédito, é imediatamente aceito. Hoje, nosso encontro será diferente. O contato será íntimo, pressinto. Preciso, precisamos, a história precisa. E quem a escreve conspira a favor.

Gabito vem com seu jeito temperado de timidez e audácia. Sedutor. Vem e me repleta de carícias da cabeça aos pés. Vem e sobe em mim e me cobre com seu corpo manifesto — muito mais que pele, muito mais que tato. Pela primeira vez, nos beijamos na boca — eu sinto. Sabor de saudade.

Gabito. Sem pedir ou dar explicações, o masculino e o feminino se completam dentro de nós. Atração irresistível. União que vem das origens, acredito. Da aglutinação da matéria à polinização das flores, do acasalamento animal ao encontro de almas que aqui na Terra, vestidas de carne, sonham se entender, se adentrar.

Estamos prestes. Gabito me preenche toda e fundo — subterrâneos do ser. Me fertiliza, devassa, desvenda. Me insemina palavras que só ele conhece. E, ao dizer que nascerão de mim, que serão todas minhas, me liberta e me permite o gozo. E, com fartura, em gozo me acompanha.

Perco noção de mim mesma. A eternidade não tem pressa, o infinito existe para conter a criação que é inesgotável. Gabito e eu nos deixamos estar onde quer que seja por tempo incontável que não conto. É segredo.

A saudade, morta, me faz feliz. Tê-la matado em gozo de amor me inocenta do crime. Me devolve a ilusão do Paraíso.

Beijos na boca. Porque a despedida é inevitável. Porque o amor verdadeiro não prende nem se prende — Gabito me diz sem dizer. Diz-me apenas com beijos na boca.

Desapego

Carência, fantasia, desejo inconsciente ou o quê? Acendo a luz. Levanto-me da cama. Olho em volta, confiro. Realidade. Conheço os móveis. As coisas estão onde devem estar. O computador, desligado. E assim ficará — não tenho tempo agora para tecnologias. Por impulso, pego o papel e a caneta que estão à mão, registro rápido o que me ocorre.

Temporária ou definitiva, toda separação é liberdade.

Se causa dor, medo ou raiva.

Se traz insegurança ou alívio.

Se deixa mágoa ou saudade. Não faz mal.

Separação é saudável recomeço.

Oportunidade de crescimento. Sempre.

Leio e me surpreendo. Acabo de escrever parte de minha conversa há pouco com Gabito! Foi ele que me convenceu a passar em revista minhas separações todas: papai e mamãe, tio Paulo, vovô Gregório, Jeremias, Ronald e Tininha, tia Letícia e, é claro, meus dois homens: José Aureliano, o que me comprou, e Florentino, o que se doou. Fez-me rever também os lugares que me foram tirados e as coisas que ficaram pelo caminho.

Começo a avaliar a liberdade que me terão dado essas separações. É verdade que, se eu não tivesse saído de Xambioá, jamais teria convivido tão intimamente com meu avô Gregório e aprendido com ele tudo o que aprendi. Não teria ido para o morro nem conhecido o Ronald e a Tininha — companheiros que me foram fundamentais na infância. Da mesma forma, se eu tivesse continuado naquela vida nômade com vovô, não teria entrado para o Colégio Pedro II e recebido a formação que me abriu tantas portas. Não teria vindo aqui para o casarão da Glória, não teria passado pelas mãos das meninas e de tia Letícia. Minha vida teria sido outra. Melhor ou pior, não sei. Mas, honestamente, devo admitir que todas essas perdas e separações representaram, sim, liberdade e oportunidade de crescimento.

De novo, sou levada a escrever.

Lugares, coisas, pessoas. Para que tanto apego? Apego é ilusão de posse. Questão de tempo, os lugares se transformam, as coisas se acabam ou mudam de dono. E, mais cedo ou mais tarde, de uma forma ou de outra, todo mundo se separa.

Por mais triste que pareça, gosto do que ouço de mim. Leio e releio. É. Gosto mesmo. Em oposição ao sentimento de posse, me felicita pensar em desapego — que não significa desamor, eu acho.

Sinto forte arrepio de prazer em todo o corpo. Me pergunto se de alguma forma meu amigo não estará por aqui me insuflando ideias.

Desapego. O som me agrada. A palavra curiosamente me apascenta. É bem-vinda. Tem a ver com Gabito, por certo. Ele, que sempre me devolve à vida. Ele, que me quer livre, independente. Ele, que se preocupa com minha autonomia de voo — meu fôlego para suportar ausências. Por isso, o seu afastamento — agora, entendo. Meus olhos batem no que escrevi logo no início.

Temporária ou definitiva, toda separação é liberdade.

As portas

Computador ligado — a tecnologia agora é bem-vinda. O momento é outro, a disposição é outra. Vontade de bater furiosamente nas teclas e cravar na tela tudo o que me sai de dentro. As vozes todas estão em harmonia — coral obediente sob minha regência.

Hoje cedo, Verônica veio pessoalmente me trazer o café da manhã. Ao contrário do previsto, eu é que lhe pedi desculpas pelo meu jeito infantil e arrogante. Não lhe contei sobre Gabito, evidente. Mas lhe falei que, de madrugada, revendo meu passado, conjeturando sozinha comigo, comecei a entender que toda separação é liberdade. E que a perda de Florentino pode, talvez, significar oportunidade de crescimento. Por fim, agradeci a ela toda ajuda e paciência neste período de superação. Verônica me ouviu em silêncio emocionado. Estava alegre por mim, eu vi.

Impressionante como há dias em que, sem nenhum esforço, tudo dá certo, tudo se encaixa. Já de madrugada, depois da visita de Gabito, meu ânimo começou a mudar. Fiz bem em contar a ele sobre meus escritos. Nada de enredos inventados. Como ele mesmo aconselha, devo me ater à realidade, me apegar à vida. Sua receptividade e apoio me deram mais segurança. Deixaram-me mais à vontade para me despir em público e revelar o que deve ser revelado. Sem pudor algum. Mesmo nos anos envergonhados da adolescência.

Primeiro constrangimento: a menstruação vem precocemente. Constrangimento?! Ao contrário! Dá-se uma festa no casarão justo no aniversário de morte de meu avô Gregório. Esse o dia em que resolvo sangrar por dentro pela primeira vez. Ainda bem que a Verônica estava por perto, levou-me ao banheiro e me ajudou com conselhos de higiene. Eu já sabia pela Tininha que o sangue viria. Mas tão cedo?!

A notícia corre e as meninas todas me vêm dar os parabéns. Felicitações exageradas.

— Eu não acredito! Sério?!

— Vem cá, me dá um beijo!

— Tão novinha e já é moça?!

— Eu sempre disse: essa aí é fogo. Vai dar trabalho!

Clarice, Simone, Virginia e Tarsila se divertem com o meu feito. E eu radiante pela nova oportunidade de me tornar o centro das atenções. Anita sugere que se abra um champanhe e que se faça um brinde. Isadora acha pouco. O fato inédito na história do casarão merece ser celebrado com festa! Aplausos entusiasmados aprovam a sugestão por unanimidade. Verônica pede calma. E alguém ouve? Tia Letícia entra.

— Que algazarra é essa?!

A euforia não diminui. Todas falam ao mesmo tempo. Embora reservada, tia Letícia alegra-se com a novidade.

— A ocasião pede uma festa, com certeza. Pode encomendar a bebida, o doce e o salgado. Será uma festa só nossa, para dar as boas-vindas à minha mais nova e mais rebelde menina.

Novos aplausos. Tia Letícia não vem me beijar ou me dar os parabéns. E precisa? Apenas me olha de onde está e quase sorri para mim. Poderei ser velha bem velhinha, jamais esquecerei esse breve momento que seu rosto me concedeu.

150

A partir daí, meu corpo se modifica com incrível rapidez. Chego a crescer 13 centímetros em 18 meses. Em 6 de março de 1982, ao completar 15 anos, já tenho corpo de mulher. Aliás, 1982 provoca mudanças radicais em minha vida. Ano das grandes revelações no colégio. Ano do ritual de passagem para a idade adulta.

Calma. Uma coisa de cada vez. Importante lembrar que, depois dos 14 anos, meu convívio com tia Letícia melhora sensivelmente. Apesar de eventuais embates, nossas conversas são mais frequentes e abertas. Infelizmente, os assuntos de família continuam proibidos. Sempre que tento falar sobre algo que tenha a ver com a briga entre ela e meu avô, sou imediatamente cortada. Sem rodeios, e até de forma rude, tia Letícia faz questão de deixar claro que pôs uma imensa pedra sobre o passado. Para ela, os pais e a irmã estão mortos e enterrados. No sentido próprio e figurado. Inútil remexer no que não tem mais jeito de ser consertado. Pura perda de tempo, afirma sem explicações. Até concordo. Só que ela não faz ideia das informações que tenho. E que estão muito bem-guardadas na minha caixa de madeira. Ainda demora, mas um dia — depois da maioridade, quem sabe? — sentamos e falo tudo. Certamente, alguma coisa ela também esconde e terá de me dizer. Nem sempre a morte nos impede de reparar erros e equívocos. Mas isso não vem ao caso agora.

Difícil escrever sobre você mesma. Sempre parece pretensioso. Mas devo dizer que, nessa época, a seriedade nos estudos e as secretas leituras dos diários de Xambioá, combinadas com as amizades do colégio e a convivência diária com tia Letícia e as meninas, me vão dando conteúdo inestimável e proporcionando aprendizado incomum. Meu rápido amadurecimento torna-se visível e motivo de orgulho no casarão.

História, geografia e português são minhas matérias preferidas. Odeio matemática! Adoro pesquisar palavras no dicionário e tenho bastante facilidade para a escrita. Estimulada pelo exemplo de meus pais, inicio meu próprio diário, também em caderno de capa dura, guardado na mesma caixa de madeira. Nele, vou fazendo o registro dos acontecimentos que me interessam e comentando apenas sobre o que me desperta a curiosidade. Dentro ou fora de casa, estou sempre atenta às pessoas e ao que se passa à minha volta. Mas não me obrigo a escrever diariamente só para fazer constar o irrelevante cotidiano. De jeito nenhum. Meu diário é seletivo. Pula dias com frequência. Às vezes, semanas.

11 de novembro de 1982. A data consta do diário porque minha professora, dona Maria Humberta, achou de passar redação sem avisar. O tema, "As portas", serviria para estimular a criatividade dos alunos. Todos reclamamos. Mas fazer o quê? Mãos à obra. Manda quem pode, obedece quem tem juízo.

Semana seguinte. As notas. Dona Maria Humberta vai logo dizendo que os resultados não foram lá grande coisa. O tema era difícil, sem dúvida. Muita bobagem foi escrita, muita coisa engraçada, umas poucas ideias originais, muitas personalidades à mostra. Entretanto, houve uma redação que, de tão diferente, merece ser comentada em aula. Não se trata propriamente de uma redação. Mas de uma mistura de poesia, conto, ensaio, crônica, letra de música, uma verdadeira salada russa!

— Gabriela, quero que você venha aqui à frente e leia o seu trabalho para a turma. Farei os comentários depois.

Não esperava por essa. A salada russa é de minha autoria! Levanto-me da carteira com má vontade. Ser crucificada diante de todos? Maldade. Professores sabem ser cruéis. Os colegas mais chegados fazem gozação. Dona Maria Humberta me passa a folha de papel almaço, senta-se na minha carteira. De lá, me autoriza começar. Em minhas mãos, o papel treme de dar dó. O título quase não me sai.

— "As portas".

— Mais alto, Gabriela. Quero ouvi-la daqui.

— "As portas"!!!

O nervosismo — com uma pitada de raiva, reconheço — fez com que eu aumentasse demais a voz. A turma inteira cai na gargalhada. Nem olho, mas tenho certeza de que dona Maria Humberta também não está nada satisfeita com meu destempero oral.

— Silêncio! Gabriela, mais seriedade, por favor!

Todos finalmente se aquietam. E eu recomeço. Só que ao ler a primeira linha — não sei por que comando interno — lembro-me de vovô Gregório. Foi ele com suas histórias quem me inspirou na maior parte do texto. Tirei quase tudo das invencionices dele. Vovô está aqui comigo, tenho certeza. Só não trouxe o violão. O papel em minhas mãos sente a presença. E relaxa.

— *Porta fechada não tem graça. É parede. Parede metida a besta. Parede com maçaneta, fechadura e chave. Porta encostada é parede indecisa, que às vezes vai e às vezes fica. Porta aberta, não. Porta aberta é vazio. Vazio que me deixa passar naturalmente. Prefiro esta finalidade nobre da porta: o vazio. Janela é a irmã menor da porta — também abre e fecha, imita a irmã em quase tudo. É que a janela sonha em ser a porta quando crescer. Acho esse sonho uma bobagem. Cada um tem a sua razão de existir. Dizem que "quando Deus fecha a porta, abre uma janela". Todo mundo pensa que essa janela é saída de emergência. Mas não é. Deus não gosta de pulos e sobressaltos. Janelas servem para mostrar o mundo lá fora, enquanto a gente trabalha para que a porta seja aberta no momento certo. Conheci várias portas em minha vida. Convivo com muitas delas até hoje. Umas foram importantes. Outras passaram despercebidas. A porta da casa do meu avô Gregório marcou a minha infância no morro. Vivia aberta. Só ficava fechada de noite, quando a gente ia dormir. Ou em hora de chuva, que era para nos proteger do mau tempo. Pura ilusão. A tempestade veio para valer, sem dó nem piedade, e ela só teve utilidade quando se abriu e me deixou passar. Na soleira dessa porta, eu ainda era bem menina, passava dias esperando por meus pais. Mas eles nunca vinham. Só mais tarde compreendi que eles estavam mortos. Na soleira dessa porta eu também copiava letras de músicas e cantava. E inventava canções: laralalalá, laralalalá/ passarinho voa, laralalalá/ passarinho bica frutinhas no pomar e na horta, passa a vida à toa, laralalalá/ passarinho não precisa de porta, laralalá.*

Porta rima com horta.

Morta.

Torta.

De chocolate. Que é a mais gostosa de todas. Corta.

As portas do metrô que me traz até o colégio são muito impacientes. Nervosas. Vão logo fechando. Já me deixaram que nem boba na estação várias vezes. Meu avô, que me falava de caminhos subterrâneos com tanto entusiasmo, não viveu para ver essas portas. Mas não fico triste por isso. Acho que ele não iria gostar mesmo delas. São portas mal-educadas. Não esperam por ninguém.

Não há aplausos. Apenas o agradecimento cordial da professora.

— Muito obrigada, Gabriela. Pode voltar para o seu lugar.

Ao olhar para o fundo da sala, dou com ele: meu amigo bigodudo! Em pé, sorridente, apenas me faz um sinal com o polegar para cima e se vai. Ainda estou sob o efeito de ter sido chamada para dizer meu texto diante da turma. Pela reação de todos, sei que me saí bem na leitura. A sensação de alívio e de dever cumprido é tamanha que talvez tenha provocado em mim a visão de meu amigo tão querido. Terá sido ele, e não o vovô, a presença que senti e me acalmou no início? Não terei nunca meios de saber. Sento-me. Volto para trás. Nenhum dos dois. Endireito-me novamente na carteira. Aguardo a crítica.

Dona Maria Humberta afirma que meu trabalho lhe agradou bastante, sobretudo pela originalidade com que abordei tema tão complexo e subjetivo. A seu ver, o texto revela em certas passagens uma autopiedade por demais egocêntrica. Também se desequilibra em densidade. Pois bem: esses são os defeitos. As qualidades? O texto é sincero, amadurecido e, não raro, rico em perspectivas. Conclui dizendo que, no fim das contas, não perdi a mão na receita de minha salada russa. Uma saborosa salada, por sinal. Devolve-me a folha de papel almaço com uma pergunta.

— Sabia que seu nome é o mesmo do escritor que acaba de ganhar o prêmio Nobel de Literatura?

— Não, senhora.

— Pois é. Em outubro passado, seu xará Gabriel García Márquez, escritor colombiano, autor de *Cem anos de solidão*, ganhou o maior prêmio literário do mundo.

Dona Maria Humberta começa a arrumar suas coisas para encerrar a aula e arremata.

— Aliás, ótima ideia para trabalho de pesquisa. Quero que, para a próxima semana, vocês me preparem um resumo de no máximo vinte linhas sobre a vida e a obra de García Márquez, um dos grandes nomes da literatura latino-americana. Por hoje, é só. Obrigada.

Ao entrar em casa, mal posso esperar. Curiosidade. Orgulho por portar nome de autor laureado — informação que, é bom repetir, me foi passada pela professora de português em momento significativo de minha vida escolar. Quem sabe um aviso de que, daqui a alguns anos, também ganharei o Nobel de Literatura? Afinal, minha redação "As portas" foi um sucesso. Prova de que talento eu tenho. Estufo o peito. Ambição adolescente. Já me imagino escritora famosa dando autógrafos. Meus livros em lugar de destaque em todas as vitrines. Primeiro lugar na lista dos mais vendidos. Programas de televisão, fotos nos jornais e capa de revista!

Vou direto para o meu quarto, jogo a mochila na cama, pego a enciclopédia. Leitura cuidadosa. Corro o dedo pelo índice: Mailer, Mallarmé, Mann, Marinetti, Márquez. Gabriel García Márquez. Achei. Abro na página indicada. Susto. Quase grito. Tremo. Minha nossa! Que loucura é essa?! Espanto ao ver o retrato. É ele com seus fartos bigodes! O meio sorriso, o modo com que me olha! Não acredito! É ele! O homem que me salvou a vida, o amigo que me visita em sonhos! Vejo a data de nascimento: 6 de março de 1927! O mesmo dia que eu! Não é possível, devo estar sonhando, é imaginação minha! Preciso falar com alguém! Mas quem?! Verônica, claro! Ela detesta que eu fale no homem bigodudo, não suporta ouvir nossas histórias, perde a paciência comigo. Mas agora ele tem nome! Não é mais o homem bigodudo. É Gabriel García Márquez! Está pensando o quê?! Prêmio Nobel de Literatura! O maior prêmio do mundo! Meu xará! Salvou minha vida, me visita em sonhos! Agora me lembro! Ele me disse o nome quando me tirou lá da casa do vovô! Gabriel, é isso! Disse também que eu podia chamá-lo de Gabito, que já éramos amigos! Gabito! Claro! Gabito! Ele falou, tenho certeza! Continuo a leitura: autor de *Cem anos de solidão*, escrito em 1967! Não, por favor, para com isso! 1967! O ano em que eu nasci! Chega, não vou ler mais nada! Fecho a enciclopédia. Sinto medo. O que é que está acontecendo? Deito na cama e me abraço com Galileu.

— Ai, Galileu. Será que eu estou ficando maluca? Será que de tanto sonhar e pensar no meu amigo ele passou a existir de verdade? Não, isso não. Gabriel García Márquez é muito mais velho que eu. Não ia começar a existir por minha causa, que absurdo! Será então que é o contrário? Eu é que existo por causa dele? Sou personagem inventada? Também não. Fui à aula hoje, estudo no Colégio Pedro II, que fica na avenida Marechal Floriano, estive lá e li minha redação "As portas" diante de toda a turma. Moro neste casarão com tia Letícia e as meninas, estou na lavanderia, que desde os meus 9 anos foi reformada para ser o meu quarto. Tenho 15 anos. Eu sou Gabriela Garcia Marques. Xará do escritor colombiano. Apenas isso. Apenas isso?

Putas recatadas

Todos sabem. Segunda-feira, dia das almas — devoção de tia Letícia —, o casarão não funciona. Sexo em hipótese alguma. As meninas até gostam, porque nesse dia, com o comércio aberto, elas aproveitam e fazem suas compras pessoais. Sábado é faxina, domingo é descanso. Expediente mesmo só de terça a sexta. Viagens a trabalho, férias, licenças médicas, tudo é planejado nos mínimos detalhes. Até as idas ao supermercado e à feira obedecem a uma escala de plantão programada com antecedência. Rotina rigorosa, portanto. O agendamento dos encontros segue critérios consagrados há anos, os horários são cumpridos à risca e a seleção dos clientes é cuidadosa — por essas e outras, o casarão é considerado por seus *habitués* como clube exclusivíssimo, negócio de alto nível que funciona com precisão de relógio suíço. Segundo tia Letícia, esta é a razão para o sucesso de seu empreendimento. Investimento seguro, lucro garantido, porque todas as partes estão satisfeitas. Elementar assim.

Desde que começou a funcionar, em 1966, o casarão prima pela discrição, requinte e, sobretudo, originalidade dos serviços à disposição dos fiéis frequentadores — homens que, depois de viverem experiência sexual inédita, não mais se livram dos prazeres e êxtases que conheceram. No casarão, é sabido, não se perguntam gostos ou preferências do cliente. Pode parecer estranho, mas é assim que funciona. E vicia. E faz voltar.

Mulheres jovens e dispostas é que determinam o que será servido no jogo amoroso. Cardápio que não se repete. Sempre o desconhecido, sempre o inesperado, sempre o espantoso. Nada de fragilidades. Delicadezas, sim. Os homens — mentes viris e corações sedentos de afeição — gostam desse desafio de não poderem decidir, excitam-se com o eficiente comando feminino. Mulheres com autoridade. Fortes, naturais, sem artifícios ou maquiagem no trabalho. Mulheres que conhecem a potencialidade do sexo, que intuem o que fazer, de acordo com o dia, o humor, o momento emocional do cliente. Elas sentem; logo, elas sabem. E o prazer é certo.

Detalhe importantíssimo: tia Letícia cedo descobre sua verdadeira mina de ouro. Sabe, por experiência própria, que o recato é o que desperta paixão nos homens, independentemente de seu caráter, grau de inteligência ou compleição física. Assim, se todos sem exceção enlouquecem diante de uma negativa feminina, o que hão de sentir diante de uma puta recatada, que não se revela inteiramente nem se entrega de imediato? Irão à loucura, é claro! Tia Letícia faz o teste com as meninas do casarão. Dá certíssimo. E ela comprova que a relutância honesta de uma mulher sabidamente puta provoca no macho os mais ensandecidos desejos de conquista — que vão de criativas fantasias sexuais a inocentes propostas de casamento. Por isso, sempre voltam e pagam, mesmo sem saber se conseguirão ganhar a mulher desejada. Uma eventual recusa da parceira, mesmo depois de preliminares bem-sucedidas, os enlouquece. O não ter garantia de absolutamente nada é o prazer maior. A aposta é o grande fetiche do cliente e o grande lucro da casa — verdadeiro cassino do amor. Façam o seu jogo, senhores! E todos fazem.

São dez meninas que vivem e dão expediente no casarão: Rachel, Clarice, Virginia, Tarsila, Anita, Florence, Isadora, Frida, Camile e Simone: nomes de guerra escolhidos por tia Letícia e tirados de mulheres notáveis. Quando alguma menina vai embora, a novata, ao assumir a vaga, adota o respectivo nome. É lei: não se questiona, cumpre-se. Anteontem, chegou uma outra Camile. Parece simpática. Lourinha, olhos azuis, cabelinho picado *à la garçon*. Gostei do jeito como falou comigo.

Embora viva e trabalhe no casarão, Verônica é um caso à parte. Seu nome, inclusive, é de batismo. Suas funções são outras. Não que ela esteja desobrigada dos serviços de sexo remunerado, mas são encontros eventuais, com clientes específicos — como o tal do Belarmindo Cruz, o quase sócio de tia Letícia. Na verdade, Verônica funciona mais como administradora e conselheira. Serve de ponte entre tia Letícia e as meninas, porque inspira confiança aos dois lados. É útil. Mais. É presença essencial.

Beleza e medidas ideais nunca norteiam as escolhas de tia Letícia. Por todas as razões acima, para serem aceitas no casarão, as meninas devem preencher um único e essencial quesito: que sejam mulheres de fibra com história forte. Para tradicionais padrões de estética, algumas são feias, inclusive. Que importa? Frida, a magra que puxa uma perna, é talvez a mais procurada. Conta-se que Emiliano — o Di Cavalcanti das mulatas rechonchudas —, quando veio ao Rio em 1972 para festejar seu aniversário, deu uma passada pelo famoso casarão a convite de amigo que era frequentador assíduo. Viu as fotografias, comparou o histórico de cada uma das meninas e escolheu a Frida. Saiu da experiência em estado de graça. Disse que jamais esqueceria aquele sexo tão arrebatado, tão quente, tão cheio de cores. Que puta! Que talento! E, sobretudo, que recato! Além de pagar generosamente, ainda lhe ofereceu comovente desenho com dedicatória. Fez na hora.

Esse e outros tantos casos curiosos compõem o folclore do casarão da Glória. Mas nenhum se compara ao drama que, durante muitos anos, protagonizei com o empresário José Aureliano Dias. 1982: o mesmo mês de novembro, o mesmo dia da leitura de minha redação diante da turma, horas depois de, na enciclopédia, eu ter sido apresentada a Gabriel García Márquez, meu xará. 1982: o mundo com olhos e coração de adolescente, império do superlativo absoluto. A realidade me parecia sonho — sonho com cores fortes e berrantes. Mas, todos sabemos, realidade e sonhos não são lá muito confiáveis. Eles sempre aprontam. Principalmente com gente moça. Principalmente comigo. O que parece tão sólido em questão de minutos se desfaz. Súbito, o cenário muda, o personagem que sobe ao palco é outro e a história toma rumo completamente diferente.

José Aureliano Dias: o homem que me sangrou. Em todos os sentidos. O homem que pagou caro por isso. Em todos os sentidos.

Tudo ao mesmo tempo

Aos poucos, vou tentando aceitar o assombro como natural. Procuro me convencer de que não há nada de fantástico em minhas descobertas ou em minhas histórias com Gabito. À noite, mostro a redação a tia Letícia. Falo dos elogios da professora e, é claro, do fato de eu ter o mesmo nome do escritor colombiano, ganhador do mais recente prêmio Nobel de Literatura. Ela não demonstra surpresa. Pelo contrário. Sem qualquer entusiasmo, responde que a coincidência já lhe havia ocorrido há tempos. Apenas não comentou comigo. Achava que, por não conhecer o autor, eu não teria dado importância. No fundo, o descaso de tia Letícia me faz bem. Me incute a ideia de que tudo o que estou vivendo é perfeitamente normal. Quando digo que ele também nasceu no dia 6 de março e publicou *Cem anos de solidão* no ano em que eu nasci, ela acha graça e acrescenta apenas um "é mesmo?". Não posso afirmar com segurança, mas alguma coisa me diz que ela sentiu ciúmes das tantas afinidades entre o famoso escritor e eu. Imagino se soubesse que foi ele que me salvou a vida e que até hoje me visita em sonhos.

Tia Letícia põe os óculos. Começa a ler o que escrevi. Enquanto aguardo, posso observá-la melhor. Sua figura impõe respeito, sem dúvida. Acho inacreditável que uma dona de bordel, que fez dele sua própria residência, consiga manter essa dignidade e essa postura de madre superiora. Às vezes, chego a pensar que vivo mesmo num convento e que as meninas são todas noviças rebeldes e que os homens que aqui vêm são fiéis à procura de salvação. Para bem conviver com a louca realidade, a mente humana é capaz de piruetas extraordinárias!

Já sem os óculos, tia Letícia me observa em silêncio por alguns segundos e só então comenta.

— Parabéns. Você tem jeito para escrever. O português está muito bom. Vejo que meu dinheiro tem sido bem empregado.

— Obrigada, tia.

— Me diga uma coisa: essa história da soleira é verdade ou é invenção sua?

— É verdade, sim.

— Você era muito apegada ao seu avô. Está sempre se lembrando dele. Até numa redação de colégio.

— Vovô me ensinou muita coisa bonita! Sinto saudade. Lembrar é uma forma de trazer ele um pouquinho mais pra perto.

— Seu avô mudou muito nos últimos anos.

— Mudou? Por quê?

— Não vem ao caso, agora.

— Se não vem ao caso, por que é que a senhora fez o comentário?

— Gabriela, não gosto quando você tenta me pôr contra a parede. É pura perda de tempo, você sabe muito bem.

— Tia, eu vou pro meu quarto. Com licença.

— Não, espera. Tenho um assunto muito importante para tratar com você. Acho que o momento é este.

Tia Letícia me faz sentar a seu lado. Diz que já estou com 15 anos. Apesar de ser menor de idade, não sou mais nenhuma criança. Tenho corpo e cabeça de mulher feita. Aliás, sou bem mais amadurecida e preparada que muitas das meninas do casarão. À medida que fala, vou tentando descobrir aonde ela pretende chegar com todos esses rodeios.

— Há quase sete anos, você mora aqui comigo. Sabe perfeitamente o tipo de negócio que nos mantém. De ingênua, você não tem nada. Nunca teve.

— Não estou entendendo, tia. O que tudo isso tem a ver com o assunto que a senhora quer tratar comigo?

— Preciso da sua ajuda. Acho que chegou a hora de você me retribuir tudo o que tenho feito por você esses anos todos. Mesmo sendo filha de uma irmã e um cunhado que sempre me desprezaram, que sempre me trataram como se eu fosse a escória da escória.

— Se a senhora quer minha ajuda, fale o que é e pronto. Não precisa acusar meus pais de nada. Minha gratidão pelo que tem feito por mim é o suficiente para que eu a ajude no que for preciso.

— Será? Será mesmo?

— Sem eu saber do que se trata, fica impossível responder.

— Você se lembra de José Aureliano Dias. Aquele empresário que veio me ver semana passada e a encontrou por acaso voltando do colégio.

— É claro que eu me lembro. Por quê?

— Ele quer conhecê-la melhor.

— Como assim, me conhecer melhor?

— Gabriela, não banque a inocente. Você sabe muito bem do que estou falando.

— A senhora não está insinuando que...

— Não, Gabriela. Eu não estou insinuando. De modo algum. Estou sendo clara e direta.

Não consigo ouvir mais nada. Corro para o meu quarto, bato a porta, atiro-me na cama e choro. Um choro de raiva quase seco. Fragilidade nenhuma. Desejo de revide, isso sim.

Não sei quanto tempo depois, ouço umas batidinhas na porta. Sinto alguém entrar. É Verônica.

— Gabriela...

— Sai daqui, Verônica. Por favor, me deixa sozinha.

— Ficar assim não vai resolver absolutamente nada. Estou aqui como sua amiga para termos uma conversa.

— Amiga ou pombo-correio de tia Letícia?

— As duas coisas.

A sinceridade de Verônica sempre me cativa. Ela sabe que há total confiança entre nós, talvez por isso use e abuse do direito de ser honesta comigo. Mas eu gosto, sinto-me segura. Sei o terreno onde estou pisando. Ajeito-me na cama. Só então me volto e olho para ela. Sua bondade visível me fragiliza. O choro brota incontido. Desta vez, um choro de carência. Verônica vem e me abraça maternal. Verônica sabe ser muitas. Entende de diferentes tatos. Meu corpo sente quando ela é mãe ou irmã ou amiga ou professora e tantas mais. Só uma vez, ao falar do tal Belarmindo, ela se permitiu ser filha comigo. Meu corpo logo percebeu, pelo tato. Nossos corpos se entendem com perfeição. As palavras é que podem atrapalhar. Acontece.

— Gabriela, ouve. A gente precisa mesmo conversar. O assunto é sério. Porque envolve muito dinheiro. E envolve o seu futuro.

— Eu não quero ouvir, eu não quero saber!

— Você vai ter que ouvir, sim. Vai ter que saber, sim. E mais: vai ter que decidir.

— Eu já decidi! Se tia Letícia me obrigar a alguma coisa com esse sujeito ou com qualquer outro homem, eu vou direto ao juizado de menores e conto tudo. Quero só ver o que ela vai falar!

— Você não vai fazer nada disso. Primeiro, porque sua tia não vai obrigá-la a coisa nenhuma. Ela não é louca. Sabe que você é menor de idade. Segundo, porque, se você for ao juizado ou à polícia, você estará arruinando não só a vida dela, mas também a sua vida e a minha e a de todas as meninas aqui do casarão.

— Se ela não vai me obrigar a nada, então não tem problema nenhum. Não quero nem olhar pra esse cara.

— Não é bem assim.

— Como não é? Ela vai me tirar do colégio? Vai me deixar sem comer? Me expulsar daqui, eu sei que ela não vai.

— Gabriela, eu já fiz meu papel de pombo-correio. Posso agora fazer o papel de amiga ou você vai continuar com esse seu modo arrogante e agressivo?

— Eu me defendo. Só isso.

O choro ameaça voltar. Mas eu não deixo. Sento-me na cadeira a uma distância razoável de Verônica, que continua encostada na cama acompanhando meus mínimos movimentos, como o caçador acompanha a caça. Não acho prudente me aproximar demais. Principalmente porque a partir de agora ela falará como amiga. As chances de me seduzir são imensas.

— José Aureliano Dias é um homem sério, educadíssimo.

— Vocês estão querendo arrumar casamento para mim? É isso? Que maravilha!

— Gabriela, ironias agora, não. Por favor.

— Tudo bem. Pode continuar.

— Esse homem é rico. Riquíssimo. E casado. Tem dois filhos adolescentes.

— Um safado, ordinário, sei. E daí?

— Daí que ele veio por indicação de um grande amigo, Paulo Pinheiro, frequentador nosso muito respeitado. Esse José Aureliano ficou fascinado com o que ouviu sobre nossas meninas. Marcou entrevista com sua tia, queria apenas um primeiro contato antes de se decidir a ter qualquer tipo de experiência aqui no casarão. Ele fez o que todos fazem: viu fotos, leu os históricos, perguntou procedimentos etc. etc. etc.

— E aí?

— Aí, a senhorita chegou do colégio com esse seu jeito espevitado, entrou na sala de visitas, deu um oi cotidiano para sua tia e um oi sorridente para o cavalheiro em questão.

— Cumprimentei, fui simpática. O que é que tem isso de mais?

— Tem que o homem quase subiu pelas paredes com você e com esse seu cumprimento "simpático".

— Problema dele. Isso não me obriga a nada.

— Claro que não. Mas abre uma oportunidade na sua vida que você não faz ideia! Uma oportunidade que, se você aceitar, também irá interferir na rotina aqui do casarão.

— Nossa! Mudar a rotina do casarão por minha causa?

— Sua tia garante que foi tudo por acaso. Não fez nada de modo premeditado. Me deu a palavra. E eu acredito. Mesmo porque se você tivesse passado direto para o seu quarto em vez de ir cumprimentá-los na sala onde eles estavam, nada disso estaria acontecendo, certo?

— Certo.

— Pois bem. O homem começou a fazer perguntas sobre você. E sua tia apenas disse a verdade. Explicou a ele quem você era, o grau de parentesco, como veio parar aqui, o seu passado, as mortes trágicas, o seu esforço de superação, tudo. Falou ainda da sua inteligência, do seu temperamento espinhoso, mas perfeitamente compreensível, não só pela pouca idade, mas também pelas perdas que você sofreu pelo caminho.

— Quer dizer que tia Letícia abriu minha vida para um estranho. Falou com ele sobre assuntos que se recusa terminantemente a falar comigo. Comovente.

— Ela falou o que você já está cansada de saber. A conversa evoluiu naturalmente, já disse. Não estavam tratando de negócios.

— Não?! Como não?! Está pensando que eu sou idiota, Verônica?!

— Não estavam! Sua tia me deu a palavra! Nesse momento, pelo menos, ainda não. Ela foi pega de surpresa. Tanto quanto você, agora.

— Tia Letícia, a velha raposa, pega de surpresa. Sei. Acredito piamente.

— É verdade, Gabriela. Sua tia quis retomar o que eles estavam tratando antes de você chegar. Ele nem ouviu. Mudou o tom e quis saber de cara se você já tinha tido algum tipo de experiência sexual. Ela disse que não, que você tinha apenas 15 anos de idade. Ele não acreditou. Quinze anos?! Essa jovem tem apenas 15 anos?!

Finjo achar graça do que não tem graça nenhuma. Cruzo os braços. Fico olhando. Apenas espero para ouvir mais. Não tenho a menor ideia de onde essa história vai acabar. Verônica tenta me mostrar a realidade resumindo o delírio. Diz que, de repente e do nada, para José Aureliano Dias, eu incorporei todos os fetiches do casarão. Com agravante sério: tia Letícia perdeu o controle da situação porque, inadvertidamente, o processo de sedução do cliente foi alterado de início. Ele me viu pessoalmente, não por fotografia. Minha história não foi lida. Foi contada de viva voz pela dona do bordel — minha tia, ainda por cima. Mais honestidade, impossível. História extremamente forte e triste. E bela. Que outra aqui se compararia à minha? Finalmente, o conhecido recato das meninas, carro-chefe do casarão da Glória, seria nada comparado ao verdadeiro pudor de uma puta virgem. E de fibra! Se tão novinha superei tantas e tão duras adversidades, teria com certeza talento e habilidade para comandar a experiência amorosa. Para José Aureliano Dias, apesar da pouca idade, dentre todas as meninas aqui, sem sombra de dúvida, eu seria a mais vivida, a mais sofrida e, portanto, a mais competente.

— E tia Letícia?

— Ficou surpresa, é claro. Os argumentos dele faziam senti-do. Mas o que ele pedia era impossível por um simples motivo: você é menor de idade.

— E ele?

— Indiferente. Disse que isso tornaria a experiência ainda mais excitante. Além do recato, a proibição! Nada o demoveu da ideia. Nem o consequente risco de ter o nome nos jornais, a possível prisão, a desgraça da família, a vergonha para os filhos. Pelo contrário, tudo isso só fez aumentar o seu desejo.

— E por que minha relação com esse homem mudaria algu-ma coisa na rotina aqui do casarão?

Verônica começa a rir. Um riso nervoso. Diz que eu não tenho noção de quem é José Aureliano Dias. O poder desse homem. Uma das maiores fortunas do país. O que ele oferece para ter a experiência comigo, além de imoral, é absurdo. Faz apenas uma exigência. Não. Não se trata de mudar as regras do jogo. Imagina. A elas, ele se submete com indizível prazer. O que ele quer — e por isso também paga o impensável — é exclusividade. Sim, ele foi bem claro. Frisou com todas as letras. Que nenhum outro cliente ouse pôr as mãos em mim. Quer que tenhamos um quarto só para nós dois. O melhor de todos e o mais reservado — ele banca. Que eu não mude um mínimo a minha rotina. Que continue indo ao colégio, estudando, tendo minhas amizades. Vida normal de uma jovem de 15 anos.

— Puta de um homem só?!

— Exatamente isso: puta de um homem só.

— E o que eu ganho com isso?

— Você se muda imediatamente deste quarto para a suíte principal do segundo andar.

— O quê?! A suíte nobre com banheiro exclusivo e antessala?!

— Lá mesmo. E mais. Você receberá uma bela quantia que será depositada mensalmente numa caderneta de poupança em seu nome.

— E tia Letícia? Quanto ganha nisso?

Verônica acha graça. Ri na minha cara. Estala os dedos no meu nariz.

— Gabriela, acorda! Você acha que ela iria dizer?

— Tem razão. Agora, eu entendo por que ela disse que precisava de mim: sua definitiva independência financeira. Faz sentido.

— E então? O que digo à sua tia?

— Diz que eu converso sobre José Aureliano Dias com uma condição.

— Qual?

— Que antes ela converse comigo sobre nossos assuntos de família. Que ouça tudo o que eu tenho a dizer. E que faça um esforço para levantar a tal imensa pedra que ela diz que pôs sobre o passado.

— Gabriela, não misture as coisas...

— Você não acha justo?! É a minha oportunidade de contar a ela sobre os diários de Xambioá, sobre as cartas de papai e mamãe, sobre tudo o que está entalado na garganta há anos!

— Está certo. Eu dou a ela o seu recado.

— E você, Verônica? O que ganha com tudo isso? Nada, não é? Absolutamente nada. Como sempre.

— Cada um cumpre o seu papel. Eu tento cumprir o meu. Fico feliz quando consigo. É esse o meu ganho.

Dizer o quê? Verônica me seduziu. Como sempre. Vontade de dizer que ela continua sendo para mim a pessoa mais importante do mundo. Meu tato mais precioso. Mas perdi o momento. Ela já saiu. Foi dar meu recado a tia Letícia, pombo-correio que é. E amiga da mais absoluta confiança.

Damas

Segredo é realidade escondida. Ou, peso maior, é sonho que não ousamos revelar. Nos dois casos, guardá-los por muito tempo é extremamente perigoso. Há o risco de se alimentar a imaginação, amargurar o que se esconde, seja na experiência vivida ou no desejo frustrado. É claro que, aos 15 anos de idade, eu ainda não tinha consciência disso. Achava que os tantos segredos de tia Letícia estavam todos agrupados na tal realidade escondida, fatos do passado que a comprometeriam e que, por essa razão, não deveriam ser trazidos à luz. Quando poderia imaginar que seus pesadelos secretos residiam justo em fantasias não realizadas? Para ela, o levantar a pesada pedra que pusera sobre nossa história familiar significaria libertar todos os seus fantasmas: os mais cruéis, os do sonho não vivido.

Ao tomar conhecimento de minha decisão de só conversar assunto de trabalho depois de resolvermos nossas pendências pessoais, tia Letícia perde a cabeça. Em inédito acesso de fúria, varre tudo o que está sobre a cômoda do quarto. E varreria o que mais estivesse ao alcance das mãos e da mente, não fosse Verônica contê-la e trazê-la de volta à lucidez. Em detalhes, fico sabendo da conversa.

— Arrogante, presunçosa! É a mãe escrita e escarrada! O que essa fedelha está pensando?! Faca no meu pescoço?! Depois de tudo o que tenho feito por ela e aturado?! Atrevida! Ponho-a no olho da rua agora! Não tenho obrigação nenhuma! Quem pariu Mateus que o embale!

— Letícia, calma.

— Que calma nem meia calma! A carinha de anjo nunca me enganou! Querer me impor condições! Desaforo! Onde já se viu?!

— Quem sabe esse não é mesmo o momento de vocês se acertarem e acabarem logo com isso? Falem tudo uma para a outra, ponham para fora todas essas amarguras e ressentimentos e pronto. Não se guardam ressentimentos, Letícia. Isso só faz mal à saúde.

— De jeito nenhum. Não quero conversa. Me rebaixar a esse ponto! É muita petulância dela, muita!

— E o que você vai dizer ao empresário? Que questões de família inviabilizaram o negócio?

— Se o garanhão está tão apaixonado por ela, que largue a mulher e os filhos e carregue o traste com ele!

— Ela é menor, você sabe muito bem disso.

— Que ele convença a mulher a adotá-la, então. Está aí! Uma ótima caridade!

Tia Letícia se mantém irredutível durante semanas. Determina que minha rotina se limite às idas ao colégio e à permanência em meu quarto até ela decidir o que irá fazer. José Aureliano Dias se desespera. De início, pensa que tudo não passa de um plano arquitetado para valorizar a mercadoria. Coisa de gente ambiciosa que quer obter o máximo de vantagens em cima de seu desejo insano. Depois, como tia Letícia se recusa até a recebê-lo, começa a fantasiar. Já acha que a dificuldade de acesso é real, é honesta, e tem o nobre objetivo de excitá-lo ainda mais para nossa primeira e recatada conversa. Que fantástico! Que profissionalismo dessas mulheres! Que sangue-frio diante do dinheiro! Nunca nenhum macho o desafiou a esse ponto! Nunca nenhum acesso lhe foi vedado dessa maneira radical! O que não farão com ele quando estiver lá dentro! Que Deus o proteja! O homem liga insistentemente. Não acredita no que está acontecendo. Apenas Verônica o atende. Diz que ele está imaginando coisas. Que não é nada disso. Se quiser, que converse comigo e saiba de viva voz o que existe na realidade: um triste desentendimento familiar. É fácil. Vou todos os dias ao colégio, tomo o metrô na estação Glória, aqui pertinho. Poderá se certificar sem nenhum problema. Ele diz que não. Nem pensar. Fora do casarão, minha mágica poderá se desencadear ainda mais. Enfeitiçá-lo de vez. Ele, um reles mortal. Todo o risco para quê? Quem lhe garante que o que ouvirá de mim não o incendiará ainda mais por dentro? Lá fora, à luz do dia, aos olhos da plateia ávida de pecado, ele será sempre o algoz e eu, a inocente vítima. Quem se atreveria a ver diferente? Quem ousaria afirmar que, ao contrário das aparências, eu é que o seduzi e, sem um mínimo esforço, o infelicito pelo prazer? Verônica se impacienta, diz que ele faça como quiser. A pobre vive a lhe dar explicações. Pede calma, que tudo há de se resolver. Coisas de família. Sabe como é. E os dias passam. E as semanas.

O presente estado de beligerância tumultua, atrapalha a rotina. Não é bom para as atividades do casarão — atividades que, todos sabem, exigem concentração, equilíbrio e total dedicação aos clientes. As meninas, portanto, torcem para que eu e tia Letícia façamos logo as pazes, é claro. São meras espectadoras. Acompanham nosso drama como se fosse novela de televisão. Não perdem um só capítulo. Vibram e se emocionam com cada novidade. Como me foi proibido o acesso a qualquer uma delas, sou obrigada a recorrer à intercessão de "santa" Verônica. O leva e traz é constante. Não paro de receber bilhetes, cartões cheios de afeto e mensagens de ânimo. Que eu confie na minha estrela, que eu sou uma menina de sorte, que meu avô está vendo tudo e vai me ajudar, e que tudo acabará bem, esperam.

Quanto a mim, vou seguindo as determinações daquela que está no comando e, agora mais do que nunca, faz questão de exibir seu poder. Ainda estou bastante assustada com o andar da carruagem. Faço as refeições sozinha. Falo o estritamente necessário, me movimento o menos possível. Vivo no meu quarto, lendo ou estudando. Não adianta. Ainda assim, sou o centro das atenções — dama no tabuleiro. É meu destino. E tia Letícia, que também é dama, já percebeu isso. Com pedras brancas ou pretas, nosso cotidiano é jogo de estratégia. É batalha renhida. E assim será. Até o fim.

Tio Paulo

Entra dezembro. Nenhuma perspectiva de sairmos do impasse. O ar no casarão está irrespirável. Não sei o que fazer. Pedir desculpas? Só por querer a história de meus pais em pratos limpos depois de ter sido convidada a vender meu corpo? Não. Agradeço, mas o conselho de Verônica não faz o menor sentido. Sei também que tia Letícia não há de retroceder um milímetro sequer em sua posição. Está no seu direito, reconheço. Fazer o quê? Espero sentada para não cansar. E mergulho nos estudos. É final do ano letivo, época de provas. Meter a cara nos livros é fuga. Saudável saída de emergência. Minha redação continua a ter boa repercussão no colégio. Meu trabalho de pesquisa sobre García Márquez recebeu grau máximo e a estrela dourada de honra ao mérito. Todos comentam sobre a coincidência de eu ter o mesmo nome do escritor colombiano. Convencida, vou divulgando os dados que tornam o fato ainda mais espantoso.

— Ele também nasceu no dia 6 de março?! Jura?!

— Escreveu *Cem anos de solidão* no ano em que você nasceu?!

— Deixa eu ver!

— Nossa, que doido isso!

Mesmo que de brincadeira, ganho status de escritora laureada entre meus colegas. E isso sem eles saberem do meu segredo, a minha realidade escondida: que esse homem de renome me salvou a vida e que, bem antes de receber o prêmio Nobel, já era meu amigo. Gabito, doce Gabito!

Contradição: sempre que toca o sinal, me entristeço. Sei que é hora de ir para casa. O que para todos é alívio para mim é suplício. Remancho na sala de aula, puxo conversa com um e com outro na porta do colégio. Difícil ver os colegas ansiosos para ir embora. Fico protelando a inevitável despedida. Procuro ganhar tempo. Desde que tia Letícia e eu não nos falamos, deixei de tomar o metrô. Volto caminhando até a Glória. Adio o desconforto de ser obrigada a meter a chave na porta e entrar em ambiente que me é hostil. Desagrada e dói estar debaixo do mesmo teto de alguém que não me quer. Alguém que me sustenta, que banca os meus estudos. Maior humilhação ter de me sujeitar.

Hoje, opto por um trajeto mais longo. Sigo pela avenida Rio Branco em direção à Cinelândia. É uma boa estirada. Paro bem na esquina do cinema Odeon. Corre uma brisa gostosa, que me faz esquecer o verão, mas não a lembrança. Juro que, há uns oito anos, não mais que isso, ali adiante havia um palácio com escadarias, leões e anjos. E havia um avô que me levava pela mão para ver o que não era sonho. Todos desapareceram. Tudo é tão diferente que chego a me perguntar se terão mesmo existido ou se foram imaginação minha. Ando um pouco mais até o obelisco — este continua de pé. Sempre apontando para o alto. Ameaçador. Como se quisesse machucar o céu com sua pretensiosa ereção. Encosto-me nele. Passo a mão em sua rigidez pétrea. Preciso tatear algo concreto do passado, algo que seja ponto de referência, algo que, neste exato momento, me prove que onde estou é cenário de realidade e não de ficção. Prova material.

Sigo pela praça Paris. Aperto o passo, mochila pesada nas costas. Respiro, solto o ar pela boca, acelero. Não que eu tenha pressa de chegar a algum lugar, não. Se aumento o ritmo é para avivar memória de tempo remoto. Tio Paulo! Outro dos meus muitos fantasmas. Outro dos meus tatos que se foram. Tio Paulo: meu abrigo. É como se ele estivesse caminhando aqui comigo. Preciso escrever o que me vem à mente e ao coração e tem de ser agora! Sento-me em um dos extensos jardins, abro meu diário e jorro.

Último dia em Xambioá. Céu aberto, sol alto, chão de terra vermelha. Eu, na arte: baldinho, pá, água, lama, tudo misturado, lembro bem. De repente, estampidos, gritos. Não vejo meus pais. Tio Paulo corre, me pega — boneca de pano — e me leva para dentro. Me atira no chão, me cobre com o corpo. Choro com o susto, com a queda, com todo aquele peso em cima de mim. Proteção machuca? Sufoca?

Fuzilaria, fuzilaria, fuzilaria. Ódio extravasado dos dois lados. Lá fora, meu mundo está se acabando e eu não vejo. Ação e revide: tudo muito rápido. Adianta? O estrago que me fizeram dura a eternidade — hoje sei. Cumpriram ordens? Cumpriram intentos? Isso os absolve? Defendiam um ideal, uma causa justa? Isso os enobrece? Melhor guardar o que sinto para mim. Discussão inútil.

Alguma coisa do horror sempre fica. Noite fechada, lâmpada alta, chão de cimento vermelho. Mulherio em volta, falação. Eu lá ouço o que se diz? Eu lá entendo alguma coisa? Preciso saber é onde está minha mãe. A comida que me dão, eu não quero. Sem meu pai, eu não durmo. Sinto medo e raiva. Mais medo que raiva.

— Deixa ela, assim não adianta. Gabi, não chora. Vem com o tio, vem. Olha, eu vou levar você pro papai e pra mamãe, tá bom?

Exausta, faço que tá com a cabeça. Pela primeira vez, confio. Por isso, dou a mão e vou sem perguntas. Alguém tenta me pôr uma chupeta na boca. Recuso. Subo para o colo monumental do tio Paulo. Ele usa barba comprida que nem o papai, tato parecido.

Mato cerrado. O tio, mãos ocupadas, me carrega como se fosse mochila. Vamos assim colados, um de costas para o outro. Gosto do balanço da marcha, aprecio o passeio. Visão privilegiada de tudo o que vai ficando para trás. O tio canta. O som acalorado que sai de dentro dele reverbera em mim e os males espanta. O canto e o tato, sempre o canto e o tato.

Cochilo e desperto, cochilo e desperto. Vou comendo o que o tio me dá, não reclamo.

— Você não quer ver o papai e a mamãe? Então? Tem que comer pra ficar forte. Você já é uma moça.

Vontade de fazer cocô.

— Vai ali e faz.

— Tio, acabei!

De longe, ele diz que já está na hora de eu saber me limpar sozinha. Continuo abaixada. Vontade de chorar, mas não choro. Quero minha mãe. Vontade de chamar, mas não chamo. Bem ou mal, consigo me virar sem ela. Vitoriosa, volto correndo para o tio. Ganho uma gargalhada de presente e um abraço apertado de parabéns! Me limpei sem ajuda de ninguém! Uma moça de verdade!

O escuro vem, a marcha continua, gosto mesmo do balanço. Sou hipnotizada pelos milhares de luzinhas que brilham lá em cima. O resto é breu. Apago.

O claro volta. Caminhão. O tio sobe comigo na caçamba. Montão de gente. Poeira, tijolo, garganta seca. Onde será que papai está? E mamãe? Onde será?

— Tio, falta muito?

— Falta.

Sacolejo e mais sacolejo, desconforto. O tio me acomoda no colo. Melhor assim. Estrada e mais estrada. O onde será não chega nunca. De repente, o chão de terra acaba. Vamos agora por um tapete preto sem poeira. A caçamba chacoalha bem menos, velocidade maior, vento bom na cara. O tio e eu nos olhamos, insinuamos sorrisos em nossos silêncios cansados.

O caminhão acaba que chega onde deve chegar. Sobradinho — pelo nome já se sabe o tamanho da cidade. O povo, com a tralha toda, pula fora da caçamba. No pulo, mais alívio que alegria. O tio vai logo me dizendo que ali ainda não é onde meus pais estão. Mas, promete, me levará a alguém que sabe como encontrá-los. Vamos a pé. Vez ou outra, sou obrigada a acelerar o passo. Preferia ser mochila. Lá de cima a vista era bem melhor. E eu não cansava nada.

— Anda, moça! Tá muito mole! Vem comigo, vem!

Vejo vovô Gregório pela primeira vez. Mulato imenso. Riso bom que inspira confiança. Seu corpo é uma casa. Braços para me receber. Amor à primeira vista. Gosto do cheiro, do tato. Vou com ele sem perguntas. Atendo, dou a mão. Sensibilidade de criança? Instinto de bicho? Ou um pouco dos dois?

— Pronto, Seu Gregório. Sua neta está entregue.

Tio Paulo se despede me segurando pelo pé e pela mão. Me faz girar no ar. Sou aviãozinho subindo e descendo. Ele é o meu motor. Depois, dá abraço demorado em meu avô e desaparece. A luta continua.

Vejo o relógio. Nossa, perdi noção da hora! Fecho o diário. Preciso voltar. Verônica já deve estar apreensiva. Lá vem bronca. Vai dizer que é falta de consideração, que eu não penso nela, que nem conseguiu almoçar direito de tão preocupada comigo.

Meto a chave na porta e entro. Algo estranho se passa. Pela primeira vez, o ambiente de casa não me agride e o ar me chega aos pulmões naturalmente. A cozinha e a copa impecáveis. Silêncio. Onde estarão todas? Desconfiada, não procuro entender o clima desanuviado. Vou direto para o meu quarto. Sobre a cama, aos cuidados de Galileu, um bilhete despreocupado de Verônica. Diz que precisou sair, que meu almoço está no forno, é só esquentar. Beijos.

Ainda bem. E eu imaginando o pior. Já preparada para o sermão, o bate-boca, o esqueci-acontece, o me-deixa-em-paz-por-favor. Impressionante a capacidade que temos de criar sobre o negativo, sofrer por antecipação. Acho graça, me conformo. Faz parte da natureza humana. Com este estado de espírito, abro a mochila, torno a pegar no diário. Releio o que escrevi lá na praça. Minha aventura com tio Paulo. Me dou conta de que, pela primeira vez, meu texto não fala do hoje, mas de um remotíssimo ontem. Sinto vontade irresistível de continuar passando para o papel situações que eu tenha vivido. Talvez, uma forma de trazer à tona momentos esquecidos no fundo de mim mesma. Buscar companhia dos que me amaram e já se foram. Não me sentir tão só.

Almoço pronto me esperando. Comidinha boa. Paladar de afeto. Verônica. Minha amiga da guarda. Sem ela, o que seria de mim? Termino, deixo tudo novamente em ordem, como deve ser — como não costumo ser preguiçosa, a disciplina não me incomoda. Ainda não há sinal de vida no casarão. Curioso esse silêncio. Incomum. Algo de estranho realmente se passa.

Volto para o quarto. Tiro a roupa do colégio, visto a de andar em casa. Nenhuma vontade de me olhar no espelho. A vaidade continua comigo, só mudou de lugar. Saiu da carne e foi para o papel. Ter escrito algo sobre Xambioá e tio Paulo me dá coragem e me felicita. Me faz sonhar. Por causa do sucesso de minha redação e das tantas afinidades com Gabito, começo a pensar até em me tornar escritora de verdade. Tenho apenas 15 anos, eu sei. O desejo pode ser capricho de adolescente. Mas pode ser vocação. Deito-me na cama com Galileu. Confidencio a ele que, a partir de agora, além de um diário de registros presentes, terei um caderno de memórias. É pretensioso, concordo. Fazer o quê? Não tenho culpa se, apesar da pouca idade, já tenho história.

— Galileu, que silêncio é esse no casarão? Você sabe?

É claro que sabe. Só que não vai me dizer. Tudo bem. Não vou perguntar de novo. Galileu, cara de sono, acha melhor tirar os óculos, se aconchegar em mim. Já está acostumado a esse nosso cochilinho gostoso depois do almoço.

Touché

Gabito acha que fui longe demais. Vê imaturidade em mim. Ainda que por bom motivo, impor condições à minha tia não foi nada inteligente. Insensatez juvenil. A reação dela não poderia ter sido outra. Sentiu-se ultrajada, evidente. Não se deve ser frontal com quem detém o poder. A sedução é o melhor método de convencimento — sábio conselho dos antigos chineses. Que eu vá com calma. Não preciso pedir desculpas. Nem cabe. Chegue aberta para conversar apenas sobre o assunto que é do interesse de ambas — José Aureliano Dias. Assunto extremamente delicado e que, por si só, já dá pano para manga. Assunto que requer cabeça fria e coração precavido. Assunto sobre o qual as duas devemos estar de pleno acordo. É essencial nos acertarmos nos mínimos detalhes. Caso contrário, será verdadeiro desastre embarcar na aventura.

O que Gabito me diz faz sentido. Mas não resolve o meu lado. Tratarmos antes as pendências familiares é, insisto, fundamental para o êxito das negociações sobre o meu futuro aqui no casarão. Só teremos confiança uma na outra se nos livrarmos de todos os nossos ressentimentos. Os do presente e os do passado. É querer demais?, pergunto. Gabito concorda inteiramente. Em nenhum momento cogitou ignorarmos o tema. Pôr os pingos nos is é sempre saudável. Embora seja exercício que exija transparência e, sobretudo, que os dois lados estejam desarmados. Honestidade com faca nos dentes? É ferimento quase certo. Cuidado.

Apesar de tudo, Gabito está confiante. Para ele, tia Letícia e eu chegaremos ao entendimento. Nossos destinos se cruzaram sem que tivéssemos sido ao menos consultadas. É de opinião que fomos irremediavelmente ligadas pela trama da história. Melhor então deixar orgulhos de lado e cuidar do que é da conveniência de ambas: a paz. Encerra o assunto. Acha que fiz bem em desabafar, em me abrir com ele sobre essas aflições. Mas não foi por isso que veio me visitar. A ocasião é especial. É a primeira vez que nos vemos depois de eu descobrir que ele é García Márquez, escritor, e que uma série de fatos nos aproxima. Esperou bastante por este dia: encontrar-me com sua real identidade. Não ser apenas o "homem bigodudo". Ser reconhecido como Gabriel, meu amigo, era seu grande desejo. Enfim, ser chamado de Gabito, como agora faço.

As visitas, ele sabe, não dependem apenas de sua vontade ou da minha. Há quanto tempo não nos falamos? A última vez foi quando me deu duas agulhas de tricô e me ensinou a trabalhar o fio de macarrão que eu mesma havia preparado para tecer minha própria trama. Como previu, haveria muito aprendizado pela frente. Mas tenho dado conta do recado, ele afirma. Mesmo com tanto ponto desmanchado e refeito, não perco o fio da meada. Que eu não estufe o peito nem me anime muito, não. O novelo é longo. E o que está pronto em minhas mãos ainda não dá ideia da peça que estou tecendo. Não gosto da observação. Emburro. Alguma revolta até. Gabito é paciente. Sabe lidar com meu gênio difícil. Diz que agulhas de tricô esgrimam por boa causa. Por terem o mesmo objetivo, as duas sempre vencem no final. Eu as manejo cada vez melhor, reconhece. Devo apenas perseverar neste meu fantástico duelo interior, que me maltrata, mas aprimora. De repente, Gabito já não está. Vejo-me tricotando com redobrado empenho. Inútil. Ao redor, montanhas de novelos de macarrão! Sinto desânimo. Acho que jamais conseguirei terminar o meu trabalho. Ainda assim, me esforço. As agulhas ganham velocidade inacreditável. Nenhum controle sobre elas. Em determinado ponto, me escapam das mãos e me atingem o peito. Sobressalto.

Acordo. Ponho a mão no coração disparado, aparentemente ferido. Respiro fundo, refaço-me do susto. Repito o que tia Letícia me obriga a dizer sempre que me vence com seus argumentos e atitudes: *Touché!*

Galileu, ainda abraçado comigo. Finalmente, ouço movimento lá fora, falação alta. Levanto-me, vou ver o que é.

Preparando o terreno

Abro a porta que dá para o amplo pátio interno — a única área descoberta do casarão. Meus olhos não acreditam no que veem. Rachel, Clarice, Virginia, Tarsila, Anita, Florence, Isadora, Frida, Camile e Simone. Todas as meninas. Todas, sem exceção. Mais a Verônica. E tia Letícia à frente, no comando. Um verdadeiro exército de formigas gigantes. Vão chegando e se espalhando com seus carregamentos. Dividem-se em grupos com precisão matemática. Tudo sob a orientação da formiga rainha.

— Tarsila, aí não! Ficou muito perto da porta, puxa o vaso mais pra sua esquerda! Ótimo! Perfeito!

Tia Letícia me ignora solenemente. É como se não houvesse ninguém aqui onde estou. As meninas me olham de soslaio e se limitam a um sorriso tímido, de solidariedade — que mal retribuo para evitar problemas. Só a Verônica tem autorização para se dirigir a mim. Ela vem, me dá um beijo. Diz que depois conversa comigo.

Rapidamente, o pátio interno se vai transformando. Antes, árido, pura pedra, sem alegria alguma. Agora, luxuriante, com folhagens diversas. E flores. Muitas flores. Tia Letícia tem o condão de me transtornar. Por que fazer dessa área cenário de sonho? Por que essa explosão de vida e de cores bem diante de mim e justo em momento tão crítico de discórdia, impasse, rancores?

Já ia dando o espetáculo por encerrado quando a mestra exibe seu número mais surpreendente.

— Verônica, diz pras meninas que já podem ir trazendo os antúrios.

O quê?! Antúrios?! Como assim?! A minha flor predileta?! A flor predileta do vovô Gregório, de quem ela vive falando mal?! Com que direito se apodera do que é nosso?!

Espanto. Indignação. Os antúrios chegam majestosos. Corações que passam por mim fazendo careta. Vermelhos berrantes que ferem. Não entendo. Antúrios sempre estiveram do meu lado. Nos momentos mais difíceis, me inspiraram e ajudaram. Por que me afrontam desse jeito? Alguma coisa não bate, não combina. Preciso saber. As floreiras, dez ao todo, são dispostas rente ao muro principal de modo a formar um só canteiro. Ficam lindas. Lembram-me os tufos que viviam enfileirados em meu jardim secreto — realidade que não sei onde foi parar.

A encenação chega ao fim. As meninas vão sendo dispensadas uma a uma. Tia Letícia é exímia jogadora, sou obrigada a admitir. Seus movimentos são eficientes e precisos. Inesperados, sempre me atingem: *touché!* Vejo-a com as mãos na cintura, elegante, vitoriosa, admirando seu jardim relâmpago, sua obra de arte. Depois, passeia soberana pelo novo ambiente. Parece satisfeita. Mas ainda faz pequenos ajustes aqui e ali, repara nos mínimos detalhes. O rigor é sua marca registrada. Fala alguma coisa com Verônica e sai. Em momento algum olhou em minha direção. Para ela, simplesmente deixei de existir.

Volto para o quarto com a certeza de que todo aquele exibicionismo, bem diante do meu nariz, não foi gratuito. Tia Letícia não é de dar ponto sem nó. Há de haver bom motivo para o espalhafato. Algum recado embutido. Mas qual?

Preciso pensar. Usar a cabeça. Esquecer o coração. Sonhos e sentimentos não têm sido de grande valia para mim ultimamente. Retiradas estratégicas ganham guerras, tia Letícia, ela mesma, me ensinou. Hora de aguçar a inteligência. Hora de começar a pôr em prática os conselhos de Gabito. Se até ele diz que fui imatura e insensata!

Está certo. Eu não deveria ter imposto condições para o diálogo. Não se deve ser frontal com quem detém o poder, já aprendi. A sedução é o melhor método de convencimento — aconselham os sábios chineses. Mas aí também já é demais. Gabito e a Velha China que me perdoem, mas sedução para mim tem um quê de trapaça. Enganação. Pode ser de utilidade no trato com os poderosos ou com os ingênuos — na realidade, os dois até se parecem. Pode ser a arma adequada. Acontece que, como sedutora, sou um retumbante fracasso. Não por ser adolescente. É que desconheço as regras mais elementares do jogo. E, nas poucas vezes que obtive algo por meio da sedução, me senti terrivelmente culpada. Portanto, seduzir não faz parte dos meus planos. Fora de cogitação.

Meu ponto forte — e, contraditoriamente, meu calcanhar de aquiles — é o falar direto nos olhos. É o abrir o jogo. É o querer ser transparente com as pessoas que são importantes para mim. Apesar de todas as nossas rixas e diferenças, tia Letícia me tem sido essencial. Seria tola se não reconhecesse isso. Com ela, aprendo e me aprimoro, mesmo que, às vezes, por caminhos tortos.

Está decidido. Retrocederei, sim. Irei ao seu encontro, sim. Não para falar de família, mas para tratar de José Aureliano Dias, como ela exige. Estarei aberta ao diálogo. Nenhuma condição. E mais: vou totalmente desarmada — honestidade com faca nos dentes é ferimento quase certo. Mas desacompanhada, não vou. Levarei comigo minha caixa de madeira. Que ficará em lugar bem visível. E voltará em silêncio, se for o caso. Não falarei sobre seu conteúdo, não darei explicações. A menos que tia Letícia me pergunte, é claro.

Também tenho pressa

A notícia corre no casarão: Gabriela cedeu. Ponto para o adversário. A desvantagem não me fragiliza. Pelo contrário, me redobra o ânimo. A partida mal começou. Nada me impede de virar o jogo.

No dia seguinte, à tardinha, Verônica vem me avisar que tia Letícia já está em seu escritório, pronta para termos nossa tão esperada conversa. Devo subir imediatamente. É o tempo de ir ao espelho conferir minha aparência, pegar a caixa de madeira e sair. Verônica é apanhada de surpresa. Vamos falando pelo caminho.

— O que é que você pretende fazer com essa caixa, Gabriela?!

— Nada. Absolutamente nada!

— Eu conheço muito bem a senhora. Aí tem coisa!

— Pode ficar tranquila. Vou cumprir minha palavra. Hoje não se fala em assunto de família.

Verônica me segura pelo braço.

— Então por que a caixa?

— Pra me acompanhar, só isso. Me solta, por favor.

Verônica me atende, pede desculpas. É que está sinceramente preocupada comigo e, principalmente, com tia Letícia. Para falar a verdade, com todas ali. Ela, inclusive. Sabe que nossa conversa será decisiva para que a rotina do casarão volte ao normal. Um ou outro cliente já começa a perceber que algo não vai bem. A tensão está no ar. O momento é bastante delicado. Verônica aperta o passo para me acompanhar.

— Gabriela, não vá pôr tudo a perder de novo, por favor.

Paramos as duas no meio da escada.

— Verônica, entende: eu não quero mais ter segredos com tia Letícia. Ela que fique com os dela. Não me importo. Mas ela precisa ver esta caixa.

— Acordo é acordo. Questões familiares estão proibidas.

— Não vou abrir minha boca, já disse! Se ela quiser saber, me limitarei a responder. Mas não tomarei nenhuma iniciativa nem farei perguntas, prometo.

— Ainda bem.

— Se ela ignorar a caixa, não faz mal. Volto com a consciência tranquila de que fiz o certo. Não haverá mais coisas escondidas em meu quarto. Não terei mais receio de ser flagrada lendo os diários de papai e mamãe.

— Está bem, está bem. Anda, vai. Não quero te prender mais. Sua tia deve estar ansiosa.

Ainda nos olhamos por uns segundos.

— Boa sorte.

— Obrigada.

Subo ligeiro os degraus que me faltam. Também tenho pressa.

Altos e baixos

Bato à porta. Ouço a voz que me autoriza entrar. Abancada à sua mesa de trabalho, cadeira de espaldar alto, tia Letícia escreve. Não interrompe o que faz. Sem levantar os olhos, me convida a sentar à sua frente. Já deixa claro, portanto, que vamos tratar de interesses profissionais. Com toda calma, termina suas anotações, fecha o caderno, coloca-o cuidadosamente de lado e só então me dirige o olhar.

— Fico feliz por você ter revisto sua posição. Mostra maturidade.

Em resposta, revelo a caixa de madeira que estava em meu colo e a pouso sobre a mesa. Meu gesto causa impressão, mas fica muito aquém do impacto desejado. Com fleuma britânica, tia Letícia se limita a duas frases que aguçam ainda mais minha curiosidade sobre o passado.

— "A enseada". Conheço bem essa caixa.

Pensativa, faz pequena pausa — parece viajar no tempo. Volta em corte seco. É bom não perder tempo e irmos logo ao que interessa: José Aureliano Dias. Antes, porém, acha importante lembrar que, ao me trazer lá da favela Santa Marta, assumiu naturalmente minha tutela.

— Você sabe o que significa "tutor".

— Sei. É quem se torna responsável pelo menor que não tem mais pai nem mãe.

— Exato. Mas existe outro significado que me agrada mais e que talvez se aplique melhor à nossa relação. Aprendi ontem, por acaso, quando comprei aquelas plantas para o nosso pátio interno.

— Não faço ideia do que seja.

— Tutor é aquela vara usada para amparar a planta que não se sustenta sozinha e que precisa desse apoio para se desenvolver.

Uma vara. Fincada na terra, mas sem raízes. Um pedaço de pau morto. Ainda assim, duro, inflexível. A imagem sobre si mesma não poderia ter sido mais precisa. Posso não me sustentar sozinha, mas pelo menos tenho vida e me desenvolvo. A vontade de verbalizar meu pensamento é grande. Mas me contenho. Lembro-me do conselho de Gabito: não se deve ser frontal com quem detém o poder. Portanto, dou minha opinião sincera, sem entrar em detalhes.

— A senhora tem razão. A imagem não poderia ter sido mais precisa.

Assim, incompleta, minha resposta é música para os ouvidos de tia Letícia. Sente que fui honesta — e de certa forma fui. Cria ânimo para falar abertamente sobre José Aureliano Dias. Entusiasmada, alardeia o ganho financeiro e todas as vantagens que terei ao me associar a ela no empreendimento. Sim, um empreendimento como outro qualquer. E mais. Inteiramente de acordo com sua filosofia de vida: é bom para todas as partes. Que eu não imagine ser fácil para ela ter de refazer a rotina do casarão, me instalar na suíte mais exclusiva e, ainda por cima, com todas as mordomias que o empresário exige. Por outro lado, abre o jogo sem pudores. Confessa com satisfação que o investimento vale a pena. Se tudo der certo, muita coisa irá mudar em sua vida. Um dia, quem sabe, conversaremos sobre isso. Quanto a mim, é evidente que, daqui a três anos, ao completar minha maioridade, já terei fartos recursos para me tornar independente, seguir meu destino, não precisar da ajuda de ninguém. O que significa — por suas próprias palavras — que poderei me ver livre dela. E ela de mim.

Longe de me sentir ofendida, reconheço que, com seus últimos argumentos, ela acaba de me convencer.

— *Touché.*

Tia Letícia acha graça do tom de conivência com que uso a expressão que ela me ensinou. Mestra vitoriosa, levanta-se e começa a andar pelo quarto, enquanto fala.

— Que bom, Gabriela, que estamos nos entendendo! Nunca imaginei que pudéssemos um dia falar a mesma língua! Acredite no que vou lhe dizer: José Aureliano Dias entrou em nossas vidas para nos redimir!

Gosto disso: um homem que vem para nos redimir. Para nos libertar. Um homem que estará em minhas mãos. Quem ousará negar a realidade? Mesmo em posição subordinada, sou, como sempre, a peça-chave, o centro das atenções. Só não é prudente demonstrar força por enquanto. Sem o aval de minha tutora, nada posso, nada faço.

A essa altura, a conversa já flui normalmente. O fato de termos nos acertado em vários pontos de interesse nos põe bem mais à vontade uma com a outra. Sempre profissionais, partimos agora para tratar detalhes importantes do negócio. José Aureliano não é bobo. Não é à toa que chegou tão rápido onde chegou. Uma vez acertadas as cláusulas contratuais, as partes se obrigam, inicialmente, apenas por um mês. A partir daí, o contrato se renova por prazos crescentes, dependendo da satisfação e do envolvimento de ambos os lados. O melhor de tudo é que as regras do casarão — que causam tanto fascínio nos clientes, inclusive, em José Aureliano — funcionam a meu favor. Tia Letícia me faz ver que estou tendo uma oportunidade incomum. Eu é que vou determinar o momento de perder a virgindade. E com um homem experiente, educado e, aparentemente, afetuoso. Eu é que direi se estou pronta ou não para o ato de entrega. Ele terá de se sujeitar às minhas relutâncias, aos meus receios, ao meu recato: são as regras. Isso certamente o enlouquecerá. Sobretudo em época tão liberal como a nossa, em que deixar de ser virgem se tornou a coisa mais banal do mundo. Por segundos, me traio, não me controlo e pergunto se o amor não conta ao nos entregarmos pela primeira vez a alguém.

— Amor? Que amor?! Amor é pura utopia, minha querida. Não existe. O que existe são interesses que coincidem ou não. É bom aprender logo.

Tia Letícia percebe que errou na mão. Por mais que me esforce para acompanhá-la, é natural que, vez ou outra, eu tenha essas recaídas de ingenuidade adolescente. Os ventos sopram a favor. Estamos progredindo a olhos vistos. Não convêm radicalismos. Sobretudo, com essa dose de amargor. Para quebrar o clima, em tom de brincadeira, recorre à escritora e feminista francesa Simone de Beauvoir.

— Sabe o que ela dizia? Dizia que "entre as mulheres que se vendem pela prostituição e as que se vendem pelo casamento, a única diferença consiste no preço e na duração do contrato".

A citação é triste, embora tenha verdade. Não tira a minha dúvida, mas serve para desanuviar o ambiente, que é o que interessa a nós duas. Aproveitando o clima já mais descontraído, digo que acho engraçado o fato de José Aureliano exigir exclusividade na relação. Questiono até.

— Que garantia ele tem de que serei fiel?

— A mesma que qualquer marido tem: nenhuma.

Caímos as duas na risada. Tia Letícia me surpreende novamente ao voltar com tom de seriedade.

— Apenas a confiança regerá a relação de vocês. Como em todo casamento. Como em toda relação: entre pais e filhos, entre patrão e empregado, entre amigos, entre sócios. Confiança é a base de tudo. Quando se perde a confiança, perde-se o respeito. Nada resiste. Tudo vai por água abaixo, inclusive esse tal de amor que você mencionou há pouco.

A impressão que me dá é que algo triste lhe veio à lembrança. Tia Letícia volta a se sentar. Solene, diz que está satisfeita com nossa conversa. Pergunta se ainda preciso de algum esclarecimento.

— Preciso, sim. Minha inexperiência pode servir por um lado, mas pode também pôr tudo a perder. Como vou saber se terei o controle do jogo amoroso? Uma coisa é falar. Outra, bem diferente, é fazer.

— Você terá o controle. Está no sangue das mulheres da família.

Tia Letícia olha propositadamente para a caixa de madeira que pus sobre sua mesa.

— É audaciosa e atrevida quando quer. O que não deixa de ser uma qualidade. Além do mais, você não conhece o cliente, não sente nada por ele. E é mesmo bom que não sinta. Não se esqueça de que ele é casado. E bem casado. Mantenha distância. Isso tornará as coisas bem mais fáceis para os dois.

— Mais fáceis, tia? Nunca me despi para um homem.

— E quem disse que para fazer sexo e perder a virgindade você precisa se despir? A roupa pode ser acessório extremamente excitante. Fique tranquila. Nada de ansiedades. Uma coisa de cada vez. Já falei com a Verônica. As meninas todas adoram você, estão mais que dispostas a ajudá-la. Sobre esses assuntos você terá a melhor orientação possível. Sairá pós-graduada, posso garantir. E, para felicidade de todas nós, seu diploma será assinado na cama, por José Aureliano Dias. Mais alguma coisa?

— Não, senhora.

— Ah, sim! Uma informação que vai lhe ajudar. Homens poderosos são os mais frágeis. Os mais carentes de tato e de afeto. Conheci vários. São meninos tristes e ressentidos. Precisam de cuidados especiais. Lembre-se disso quando estiver a sós com ele.

— Vou me lembrar.

— Bem, acho que por hoje é só. Já nos aturamos o suficiente.

O comentário é dito com graça, não é provocativo. Levanto-me e pego a caixa de madeira.

— Quer dizer que "A enseada" acabou indo parar em suas mãos.

— Não sabia que tinha esse nome. Foi vovô que me deu.

— Imaginava que tivesse sido mesmo ele. Era a caixa de joias de sua avó Teresa.

— Vovô me disse que a caixa era da mamãe.

— Ele contou a história pela metade. Quando sua avó morreu, a caixa ficou com ele. Certamente, depois, ele a deu de presente para sua mãe.

— Difícil imaginar essa caixa sendo uma caixa de joias.

— Eu devia ter meus 6, 7 anos. Luzia ainda não era nascida. Eu ficava horas com mamãe, brincando de abrir e fechar a caixa. Experimentava os colares, os broches, as pulseiras. Até os brincos — mamãe mandou furar minhas orelhas cedo.

— Além da caixa, o vovô também ficou com as joias?

— Ficou. Com todas elas. Só de lembrar me revira o estômago. Melhor pararmos por aqui. José Aureliano Dias é, hoje, o tesouro que nos cabe por justiça. Recompensa bem maior. E é nele que devemos concentrar nossas forças.

Tia Letícia dá a impressão de falar a verdade. O tom é de ressentimento. Fico confusa. Custo a crer que meu avô não tenha feito uma divisão justa das joias entre ele e suas duas únicas filhas. Me ocorre a pergunta que pode me levar à verdade. Não resisto e faço. A curiosidade me dá ousadia.

— Nessa brincadeira de abrir e fechar a caixa, a vovó Teresa deixava a senhora mexer no segredo?

— Era o mais divertido de tudo. Eu amava embaralhar os números para depois encontrar a combinação certa e destrancar a caixa. Mamãe batia palmas toda vez que eu conseguia a proeza.

— E a senhora ainda se lembra da combinação?

Tia Letícia responde com orgulho, quase arrogância.

— Claro. 27-08-36. O dia, o mês e o ano do meu nascimento. Foi escolha de papai. Eu ficava toda prosa por causa disso.

— Os números são exatamente esses: 27-08-36. Não foram alterados nem por vovô nem por mamãe.

— Eu sei disso.

— Sabe?! Como?!

— Gabriela, querida. Faz anos que essa caixa está guardada em seu armário.

— O quê?! A senhora mexe no que é meu, revira as minhas coisas sem o meu consentimento?!

— Consentimento?! Eu lá precisava pedir consentimento a uma fedelha de 9, 10 anos, que era a idade que você devia ter quando eu descobri?!

— Então a senhora abriu a caixa!

— Lógico que abri. E, confesso, fiquei emocionada ao constatar que o segredo ainda era o mesmo. Alguma importância eu devo ter tido para o seu avô e para a sua mãe.

— Com que direito a senhora fez isso? Com que direito?!

— Não levante a voz para mim, Gabriela! Se tenho deveres com você, também tenho direitos! E assim será enquanto você viver debaixo deste teto!

— Claro! A senhora é minha tutora, não é?! Uma vara seca fincada na terra para me sustentar! Um pedaço de pau morto, sem raiz!

A bofetada que recebo é violenta. Por instinto, levo minha mão ao rosto, deixo cair a caixa no chão. Tia Letícia chora de raiva. Aos berros, me chama de ingrata, diz que não tenho noção do que ela fez por mim sem eu saber, das preocupações comigo, do inferno das noites maldormidas por culpas, sentimentos contraditórios com relação a mim, tudo. Enquanto desabafa, revira pastas e papéis. Finalmente, encontra o que procurava. Vem em minha direção feito fúria. Joga a página de jornal sobre mim.

— Pega e lê! Você vai saber que algum benefício lhe prestei ao revirar as suas coisas! Anda! Está esperando o quê?! Leia a notícia! Leia!

Ainda atônita, custo a ter qualquer reação. Pego o jornal e começo a ler. Mal posso acreditar no que está diante dos meus olhos. *"Rufino Mendes da Silva, 68 anos, foi condenado a 12 anos de prisão por pedofilia, nesta quinta-feira, 3 de março de 1980. O dono de uma birosca na favela Santa Marta foi acusado por abuso de cinco crianças daquela comunidade. Segundo denúncias, Rufino atraía as vítimas com presentes, doces e refrigerantes. Ele foi preso em 1978 sob acusação de ter molestado J.F.C. (6 anos), quando voltava da escola. Os demais casos vieram à tona depois da prisão. Sua condenação final traz alívio para todos. "Foi uma decisão de justiça. Que o miserável covarde apodreça na prisão e não faça mal a mais ninguém", desabafou emocionada a tia de um dos menores que não quis se identificar. Segundo ela, sua sobrinha G.G.M. (8 anos na ocasião) foi uma das vítimas de Rufino."*

Ainda com a folha do jornal nas mãos, sento-me no chão e começo a chorar convulsivamente. Não sei o que dizer ou fazer. Na dor, tia Letícia se vale do revide para liberar toda a mágoa arquivada.

— Só desconfiei que você havia sido molestada quando, em um dos seus cadernos, li anotações que me pareceram estranhas e desconexas. Mandei chamar o Jeremias imediatamente e ele me contou tudo. Disse-me, inclusive, que era por esse motivo que você e papai estavam saindo do Santa Marta.

Não consigo parar de chorar. Tia Letícia não dá trégua.

— Pois é. Pra você ver como é que são as coisas. Enquanto o seu avozinho querido não fez nada, porque tinha o rabo preso com os militares, fui eu, a megera aqui, a bisbilhoteira que revira as suas coisas, que não deixou barato. Fui eu que fui à caça do desgraçado. Se ele tinha amigos na polícia, eu também tinha. E não sosseguei até armar o plano para pegar o safado e metê-lo na cadeia.

Tia Letícia começa a chorar de novo. Choro de ressentimento, amor e ódio misturados. É possível?

— Imaginei o que você poderia ter passado nas mãos desse animal. Os momentos de pânico que você poderia ter vivido. Verônica e todas as meninas sabem. Jurei diante delas que você seria vingada. E que o maldito iria pagar caro pelo que havia feito.

Tia Letícia se esforça para concluir.

— Posso ser uma estaca sem raízes, um pedaço de pau morto, como você diz... Pelo menos sirvo para alguma coisa, cumpro finalidade... Não sou uma inútil como seu avô pensava.

Tia Letícia se dirige à porta para sair.

— Tia, por favor, não vai embora, eu lhe peço!

Tia Letícia fica, mas continua de costas para mim. Levanto--me e vou até ela.

— Me desculpa. Tia, vira, olha pra mim, por favor. Estou lhe pedindo desculpas.

Ela me atende, se volta, me olha nos olhos. O choro é o nosso diálogo. Estamos ao alcance uma da outra. Não nos abraçamos, não nos tocamos. Há uma parede invisível, que nos impõe distância, que nos impede o tato. Por isso choramos? O agradecimento finalmente é verbalizado.

— Obrigada, tia, por ter me vingado.

— Não agradeça. A vingança também foi minha. Lavei a alma com os 12 anos que ele pegou. Mais as "carícias" que, certamente, ele deve receber dos companheiros de cela.

Ao mesmo tempo que me dá alívio, a prisão do velho Rufino me faz mal. Principalmente, quando o imagino sendo maltratado. Chega. Não quero pensar em mais nada. A cabeça dá voltas. O coração, também. Só que desencontrados. Corpo moído, abaixo-me para pegar "A enseada" e peço licença para me retirar. Antes de sair, lembro-me de elogiar a quantidade de verde no pátio interno. Digo que deu vida. Que ficou muito bonito.

— Uma noite dessas, sonhei com seu avô. Coincidiu ser segunda-feira, dia das almas. No sonho, ele me aconselhava a comprar plantas e flores. E antúrios. Insistia nos antúrios. Dizia que iriam me ajudar na transação com o José Aureliano. Sou supersticiosa com segundas-feiras, você sabe. Levei o recado a sério.

— Antúrios eram as flores prediletas do vovô.

— Curioso isso. Está aí uma coisa que eu não sabia.

— Ele dizia que antúrios são corações que fazem careta mostrando a língua, para espantar as maldades e as tristezas do mundo.

— O comentário é típico. A cara dele.

Algo que não posso explicar mexe comigo por dentro. Um comando interno que não sei. Como se a menina fosse embora para dar lugar à mulher que ainda não sou. Até o tom da voz sai diferente.

— Quando é que a senhora vai falar com o José Aureliano?

A pergunta que encerra assunto familiar e, sobretudo, o tom profissional com que é feita surpreendem, causam boa impressão.

— Hoje, não, que não tenho mais cabeça. Mas amanhã cedo, com certeza. Minha intenção é que você comece a conversar com as meninas e vá se orientando o quanto antes. Assim que José Aureliano e eu nos acertarmos, você se muda para a suíte aqui de cima e já fica à disposição dele. O resto é com vocês dois.

Os esclarecimentos rápidos e objetivos não me intimidam. A menina parece ter ido definitivamente embora. A partir de agora, ainda que inexperiente, é a mulher quem fala.

— Ótimo. Não vejo a hora de sair lá da lavanderia e começar vida nova. Já que devo conhecer o homem que vai nos redimir, melhor que seja logo.

— É assim que se fala.

— Se ele vai assinar o meu diploma, como a senhora disse, eu também vou assinar o diploma dele. O que serve pra um serve pra outro.

— Nisso aí, eu não me meto, já disse. Dentro daquela suíte, o prazer ou o desprazer que sentirão é com vocês. Sou apenas a produtora do espetáculo. E espero lucro.

— Só que o nosso espetáculo envolve muito dinheiro.

— Fique tranquila. Acredito na minha velha filosofia: o negócio deve ser bom para todos. Por razões diferentes, você, eu e ele temos muito interesse em que tudo dê certo.

— Tem razão.

Levo a mão ao rosto. De forma indireta, deixo registro de que ainda sinto a bofetada.

— Nem parece que, minutos atrás, aconteceu o que aconteceu aqui neste quarto. A vida é mesmo cheia de altos e baixos.

— E sempre será, minha querida. De altos e baixos. Mas, por questões práticas, é bom que você prefira os de estatura mediana. Assim como o nosso José Aureliano.

Vida adulta?

Faz dois dias me mudei para a suíte principal. Quinze anos e já ocupo o espaço mais nobre do casarão. Lá da lavanderia, pude trazer as roupas, os livros e o Galileu. Tia Letícia já mandou desmontar meu quarto. Não admite a hipótese de o acordo entre nós e José Aureliano dar errado. Que eu esqueça a fase de rompantes e destemperos juvenis, trate de começar vida adulta, cuidar dos meus interesses e depois tomar rumo. Que não nascemos grudadas uma na outra. E sabemos muito bem o que é a nossa convivência. Se por desgraça o destino nos amarrou, cabe a nós desatar o nó — com a abençoada contribuição de José Aureliano Dias, "o homem que veio nos redimir". Fala isso com naturalidade e devoção cristã. Para ela, minha pouca idade é detalhe sem importância. Tudo questão de época e ponto de vista. Em 1896, minha bisavó Carolina, com 13 anos de idade, foi obrigada pelos pais a se casar com um homem de quase quarenta, meu bisavô Fortunato. Segundo dizem, ainda brincava de boneca. Reclamou? Imagina. Nem ousaria. Obedeceu bonitinha e casou. Se havia sexo apaixonado, não pode dizer. Não estava lá debaixo da cama deles. Sabe é que fizeram bodas de ouro. E botaram um bocado de gente no mundo. Algum prazer deve ter havido. Declara que me quer ver livre, realizada e independente. De preferência, longe daqui. Assim, quem sabe, poderemos até nos tornar boas amigas. Umas visitinhas de vez em quando e pronto. Precisa mais? Acha que é sonho perfeitamente realizável e de bom tamanho.

Penso que para mim será mesmo frustrante nosso projeto não dar certo. Deus que me livre falhar agora nesta altura dos acontecimentos. Sinto até uma ponta de excitamento ao imaginar a experiência que vou adquirir ao me relacionar com homem já maduro, culto e bem-nascido. Mesmo sem amor. O que poderei aprender com ele, as conversas que teremos, o mundo que irá se descortinar diante de mim, os novos horizontes. Verônica é que me abriu os olhos falando tudo isso. Desde o início, me fez ver a responsabilidade que tenho em minhas mãos. Não se trata apenas de vender meu corpo. Trata-se, principalmente, de usar a oportunidade para mudar minha vida de uma vez por todas. Quem ali não daria tudo para estar em meu lugar? As meninas trabalham anos a fio, atendem os clientes com profissionalismo e talento, dão a eles prazer, fantasia, encanto. Ajudam, muitas vezes, a salvar casamentos. Gostam do que fazem, é óbvio. Senão não estariam ali. Ganham muitíssimo bem, sentem-se protegidas. Há companheirismo, amizade, cumplicidade entre elas. Verdadeira família. O negócio deve ser bom para todos, aprenderam com tia Letícia — a quem admiram e respeitam. Mas o meu caso é diferente, todas concordam. Um cliente desse nível, que quer exclusividade, que me oferece de antemão benesses e privilégios, que se preocupa até com meus estudos, minhas idas ao colégio! Sou mesmo sortuda. Nasci com a bunda virada para a Lua — Tarsila não cansa de repetir. Então? Se o sexo é meu instrumento de mudança e de aprimoramento pessoal, que seja muito bem-vindo. E divertido, aconselham em alegria unânime.

Calma, calma, calma, Gabriela, que nada vem de mão beijada. Tudo tem seu preço. Prós e contras. Fazer amor ou fazer sexo pela primeira vez, por exemplo. Duas experiências que não se comparam. Água e vinho. Em ambas, haverá a inexperiência, o receio, o pudor até. Mas quando há amor, o tato é bem outro,

Verônica e as meninas já me preveniram. A pele reage diferente, o coração bate diferente, o sangue, a saliva, os líquidos todos fluem diferente. O odor que nosso corpo exala é especial. Não tem jeito. É química. O parceiro atencioso percebe. Apreensiva, eu me pergunto: e se, com o tempo, José Aureliano fizer brotar de dentro de mim esse perfume? E se ele o sentir e identificar? Do sexo por interesse e do prazer limitado não poderão nascer o amor e o êxtase dos sentidos? Bom nem pensar. Tirar essa ideia boba da cabeça, que o homem é casado e tem filhos. Família solidamente constituída. Negócio é negócio. Devo cumprir minha missão com profissionalismo e talento. Como qualquer uma aqui.

Cada menina me contou como perdeu a virgindade. Quase todas, por paixão alucinada ou atração incontida. Apenas duas, por amor. E uma, por ter sido violentada pelo padrasto. Esta, no casarão, a mais piadista, a mais brincalhona, a mais alegre. Vá entender. Quanto a mim, não há segredo: minha virgindade está sendo posta à venda. Concordei. Assinei embaixo. Depois? Bem, depois é outra história. Ninguém se arrisca a fazer previsões sobre como minha relação com José Aureliano irá evoluir. Me conhecem. Sabem que meu sonho sempre foi voar de mãos dadas com alguém. Como os noivos engraçados dos quadros daquele doido do Chagall, que tantas vezes eu, suspirando, mostrei a elas. Verônica se preocupa justamente com isso. Meus voos românticos! Por mais que eu esteja recomendada, teme que eu acabe me apegando ao cliente. Que eu perca o controle do jogo e, o pior, que venha a sofrer por amor. Vou ouvindo e anotando tudo o que me dizem. Também não me atrevo a adivinhar se comigo vai ser assim ou assado. Não quero perder tempo com isso. Na hora, a gente descobre. Agirei por instinto, intuição, o que der na telha. Mesmo porque, tive apenas uma semana para me preparar técnica e emocionalmente. Uma loucura. Foi tia Letícia que programou meu curso de aprendizado intensivo. Antes, as meninas eram escaladas para me dar aulas ainda lá na lavanderia. Agora, vão me passando as últimas orientações aqui na suíte principal. As regras de distanciamento e aproximação. As eventuais quebras de comportamento que surtem efeitos maravilhosos. O mapa do corpo. As áreas erógenas menos conhecidas e como reagem a determinados tipos de carícias. A linguagem corporal. Gestos que surpreendem e seduzem. Os códigos ancestrais que funcionam com perfeição para despertar ou frear instintos primitivos. Impressionante. Nada lhes escapa: até minha movimentação pelo ambiente, do banheiro ao quarto, passando pela antessala. O uso adequado de cada um dos três cômodos. Onde convém mostrar mais ou menos intimidade. Os recursos de luz à minha disposição. O quê?! Isso mesmo que estou ouvindo. É sério. No sexo entre quatro paredes, convém não esquecer as espantosas possibilidades oferecidas pela perfeita dosagem da luz. A intensidade certa no momento certo. O velar ou o revelar a intimidade. Do exibicionismo feérico ao extremo oposto: a ausência total de luz, que é o mistério maior. Nenhuma sombra, nenhum contorno, nenhuma silhueta, nada. A entrega cega e desmedida. Sim! O tato, a audição, o paladar e o olfato libertos da tirania da imagem. Valorizados pela perversão ou pelo recato, tanto faz. Asas à imaginação, Gabriela! E boa viagem!

Por fim, aparentemente contraditória, a última e essencial recomendação: ser verdadeira. Sempre. Nada do que me ensinaram terá utilidade se eu não for eu mesma, Gabriela Garcia Marques, com todo o peso e a autoridade de minha trágica história. Eu, a única ali com o sagrado lacre da virgindade. A única a não passar de mão em mão — puta de um homem só, como ironicamente me defini. A única a ter o sexo inaugurado em cama, colchão e lençóis novos! Dá para acreditar?! José Aureliano Dias exige. Que a quebra de minha castidade seja completa. Que eu lhe seja a noiva dos sonhos em inesquecível noite de núpcias. Flores de laranjeira nas jarras! Que delicioso absurdo! Que fantástica lua de mel!

Fim do curso. Saudade antecipada. Todas as meninas se empenharam ao máximo para, em tão pouco tempo, me transmitir o que aprenderam em anos e anos de prática. Para elas, sou a irmãzinha caçula. Portanto, a mais querida e a mais mimada. Fazer o quê? Elas mesmas sempre tratam de me estragar, de me fazer as vontades. Tia Letícia que se preocupe em ser dura comigo. A função de educadora cabe exclusivamente a ela.

Abraços e beijos. Choros de afeto. Votos de felicidades. Reconhecem, emocionadas, que serei a primeira a ser iniciada ali no casarão. Ainda por cima, virgem! Nenhuma trajetória que chegue aos pés da minha. Nenhum atrevimento que de longe se pareça. Ao se despedirem, me desejam sorte. E muita inspiração. Que saiba ser criativa sendo eu mesma.

Fecho a porta do quarto. Sinto-me só. Vida adulta? Um pouco de medo. É natural, não é?

Paraíso sem janelas

A suíte principal. Tão diferente da movimentada lavanderia. Era outro universo. Acabou o vaivém, o entra e sai das meninas, o silêncio, por favor, que amanhã tenho prova. O contraste entre os dois ambientes causa impressão, me tira o ar. Este espaço pode ser o mais luxuoso e nobre do casarão, mas é lugar de isolamento, cumpre finalidade específica. Proibido o contato com a vida lá fora. Por isso, não tem janelas. Aqui, dias e noites são iguais. As luzes são outras. E estão sob o meu comando. Mundo particular, paraíso feito à mão. Com data de vencimento. Aqui, nenhum indício do Criador. O toque de eternidade estará talvez em uma alegria ou outra que irei viver. Tudo o mais serão rotinas e esquecimentos. Originalidade nenhuma. Afinal, não é assim a vida de todos?

Se é aqui que devo atuar, não reclamo. Opção minha. Quem corre por gosto não cansa. Não é assim que se diz? As duas primeiras noites foram as mais difíceis. Depois, me acostumei. Tia Letícia diz que o ser humano acostuma-se a tudo, até a pancada. Será? Hoje, faz uma semana que me transferi de armas e bagagens para cá. Vou dispondo as coisas e arrumando tudo do meu jeito. Tenho total liberdade. Carta branca para decidir. Se devo ser verdadeira para o cliente, é natural que o quarto reflita a minha personalidade. Os móveis são os mesmos. Só a cama é nova. Lindíssima. Imensa. Nunca havia visto assim desse tamanho. Chegou anteontem. Até tia Letícia se espantou. Maior alvoroço no casarão. Presente antecipado de José Aureliano. Junto com a cama vieram os vários jogos de lençóis e de toalhas de banho. Outra exigência dele no contrato. Comigo, quer estrear tudo. Esse homem está louco! Louco?! Vocês não viram nada ainda! Olha só o cartão que ele me mandou!

"À minha pequena Gabriela, com a certeza de que, para nós, uma nova vida agora se inicia, plena de encantos e descobertas! Do seu, José Aureliano."

Louco, sim. Completamente louco. Nem me conhece e já se envolve desse jeito. Deixar registro por escrito de sua paixão por uma menor! E uma cama de presente! Pode dar cadeia! O homem está mesmo alucinado! Clarice concorda com Virginia, que concorda com Frida, que concorda com Isadora. Florence vai mais longe com elucubrações: e se a ninfeta decidisse chantageá-lo com o bilhete, ameaçar mostrar à mulher? Tia Letícia acha graça da ingenuidade dos comentários. Como todas ali pensam pequeno! Imagina! José Aureliano sabe muito bem o terreno onde pisa. É empresário escolado, conhece o gênero humano. Por que Gabriela iria se valer de chantagem para lhe tirar dinheiro? Por que recorreria ao desgaste para obter tão pouco, se o que ele oferece é bem mais lucrativo e prazeroso? Tem razão. Tem toda razão. Seja como for, acham prudente eu guardar o bilhete. O seguro morreu de velho.

Tudo isso me vai vindo à cabeça, enquanto me preparo para viver meu grande momento. Para as meninas, sem dúvida alguma, o mais importante na história do casarão. Mais até do que quando homens célebres nos honraram com a visita. Quanta responsabilidade! O futuro melhor de todas ali, até mesmo o de tia Letícia, está de certa forma em minhas mãos. Por isso, compreendem minha ansiedade, meus receios, minhas constantes mudanças de humor. Que eu fique tranquila. Garantem que é insegurança de marinheiro de primeira viagem. Logo passa. Tudo é questão de prática. Apostam que, mais cedo do que se pensa, ponho o empresário no bolso. Faço dele gato-sapato. Outros tantos exageros. Gargalhadas. Quisera que a brincadeira fosse verdade. Não me sinto tão confiante assim.

Toca o bonde, que tempo é dinheiro. Tia Letícia me dá quantia bem gorda para que eu saia com Verônica e compre roupas íntimas. Que não economize e faça um belo enxoval. Encara o gasto como investimento. Verônica e eu nos divertimos nas lojas. Cumprimos as recomendações à risca. Tudo muito engraçado. E intenso. Em uma das compras, para espanto das vendedoras, chegamos a nos abraçar e beijar emocionadas. Demonstração incontida de amor e afeto. Nenhum pudor em público. Como é possível? O tato. Sempre o tato a me dizer como devo agir. É que, enquanto escolhemos uma peça ou outra, sem querer a conversa bate no meu passado, em tudo o que eu já enfrentei na vida, as perdas, as tantas superações. Nos damos as mãos. É o bastante para desencadear a cena toda. Verônica lembra o dia em que foi me buscar na favela Santa Marta com tia Letícia. Eu, uma menininha. Céus! Parece que foi ontem e parece que foi há milênios! E, de repente, estamos as duas ali, a comprar roupas de baixo para mim. Como se ela fosse minha irmã mais velha, sábia, experiente. E eu a jovenzinha excitada, em vésperas de igreja e lua de mel. Por contraditório que pareça, ao lado de minha amiga, é assim que honestamente eu me sinto.

Agora, trancada aqui dentro, arrumando as gavetas da cômoda, sinto diferente. Camisolas, calcinhas e sutiãs já não me parecem tão inocentes como lá nas lojas. Com uma tesourinha, vou cortando os rabichos de plástico com os lacres. Há um simbolismo no ritual, acredito. E uma identidade. É que me vejo na mesma situação dessas roupas de baixo. Alguém vem e me compra. Depois, para poder me usar, me tira o lacre.

Galileu me observa lá da cabeceira da cama. Diz que eu pare com isso. Nada de culpas! Há vergonhas maiores. E, cá pra nós, que ninguém nos ouça, não sou nenhuma santa, não é verdade? Minha pureza foi perdida muito antes do berço, lá no ventre de minha mãe!

Que exagero. Deteste quando Galileu me sopra esse tipo de fala. Ele sabe que não gosto. Mas não adianta. Parece que lê meus pensamentos. Bom, pelo menos serve para me dar umas sacudidelas, recuperar o ânimo, ver a realidade de forma mais otimista. Admito que tudo tem dado certo para o meu lado. Acabo de entrar em férias no colégio. Passei com notas altas em todas as matérias. Menos uma coisa para me preocupar. Tia Letícia ficou bem impressionada com meu boletim. Acho que também por isso, e não apenas pelo investimento em José Aureliano, foi tão generosa ao abrir a carteira para mim.

As férias de fim de ano caíram realmente do Céu. Terei de dezembro até final de fevereiro para me adaptar à nova realidade. Espero que, ao voltar às aulas, já esteja levando vida normal. Quer dizer... normal no sentido de acostumada à rotina de "puta de um homem só". Que, de resto, minha existência é puro delírio.

Tia Letícia não sabe. Mas com o dinheiro que me deu, além das roupas, entrei numa livraria e comprei *Cem anos de solidão*. Desde novembro, quando descobri Gabriel García Márquez, sonhava em ter o livro que, já pelo título, me seduziu. Solidão contada em anos: mais uma afinidade entre mim e meu amigo Gabito. O livro vive agora em cima da mesa de cabeceira. E ali permanecerá para quem quiser ver. Como marcador, uso a única foto de família que tenho e que estava dentro da "Enseada".

Aquela que vovô Gregório me mostrou, dele com tia Letícia aos 7 anos e vovó Teresa, já de barrigão, grávida de mamãe Luzia. O marcador-fotografia está no capítulo 1, na página em que, de vivos e mortos, Gabito conta o seguinte:

Úrsula não se alterou.
— Não vamos não — disse ela. — Nós ficamos aqui, porque aqui tivemos um filho.
— Mas ainda não temos um morto — disse ele. — E a gente não é de lugar nenhum enquanto não tem um morto debaixo da terra.
Úrsula replicou, com suave firmeza:
— Se é preciso que eu morra para que vocês fiquem aqui, eu morro.

Que fala decidida, que controle. Mal começa a história e já gosto de Úrsula, embora sejamos completamente diferentes uma da outra. Acho que me fará boa companhia nestas noites de solidão e de espera. Afinal, personagem tem vida própria. Pode nos influenciar os pensamentos e os atos tanto quanto nosso mais íntimo amigo. Como qualquer um de nós, interfere no andamento do universo. Intuo que Úrsula, de uma forma ou de outra, entrará em minha vida.

Fecho o livro. Apago a luz. O sono vai chegando aos poucos como se me hipnotizasse com pêndulo e voz monocórdia. Lembranças recentes, projetos, desejos e imagens desconhecidas se misturam. Você tem sono, Gabriela. Muito sono. Ainda falta uma gaveta da cômoda para arrumar. É preciso escolher a roupa que usará no primeiro encontro. Se for preciso que alguém morra para que você fique aqui no casarão, alguém morrerá. Que fala decidida esta sua, Gabriela, que controle. Você não vai decepcionar sua tia Letícia nem a Verônica nem as meninas. José Aureliano Dias se renderá aos seus encantos. Fale com ele sobre *Cem anos de solidão*. Seja verdadeira. Conte de sua amizade por Gabito. Das tantas coincidências e afinidades que os unem. Mostre a redação "As portas". Deixe que ele a conheça pelos seus escritos. Ele é homem educado e culto. Vocês voarão juntos de mãos dadas! Noivos dos quadros de Chagall! Gabriela, cuidado. Cuidado? Sim, cuidado. Devagar no sonho. Pé atrás. E que Deus nunca lhe feche a porta. É que neste seu paraíso, feito por mãos humanas, não há janelas. E as luzes são artificiais. Lembra?

Trança tiara

14 de dezembro de 1982. Terça-feira. Está acertado que José Aureliano Dias chegará às 9 horas da manhã e poderá ficar comigo até as cinco da tarde, se quiser. Isso mesmo. Horário comercial, duas vezes por semana, dias úteis. Determinação de tia Letícia para que não haja dúvidas sobre a natureza do nosso relacionamento. Com o tempo, dependendo do meu grau de profissionalismo e de como as coisas evoluírem, haverá maior flexibilidade quanto à frequência e duração dos encontros. Por enquanto, as opções de passar a noite juntos ou os fins de semana estão fora de cogitação — sempre bom lembrar que ele tem mulher e dois filhos, um lar a ser preservado. Quando eu voltar às aulas, em março, só nos veremos a partir das duas da tarde. Está claro? Claríssimo. José Aureliano também concordou de imediato. Acha a decisão mais que correta. Então perfeito. Negócio que é bom para todos tem tudo para prosperar e dar lucro.

Levanto-me cedo. Vou logo me olhando no espelho. Não estou em meus melhores dias. É que acordei várias vezes durante a noite, cabeça a mil, expectativa natural. Enfim, nada que um bom banho não resolva. Desço para tomar o café. Surpresa. A mesa foi posta com lugar marcado especialmente para mim. Exagero das meninas que, pela mediação bem-sucedida de Verônica, tia Letícia aceitou. Refeição reforçada com tudo a que tenho direito: brioches, ovos mexidos com presunto, bolos, geleias e, detalhe, uma jarra com flores-do-campo. Um luxo!

Tia Letícia já mandou recado. Não vai opinar na minha roupa. Sei como me vestir faz tempo. Mas quer me falar quando eu estiver pronta. Que Verônica vá chamá-la. Ela irá à suíte. Está curiosa para me ver em meu novo habitat preparada para receber o cliente no primeiro dia de trabalho. Levanto as sobrancelhas sem fazer comentário. Aí vem coisa, aposto. Verônica pede para eu parar de implicância. Pelo menos, hoje! Digo que é o nervosismo. Peço desculpas. E também que me passe a cestinha com os *croissants*. Bateu fome.

Às oito horas, já estou mais que pronta e arrumada para receber José Aureliano. Digo a Verônica que tia Letícia pode vir me ver quando quiser. E ela vem. Dá três batidinhas à porta, entra em seguida. Fica admirada ao me ver. Sua pergunta, a princípio, não faz o menor sentido. Me deixa confusa.

— Que cabelo é esse, Gabriela?

— A senhora disse que não ia opinar, que eu me preparasse do meu jeito. A Verônica gostou.

— Não me entenda mal, não é isso. Só quero saber de onde você tirou a ideia.

— De uma revista que tenho guardada há um tempão. Aprendi a fazer e gostei. É a primeira vez que uso. Dá um ar romântico, acho que combina comigo. Não é para eu ser verdadeira? Então?

— Trança tiara.

— É. O nome é esse.

Tia Letícia continua impressionada.

— O que é que está acontecendo, tia?

— É inacreditável. Eu estava usando esse mesmo penteado no dia em que Paulo e eu ficamos sozinhos em casa de papai e acabamos fazendo amor pela primeira vez.

— Tio Paulo?!

— O próprio. Já havia uma atração entre nós. Foi tudo muito rápido e sem pensar. Coisa de gente moça. Meu Deus. Olho para você e parece que estou me vendo.

— Pode ficar sossegada, tia. Vou desfazer a trança agora.

— Não, por favor, não faça isso!

— Por quê?! Quero ser eu mesma, ter a minha cara! Me desculpe, mas não pretendo nem de longe me parecer com a senhora!

— A escolha foi sua, eu não interferi em nada! É apenas uma coincidência!

— Acontece que eu não quero essa coincidência.

— Eu não devia ter falado. Mas realmente me espantei ao vê-la! O penteado ficou excelente em você, Gabriela! Deixe que José Aureliano a veja assim.

Olho-me no espelho. Credo! Tremo só em pensar que possa estar parecida com minha tia mais jovem. Já me preparava para desfazer a bendita trança quando ouço o argumento que me demove da ideia.

— Escute, eu tenho guardada, em meu cofre, uma pasta com os retratos da família. Ficaram todos comigo. Há retratos de seu pai e de sua mãe.

Mal posso acreditar no que acabo de ouvir. Eu sabia que ela devia ter algum retrato, eu sabia! Esses anos todos e nunca me disse nada. A vontade é de entornar o caldo. Mas me contenho. Não se deve ser frontal com quem detém o poder, Gabito me ensinou. Ainda mais hoje, ainda mais agora, quando José Aureliano está para chegar. Nada de rompante adolescente. Vida adulta. Portanto, aguardo em silêncio o que ela tem a me oferecer.

— Não estava em meus planos rever esses fantasmas de papel.

Tia Letícia faz pausa demorada. Conclui com alguma dificuldade.

— Se você não desfizer a trança, prometo mostrá-los a você. Dou minha palavra.

Continuo diante do espelho. Mal posso acreditar que, pela primeira vez, verei algum retrato de papai e mamãe. Será foto de longe? Será foto de rosto? Conhecerei meu pai de corpo inteiro? Dou minha resposta sem me mover do lugar.

— *Touché*. Eu não desfaço a trança e a senhora me mostra os retratos.

Pelo espelho, posso ver que tia Letícia acena positivamente com a cabeça. Forçando naturalidade, emenda comentário de modo a encerrar o assunto.

— Obrigada por manter o penteado. Ele significa muito para mim.

Tia Letícia me deseja boa sorte e sai sem dizer a que veio. Ficou realmente perturbada com o que viu. Nem reparou no *Cem anos de solidão* em cima da mesa de cabeceira. Ela que presta atenção em tudo e nos mínimos detalhes.

Olho o relógio. Ainda tenho meia hora para me refazer da emoção. Acho que ainda não caiu a ficha. Retratos de papai e mamãe! Depois de anos e anos. Assim. Do nada. Por causa de um cabelo que encontrei numa revista. E tio Paulo. Bem safadinho, também. Que família! E não sei da missa a metade — como vovô costumava dizer.

Quem é esse homem?

Quer saber do que mais? Bendito penteado! Por causa dele, José Aureliano fica meio que esquecido. Não estou nem aí para o primeiro encontro. Nervosismo? Nenhum. Ansiedade? Nenhuma. O homem todo-poderoso estando para chegar e meu pensamento longe. Não preciso de ninguém aqui na suíte me fazendo companhia, vou logo avisando. Nem da Verônica. Todas as meninas se admiram de, já na estreia, eu preferir ficar sozinha à espera do cliente. Essa é profissional, Clarice comenta. Está no sangue, Virginia acrescenta. E ainda conclui: imagina isso daqui a três anos e com prática! Risos e uma série de outras gracinhas só para me provocar. Ouço e não me importo. Até me divirto. Não lhes passa pela cabeça que a calma se deve a prioridades da mente e do coração. Minha curiosidade está toda voltada para a pasta de retratos guardada no cofre de tia Letícia. Não sobra espaço para mais nada. Com os retratos haverá algum fato desconhecido a ser revelado, alguma nova informação, alguma peça do meu louco quebra-cabeça familiar. Nele, me concentro. José Aureliano é apenas um estranho que chega. Terá de mostrar serviço se quiser participar de minha trágica e tortuosa história. Levará tempo, acredito.

Nove horas em ponto. Batem à porta. É Verônica. José Aureliano Dias chegou. Quer saber se pode mandá-lo entrar. O quê?! De repente, nervosismo, timidez, sei lá. Verônica está preocupada, eu vejo. Disfarça a emoção, repete: mando o homem entrar ou não? Minha falsa segurança foge pela porta. Fico parada, sem reação. Assusta-me ter de decidir assim de supetão. A voz quase não sai.

— Calma! Me dá só mais um minutinho!

Verônica responde no mesmo tom, quase segredando.

— Ele já está aqui no corredor, Gabriela!

— Quem mandou ele subir?!

— Sua tia, é claro, quem poderia ser?! Vocês têm um encontro, lembra?

— Encontro? Jura?

Riso nervoso. Não é hora para piadinhas, eu sei. Sinto-me ridícula. Envergonhada de mostrar tanto medo diante da Verônica. Ela segue quase inaudível.

— Fica tranquila, vai dar tudo certo. Hoje é só conversa, vocês vão se conhecer. Só isso.

— Tem razão. Eu sou uma idiota completa.

— Você é de carne e osso! É linda e maravilhosa! E eu te amo muito! Coragem, moça!

Nos abraçamos com força. Custamos a nos desprender uma da outra. Mas agora chega, que o todo-poderoso está lá fora impaciente.

— O.k., tudo bem. Pede para ele entrar. E seja o que Deus quiser!

Da porta, Verônica cruza os dedos, me manda um beijo e sai. Respiro fundo. Agora, é comigo e com José Aureliano. Só de pensar, as pernas tremem. Fico me repetindo que hoje é apenas conversinha boba. E na quinta também vai ser. Ele que não se atreva. Sexo, só quando eu quiser. Carícias e beijos, idem. Eu é que digo quando e como. O trato é esse. Normas do casarão observadas há anos e anos por todos os clientes. Sou puta recatada. E virgem ainda por cima! As pernas tornam a tremer.

Não posso ficar em pé aqui feito um estafermo sem nem saber o que fazer com as mãos. Melhor me sentar. Mas onde? Olho ao redor, dou com Galileu na cabeceira da cama. Corro para ele. Instinto infantil, medo adolescente ou o quê? Me apego com meu carneiro como se fosse santo protetor. Peço a ele para me dar força e coragem. Beijo-lhe o focinho — beijinho de esquimó. Ajeito com cuidado os seus óculos, faço festa na sua lã. Preciso de pelo e não de pele, descubro. José Aureliano entra.

— Olá, Gabriela.

A voz grave me desperta, viro-me de imediato. Não esperava já vê-lo tão perto.

— Acho que você não me ouviu bater.

Não ouvi mesmo. Estava longe com Galileu. José Aureliano percebe meu nervosismo. Sorri — parece gostar deste meu primeiro sinal de fragilidade. Retribuo o sorriso, meio que encabulada. Sem entrar em detalhes, vou explicando a ele a história do meu amigo Galileu e como ele veio viver comigo. Falação boba, só para ter assunto, me acalmar diante do estranho.

— Mal chego e fico sabendo que tenho concorrente. E o bandido já frequenta a nossa cama!

Embora maldosa, a brincadeira não me ofende. Pelo contrário, me faz rir. Acho que é um jeito divertido de me conscientizar sobre nós dois. Nos olhamos em silêncio como se nos examinássemos. À primeira vista, José Aureliano inspira confiança. Mas há algo nele que me incomoda. O que for, descobrirei com o tempo.

— Não quer sentar? A cama é imensa. Tem espaço de sobra!

Ele aceita naturalmente o convite. Aproveita, aproxima-se um pouco. Seu movimento é preciso. Cuidadoso, mantém alguma distância — intimidade na dose certa. Pela iniciativa, dá a impressão de que me obedece. E de que não fará absolutamente nada que me desagrade. Melhor assim.

Nossa conversa começa a fluir com mais facilidade. Um assunto puxa outro. Nada de muito sério. Amenidades. Acabamos falando sobre nós dois, é claro. José Aureliano joga aberto. Estratégia ou o quê? De cara, confessa que ficou alucinado por mim só de me pôr os olhos. Jura que não foi fetiche por eu estar com o uniforme do colégio. Não, nada disso! Foi a maneira irreverente como eu o cumprimentei, o olhar, o sorriso que até agora não sabe se ingênuo, se depravado. A impressão era a de que já nos conhecíamos intimamente, como se já houvesse um código secreto entre nós que eliminasse qualquer tipo de censura ou pudor. Chegou a ficar assustado com o que sentiu. Desejos inconfessos até, misto de culpa e prazer. Algo estranhíssimo. Armadilha do destino, desatino, não faz ideia. Depois, minha trágica história, contada por tia Letícia de forma tão displicente, acabou por enredá-lo de vez. Que jogo era aquele?! Havia jogo?! Por que se via assustado feito um menino diante daquela situação? Inteiramente nova para ele — admite. Por que, ao mesmo tempo, via-se onipotente como um deus, capaz de remover qualquer obstáculo só para me possuir? Que forças fui capaz de desencadear dentro dele? Quem seria eu? Anjo ou demônio? Não sabe explicar. Ou melhor. Sabe, sim. E muito bem. Falta apenas descobrir como dizer. Comigo, precisa de tato. Muito tato, ele pressente.

Foi ao casarão por mera curiosidade. Já tinha ouvido falar do talento das meninas. Queria conhecer de perto, experimentar. Nada mais que isso. Para ele, o que vale é conhecimento prático, vivenciar a fantasia ou o que seja. Depois, é tirar de cabeça e seguir em frente — fantasia realizada é brinquedo brincado, perde a graça. É preciso estar livre para novas e excitantes aventuras. Ainda é homem novo, viril, saudável. Muita estrada pela frente. Se não se jogar agora na vida, quando o fará? Depois de velho e impotente?

Como já conhece bem minha história, pergunta se também não quero saber um pouco sobre ele. Lógico que sim. Acho ótimo. Com tanta informação que chega, as horas voam. Duas da tarde e ainda nem pedimos o almoço. Quero ouvir mais e mais. Não perco palavra do que ele diz. É palestra, é aula que me excita, porque eu sou o tema. O centro das atenções, como sempre. E ele, professor com vasta experiência, é também o aluno aplicado que se esforça para me entender. Quer situação mais contraditória? Dou corda, incenso a vaidade do lado de lá e ele fala e fala. Assim, vou aprendendo sobre José Aureliano Dias, o homem que me comprou.

Diz que é empresário, gosta de assumir riscos elevados, apostar alto. Para ele, é tudo ou nada. Sempre foi assim, desde menino. Traço marcante de sua personalidade. Quer o dez ou o zero. Os medíocres e medrosos que se contentem com o cinco e meio. Considera-se bem-casado. Tem dois filhos homens, adolescentes, idade difícil. Gosta da mulher. Não sabe dizer se a ama — que amor é assunto polêmico e bastante complexo. Na teoria, é uma coisa. Na prática, é outra bem diferente. Melhor então deixar quieto e não se aventurar em terreno pantanoso. O sexo em casa continua bastante animado, levando-se em conta o casamento de anos. O empenho de sua esposa para agradá-lo na cama é facilmente explicável. Ela própria tem interesse em manter vida sexual ativa — recomendação da endocrinologista, endossada pela professora de ioga, que ela segue à risca, porque quer manter a forma e a saúde. Que, aliás, estão ótimas. Portanto, a questão não é falta de sexo. Longe disso. Para ele, o que pega é o seguinte. Dois pontos. Úrsula é mulher independente.

— Úrsula?!

— Sim, Úrsula. Por que o espanto?

— Nada, não. Gosto do nome.

Enfim, como ele dizia, Úrsula é mulher rica, tem dinheiro de família. Não depende de ninguém para nada. Viaja sozinha para tudo que é canto. É liberal, inteligente, bonita. E querida. Tem muitas amizades. Aqui e espalhadas pelo mundo. Não descuida dos compromissos sociais. Nunca. Também gosta de receber, de dar jantares e recepções. Agenda mais que movimentada e que ela cumpre com rigorosa felicidade, se é que isso existe. Rigorosa felicidade.

Conheceram-se no início dos anos 1970, numa festa. Não se desgrudaram mais um do outro. Foram para a cama na mesma noite. Nada de mais. Já era comum, naqueles anos. Ela vinha de vários relacionamentos e ele, também. Foi química, fissura, coisa de pele. Passaram a se ver com frequência. Descobriram interesses e ambições em comum e acabaram se casando com as bênçãos das respectivas famílias. Renomadas e respeitáveis.

— Se o sexo entre vocês ainda é tão bom, se ainda há tanta atividade, como você diz, quem garante que comigo, insegura e inexperiente do jeito que sou, você terá mais prazer?

José Aureliano olha o relógio. Pergunta se quero mesmo saber. São quatro da tarde e nem almoçamos. Sugere, pelo menos, um pequeno intervalo para pormos alguma coisa no estômago. Uma refeição leve, um lanche, talvez. Parar agora?! De jeito nenhum! Digo que estou ótima, que prefiro terminar a conversa para depois comer com calma. Sozinha, de preferência.

— Então? Por que essa fixação em mim? Só o cumprimento simpático de uma adolescente bobinha não é capaz de desencadear todo esse desejo que você diz. Que fantasias você tem aí nessa sua cabeça? Que prazer espera?

— Esse que já estou recebendo. E que não tem preço. As flores de laranjeira que lhe enviei, e que estão ali naquela jarra, não significam nada para você?

— Claro que significam. Pureza, inocência. Tudo o que eu não tenho. Está comprando gato por lebre.

— Tenho perfeita noção do que estou comprando e do preço que estou pagando.

— Será?

— Você ainda é uma criança, Gabriela. Cheia de vida, poesia e sentimentos bons. Não foi por acaso que hoje, ao entrar aqui, surpreendi você abraçada com seu amigo de pelúcia.

O jeito paternal de José Aureliano me fragiliza. Vontade de acreditar no que acabo de ouvir. Reajo.

— As aparências enganam.

— Você fica ainda mais linda com esse ar petulante. Difícil resistir.

Súbito contraste. O elogio e o tom lúbrico com que é feito me incomodam. Como se fizessem soar algum alarme dentro de mim. Mecanismo de defesa? Quem é esse homem?

— Já tive várias mulheres. Todas fáceis. Todas. Inclusive, Úrsula. Nelas, nenhuma resistência que me atiçasse o desejo ou valorizasse a conquista. Todas vieram como as frutas sem graça dos galhos de baixo. Nunca tive de me esforçar para alcançá-las. Não sei se pelos meus encantos. Ou pelo meu dinheiro.

Pela primeira vez, sinto ressentimento na voz de José Aureliano. Ele fica em silêncio por alguns instantes. Volta com nova queixa. Fala agora como adolescente que se vê diminuído diante dos colegas de turma.

— Todas, sem exceção, já haviam passado pelas mãos de outros homens. Esta, talvez, minha maior frustração. Nunca sangrei uma virgem.

A expressão "sangrar uma virgem" me soa agressiva. Quase como ameaça, desejo guardado de vingança. Se bem que é assim que acontece, eu sei. Tininha já havia me prevenido. Primeiro, a gente sangra para ficar moça. Depois, sangra para se tornar mulher. Muito sangue para o meu gosto, repito. Olho para José Aureliano. Vejo que, no desabafo, ele foi honesto.

— Que adianta eu ser virgem, se minha entrega será por dinheiro e não por amor?

— Já disse a você que amor é assunto polêmico e bastante complexo. Não me interessa. Para mim, a sua inexperiência, o seu rosto lavado, a sua história de solidão e desamparo, tudo isso é verdadeiro e inédito. Sangrá-la será nosso ritual de casamento. Terá a solenidade e o significado de uma noite de núpcias. Acredite.

Novamente, José Aureliano fala em me sangrar. Em nenhum momento usa as expressões fazer amor ou fazer sexo ou algo semelhante. Acho estranha a insistência. Me assusta. E se eu não sangrar? As meninas me disseram que é possível e, algumas vezes, acontece. Melhor não pensar nisso por enquanto. Meu cliente volta a olhar o relógio. Parece que quer utilizar até o último segundo a que tem direito.

— Ainda temos algum tempo. Posso lhe fazer um pedido antes de ir?

— Claro que pode. Se vai ser atendido é outra coisa.

Embora fale com delicadeza, José Aureliano é direto.

— Não gostei desse penteado. Prefiro seu cabelo soltinho, como no dia em que te conheci.

O tipo de observação, e agora no final, me surpreende.

— Por que não me falou antes?

— Não quis parecer indelicado. Poderia inibir nossa conversa.

— Imagina. Desfaço a trança agora. Pra mim, vai ser até um alívio.

— Sério?

Para provar, começo a tirar os grampos do cabelo.

— Espera! Assim dessa maneira apressada, não.

Paro e pergunto por quê.

— Gosto de ritual, você já sabe. Posso ajudá-la?

Ainda não me sinto preparada para que José Aureliano me ponha as mãos, mas lembro-me de tia Letícia se referir a ele como "o homem que nos vai redimir". O simples fato de ele se oferecer para desmanchar a trança me parece simbólico. Ainda mais a trança que acabei usando por imposição de um acordo familiar. Embora com firmeza, respondo em tom de brincadeira.

— Tudo bem. Desde que você não vá além dos cabelos.

José Aureliano abre um sorriso de menino travesso, que o torna irreconhecível.

— Pode confiar, Gabriela. Não farei nada que a desaponte. Nunca.

Fico sentada de costas. José Aureliano cumpre o que diz. Levemente, e com o maior cuidado, me vai tirando, um a um, os grampos do cabelo. Depois, como se realmente cumprisse ritual, me vai soltando os nós e desfazendo a trança. Difícil expressar em palavras o que sinto. Alívio, gratidão, bem mais que isso. Há outros tantos nutrientes que, por seu intermédio, me vão chegando e não consigo identificar. De seus dedos, emana eletricidade. Energia que, de alguma forma, nos conecta. O tato. Sempre o tato a me dar as pistas, os sinais. Por fim, terminado o trabalho, me corre vigorosamente as mãos espalmadas por dentro dos cabelos para soltá-los de vez. Repete o movimento com automática naturalidade. Nenhuma intenção de ser sensual. Meu corpo todo percebe o gesto que, embora viril, revela desinteressada doação. Por isso, meu forte arrepio de prazer e o desarmado desejo de entrega. Em sintonia — infantil, adolescente, sendo eu mesma — balanço a cabeça e desalinho os cabelos, a meu gosto, sem nem precisar de espelho. Sinto-me confortável, livre ou algo parecido. Bem-alimentada, viro-me para ele.

— Melhor assim?

— Perfeito.

Rimos os dois. Feito duas crianças, dois loucos ou o quê? Cinco horas em ponto. Batem à porta. É Clarice para avisar que o tempo de José Aureliano acabou. Ele me olha com os mesmos olhos e sorriso de menino travesso. Quem é esse homem?

— Obrigado por ter me deixado soltar os seus cabelos. Você deveria usá-los sempre assim.

— Vou usar.

— Nos vemos na quinta.

— É. Na quinta.

— Às nove?

— Às nove.

— Mas com direito a almoço, pelo amor de Deus. Estou faminto.

Acompanhado de Clarice, o cliente vai embora. A porta fica entreaberta. Somando e subtraindo, o saldo da visita me parece positivo. Mais prazer que medo, mais esperança que dúvida. A impressão que tenho é de que José Aureliano voltará correndo, passará pela fresta e virá me ver com o pretexto de que terá esquecido algo. O pensamento romântico me faz bem, me leva a indagar: nossa relação incomum será casamento às avessas? Com tanto interesse em jogo — como nos casamentos — haverá chance para o amor? Quem poderá dizer? Vou até o espelho e me dispo diante de mim mesma. Nenhuma vergonha de, começando por fora, querer me conhecer, descobrir a verdade. Me faço festa como quem protege. Como quem cuida do pouco que tem. Sinto o corpo viçoso e a alma tenra — é possível? Isso, porque José Aureliano apenas tocou os meus cabelos. Ainda nem provou a minha pele. Meu preço não foi fixado por mim. Quem poderá me avaliar com precisão? Deus? De lá do corredor, uma brisa passa pela porta. As flores de laranjeira exalam inesperado perfume. Será resposta? Ou resto de vento?

Sobre a mesa de cabeceira, *Cem anos de solidão*. José Aureliano nem notou o livro de capa vistosa. Saiu de dentro daquelas páginas e não se dá conta. Úrsula, sua mulher, também terá saído, e seus dois filhos. Em nosso solitário desamparo, todos saímos ali de dentro. Tia Letícia, Verônica, as meninas. Meus mortos todos. Até Gabito. Principalmente ele. O primeiro a sair ali de dentro. Para vir me assombrar.

Lúcidas e de olhos abertos

Pelo que percebo, esta terça-feira será bastante lucrativa para o casarão. Final de tarde e o entra e sai de clientes ainda é intenso. Caminhando em direção aos quartos, já de braços dados com seus novos pares, as meninas parecem mais inspiradas que nunca. Cruzo com uma e com outra. Risos, alegre movimento. Hoje, o romantismo está em alta, é o prato do dia no puteiro. Frida e Virginia — que descansam no intervalo do expediente — confirmam. O clima de envolvimento amoroso contagiou todo mundo. Impressionante. Namoros, noivados, casamentos com juras de amor eterno: parece que as meninas combinaram oferecer as mesmas fantasias o tempo inteiro! Transmissão de pensamento, perversões de Eros ou o quê? Melhor nem perguntar. Mistérios insondáveis do sexo! O importante é que, pelas caras de jovial felicidade, os clientes estão adorando o brinquedo. Esquecem amarguras, ressentimentos, decepções. Fica tudo lá fora, na rua, nos escritórios, nos lares. Aqui, acreditam piamente que a comunicação entre homens e mulheres é possível e, por extensão, o entendimento entre os seres humanos. Sentem indizível prazer por desprezarem o controle, o domínio ou a posse. Estão em boas mãos. E gozam e gozam e gozam. Depois do êxtase de tal entrega, acham-se ridículos pela vida insana que levam. As velhas competições inúteis em casa e no trabalho. Pura perda de tempo, quando a vida tem tanto a oferecer — confessam envergonhados, firmes no propósito de mudar. As meninas não levam fé. Já ouviram essas promessas antes.

Influenciada pela atmosfera ao redor, e do jeito que é curiosa, Clarice vai logo perguntando sobre o meu encontro. Se houve beijo, se fiz carinho ou se, ao menos, peguei na mão. Digo que foi bem melhor do que eu imaginava. Depois, com calma, conto os detalhes. Agora, não dá, estou cansada. Quero é saber onde anda a Verônica. Por que não foi ao meu quarto buscar José Aureliano para acompanhá-lo até a porta? A função é dela. Clarice fica magoada. Pensou que eu fosse me alegrar ao vê-la como substituta improvisada.

— Pelo amor de Deus, Clarice. Não dramatiza. Achei engraçado ver você fazendo as honras da casa no lugar da Verônica, só isso.

— Ela e sua tia Letícia estão há horas fechadas no escritório. Não faço ideia do que seja. Deve ser alguma coisa importante. Só pode.

— Eu vou lá.

— Come primeiro, menina!

— Você acha que eu consigo?!

— Você está só com o café da manhã, Gabriela. São quase seis da tarde!

Nem dou ouvidos. Vou direto ao encontro das duas. Preciso saber que coisa importante é essa. Elas também devem estar esperando notícias sobre meu desempenho com José Aureliano Dias. Então? Ótimo pretexto para bater à porta do escritório e interrompê-las. Verônica mostra satisfação ao me ver entrar.

— Nossa! Até que enfim!

— Soube que você e José Aureliano nem pediram o almoço! Será que minha sobrinha já é mulher e ainda não sabemos?

— Nada disso. Foi só conversa mesmo. Mas correu tudo bem. O diabo não é tão feio quanto parece. Pelo menos, na primeira impressão.

Para tia Letícia, não é surpresa alguma. Apostou desde o início que eu me sairia melhor do que a encomenda. Na minha frente, pergunta a Verônica se não é verdade. Se não garantiu que eu, com esta minha carinha de santa do pau oco, não iria botar o moço direitinho nos conformes. Viu? Não deu outra. E isso é apenas a abertura do primeiro ato. O melhor ainda está por vir. Podemos dormir tranquilas, que o futuro do casarão está garantido — diz com a segurança de quem eleva a aposta e põe o dobro de fichas na mesa.

— A Clarice me falou que vocês estão trancadas aqui faz tempo. O que foi?

Fico sabendo que Belarmindo Cruz morreu agora de tarde. Aneurisma. Puft — uma das artérias principais rompeu assim de repente. O infeliz ainda chegou com vida ao hospital. Durou pouco. Os médicos nem chegaram a operá-lo. Não havia mais nada a ser feito. Um homem de aparência forte e ainda relativamente novo. Cinquenta e poucos anos. Mas abusava de tudo: do cigarro, da bebida, das gorduras, dos doces.

— Da minha paciência, também.

O comentário de Verônica mostra alívio. Nenhuma pena. Sai quase como um "já foi tarde". A que tia Letícia acrescenta, com absoluta indiferença, um "que Deus o tenha e a nós não desampare". A razão desse completo descaso à memória do falecido? É que, de uns tempos para cá, além de estorvo, o quase sócio se tinha transformado em problema realmente sério para o empreendimento.

— Como assim?

Suas exigências eram cada vez maiores. Aumento na participação dos lucros, indicação de amigos para frequentar de graça o casarão e, pior de tudo, chantagem.

— O quê?! Chantagem?!

Exatamente o que eu ouvi. Chantagem, sim. E das piores. Das mais baixas. Quando soube do acordo entre nós e José Aureliano — porque os amigos não poderiam continuar usando a suíte principal — ameaçou levar o caso à imprensa se não aceitássemos compensá-lo, abrindo o casarão às segundas-feiras para uso exclusivo de seus cupinchas. Tia Letícia vira bicho só de lembrar.

— Imagina se eu ia aceitar uma coisa dessas! Quebrar minha promessa às almas do purgatório! Nem sob tortura! Ele que fosse pros jornais, pra polícia até!

— Quando começou isso, tia?!

— Faz uma semana, se tanto. Mas eu bem que avisei a ele. Olha, Belarmindo, com essas coisas não se brinca. Você está cutucando morto com vara curta. Se o acordo com o José Aureliano vier a se concretizar, posso até aumentar o seu percentual nos lucros, mesmo sem você ter indicado o nome dele ou sequer participado das negociações. Mas abrir o casarão às segundas-feiras, e para seu uso exclusivo ainda por cima!, só se Jesus Cristo em pessoa baixar aqui e me autorizar. Ele lá quis saber? Foi mexer no que não devia. Fez pouco da minha devoção com as almas e continuou me aporrinhando com essa história. Determinou até um prazo para eu me decidir.

Verônica completa.

— O prazo venceria hoje. No dia do seu primeiro encontro com José Aureliano, você acredita?

— Cruz-credo! E eu que não sabia de nada disso!

— A gente até pensou em lhe dizer, mas, depois, sua tia achou melhor não falar.

— Eu, como sempre, querendo poupar você.

Incrível. Tia Letícia nunca perde a oportunidade de um marketing pessoal para me esfregar no rosto o que faz por mim.

— Mas chega de falar nesse infeliz. Para o bem de todos e felicidade geral do casarão, Belarmindo Cruz é assunto literalmente morto e sepultado.

— Você acertou, Letícia. José Aureliano veio mesmo para cumprir missão e nos trazer sorte. É inacreditável que Belarmindo tenha morrido justo hoje. Parece sinal divino.

Tia Letícia levanta as mãos para o céu, concorda com satisfação. Certamente agora, do lado de lá, o ex-sócio interesseiro agradecerá o nosso hábito de abstinência sexual às segundas-feiras em consideração à sua pobre alma. Que descanse em paz — complementa. Depois, pede a Verônica que se retire. Precisa ter uma palavra a sós comigo.

— Claro. Sem problemas. É até bom ver como andam as coisas lá com as meninas. O dia está bastante agitado. Mas, felizmente, só boas notícias.

Junto com o comentário, Verônica bate três vezes na madeira, pede licença e sai. Silêncio de tempo dramático. Tia Letícia parece cronometrar os movimentos. Vem em minha direção, chega perto, afaga os meus cabelos.

— Você desfez a trança.

— Não fui eu. Foi José Aureliano. E a pedido dele.

— Uma pena. Era um penteado ingênuo, gracioso. Dava um contraste a esse seu jeito espevitado.

— Na senhora, o contraste deveria ser o mesmo. Quem sai aos seus não degenera.

Tia Letícia acha graça, não leva meu comentário à ponta de faca. Também me desarmo. Dou satisfação. Falo com delicadeza.

— Foi só no final do encontro que ele me pediu para usar o cabelo soltinho. Como naquele dia em que me conheceu. Pode ficar tranquila, eu cumpri nosso acordo. Quis apenas ser gentil com meu cliente. Acho que agi certo.

— Claro que agiu.

— Sem intenção alguma, aticei o desejo dele por mim. De modo natural, permiti que ele pusesse as mãos em meu corpo sem tocar a minha pele. Foi uma conexão muito forte. No limite desejado. Ele se surpreendeu com o que sentiu. E eu, também. Mas me contive. Embora sentisse o desejo, não o liberei a descer as mãos até o meu pescoço. Pele é química séria — aprendi com as meninas. Nosso tempo também já estava se esgotando. Isso ajudou.

— Você é uma profissional. Nenhuma de suas professoras teria feito melhor.

— Não vejo mérito nisso. Foi por acaso, pura intuição.

— Só faz confirmar o que eu disse. O seu talento está dentro de você. As aulas que recebeu serviram como roteiro e nada mais.

— Que bom que a senhora pensa assim.

Tia Letícia volta a se abancar à mesa de trabalho. Ali é a sua trincheira. Ali, mantém distância e se resguarda. Ali, prepara novas investidas. Enquanto confere algo na agenda, pergunta se não quero me sentar um pouco. Há coisas importantes que precisa me dizer. Promete não demorar, sabe que meu dia foi longo e que estou apenas com o café da manhã.

— A primeira é que agora somos sócias.

— Sócias?!

— Modo de falar, é claro. Mas devo ser justa. O que eu mais abomino em alguém é a ingratidão ou a falta de reconhecimento.

240

— Concordo.

— Desde que veio morar aqui comigo, você depende de mim. Mas, agora, depois de nosso acordo com José Aureliano, eu também passei a depender de você.

— Bom ouvir isso de sua boca.

— Quero também agradecer o seu empenho. Essa situação não deve estar sendo nada fácil pra você.

— É muita mudança ao mesmo tempo. A cabeça às vezes fica confusa. Mas eu dou conta.

— É preciso estarmos em perfeita sintonia para que tudo continue dando certo. Daqui por diante, Gabriela, vamos ter de superar ressentimentos, respeitar diferenças. Enfim, confiar uma na outra.

— Da minha parte, não haverá problema.

— Será? Tomara que sim. Belarmindo Cruz está morto. E isso facilita bastante o nosso lado. Agora, o caminho está livre para trabalharmos com tranquilidade sem interferência de terceiros. Deus que me perdoe, mas esse aneurisma veio em hora abençoada. Nunca imaginei que a morte de uma pessoa pudesse me trazer tanta satisfação. Estou sendo sincera com você.

— Eu entendo, porque também me alegrei com a notícia. Principalmente, pela Verônica. Ela chorou muito a vida inteira por causa desse sujeito.

— Eu a tenho recompensado por isso. Muitíssimo bem. Já a vida pessoal dela é outra coisa. Não me meto.

— Verônica não tem vida pessoal.

— Bom, isso já é outra discussão. Não vem ao caso neste momento, certo?

— Certo.

— Como eu ia dizendo, é preciso que estejamos em sintonia. A morte do Belarmindo ajudou, mas não é tudo. Muitas questões precisam ser resolvidas entre nós.

— Questões familiares?

— Exatamente. Nossas brigas e agressões. Há males que vêm pra bem. O segredo da caixa de joias de mamãe, a matéria de jornal sobre o Rufino, a pasta com os retratos de família, que você ainda nem viu. Tudo parece nos exigir uma conversa séria e definitiva sobre os Garcia e os Marques.

— Por mim, a gente já tinha tido essa conversa há muito tempo.

— Teria sido o desastre total. Sua imaturidade somada aos meus rancores impediria qualquer tipo de diálogo. Além do mais, éramos como duas estranhas.

— E agora não?

— Você cresceu e eu repensei o passado. Temos interesses em comum e, de certa forma, nos aproximamos. Mas não se iluda. O risco de nos machucarmos é imenso. Ainda existe muita raiva dentro de mim e não sei o que se passa pela sua cabeça. Falar dos nossos mortos é abrir a caixa de Pandora. Todos os males da família virão à tona. Papai, Luzia, Egídio e Paulo não poderão se defender das minhas acusações. Como vai ser isso? Você está mesmo disposta a me ouvir?

— Pelo que vovô me contava, em oposição aos males do mundo, a caixa de Pandora possuía um item valiosíssimo: a esperança.

— É verdade. Se formos ver por aí, alguma chance nós temos.

— Quero ver as fotos e saber de tudo. Cartas na mesa. Prometo que não farei julgamento precipitado.

— Não pouparei você, Gabriela.

— Imagino que não.

— Ótimo. Se você se sente preparada, então estamos combinadas. Amanhã, tiramos o dia para nos passar a limpo.

Tia Letícia dá a conversa por encerrada. Eu, não.

— Preciso fazer um comentário. Não tem nada a ver com o que a gente está conversando.

— Faça.

— Quando foi hoje de manhã ao meu quarto, a senhora não reparou no livro que estava sobre a mesa de cabeceira. José Aureliano, que passou o dia todo comigo, também não notou. Acho estranho isso.

— É claro que eu vi o livro. *Cem anos de solidão.*

— E não falou nada?

— Por que deveria?

— Sei lá. Já tínhamos conversado sobre García Márquez. Das muitas coincidências que me ligam a ele. E que para mim não são apenas coincidências.

— Você continua impressionada com isso.

— Não tem como não estar. Cada dia que passa descubro um novo vínculo com Gabito.

— Gabito?! Já estão íntimos assim?

— É um apelido carinhoso. Só isso.

— Não precisa ficar envergonhada. Verônica já me contou dos seus sonhos com ele e outras coisas do gênero.

Fecho a cara, cruzo os braços, encerro o assunto.

— Gabriela, por favor. Pra que essa tromba? É recaída adolescente?

— A Verônica não leva minha história a sério. E, pelo jeito, a senhora também não.

— Reconheço que existem fortes coincidências. Mas os sonhos e tudo o mais são pura fantasia sua.

Fantasia?! Fantasia coisíssima nenhuma! Fico irritada. Pode dizer que é recaída adolescente, não me importo. Falo mesmo. Sem trégua, vou exibindo dados que provam claramente meus vínculos não só com García Márquez, mas também com sua obra. Além de termos o mesmo nome e de eu ter nascido em 1967, ano em que ele publicou o romance que lhe deu o prêmio Nobel, vim saber que os pais dele se chamavam Elígio e Luisa, nomes parecidíssimos com Egídio e Luzia, meus pais. É pouco? Ele foi criado pelo avô. Eu, também. Até os 8 anos de idade, quando o avô morreu. Igualzinho a mim. Quer mais? Agora, de cara, logo no primeiro capítulo de *Cem anos de solidão*, descubro que o nosso José Aureliano Dias, "o homem que veio nos redimir", é, no próprio nome, a mistura dos Josés Arcádios e Aurelianos Buendía que estão ali descritos! A figura feminina mais forte do romance e que já aparece nas primeiras páginas? Úrsula! Que é como se chama a mulher dele. Que tal? Continua achando que tudo é fantasia, invencionice minha?!

Tia Letícia está visivelmente surpresa. Mas não dá o braço a torcer. Pondera que entre o Céu e a Terra há muita coisa que não se explica. Aconselha-me a não aprofundar tais questões, que só nos confundem a cabeça e não trazem qualquer benefício. Mistério é mistério. Melhor deixar quieto.

Novamente, fico imaginando se eu lhe revelasse o mais impressionante de tudo: que eu já conhecia García Márquez antes mesmo de saber quem ele era. A emoção que senti ao identificá-lo na foto da enciclopédia como o bigodudo que me aparece em sonhos. O homem que me salvou a vida.

Para compensar o balde de água fria, tia Letícia me incensa, diz que tenho inteligência fora do comum e imaginação bastante fértil. Admira minha criatividade. Dom que não só explica meu recente sucesso com José Aureliano como, segundo ela, me tem ajudado a superar situações adversas e mesmo trágicas. E isso é positivo.

Concordo em silêncio. Sinto-me envaidecida com os elogios que recebo. E o que mais?

Por outro lado, puxei ao meu avô Gregório, que vivia num mundo à parte — razão de suas opções equivocadas e de sua ruína financeira. Na minha história com García Márquez o perigo é justo esse. Teme que, a exemplo do pai, eu acabe confundindo o sonho com a realidade. Mas não quer falar sobre isso agora. Vê pelo meu rosto que estou exausta. Melhor ir me alimentar direito, tomar um bom banho e descansar a cabeça. Amanhã, a conversa será bem outra. Conversa difícil. Conversa dura e dolorosa. Porque estaremos lúcidas e de olhos abertos.

Despertar no sonho

O embate será inevitável. O feio e o violento arregaçarão as mangas dispostos a causar destruição. É bom eu estar preparada, Gabito insiste. Sabe que tia Letícia estará extremamente vulnerável. Ponte entre mim e o passado, a ela caberá a pior parte. Muito erro escondido, muita tristeza acumulada. Total desacerto na família. Cobranças antigas, desencontros. Tudo isso será desenterrado. É necessário. Eu mesma quis. Velhas rivalidades virão à tona. Pior. Serão ilustradas por belas e inocentes fotografias — registros poéticos que hoje, limitados ao papel, reproduzem sorrisos apenas. Flashes de alegrias incompletas, frustrações não reveladas. Por isso, nossos fantasmas voltarão dispostos a tudo, tomarão partido, influenciarão as falas, o volume da voz.

Que eu não me intimide. É assim que acontece com todos no planeta. Aflições ancestrais nos são igualmente repartidas. Séculos e séculos a fio. Não importa a religião, a cultura, a raça, o sexo, a classe. Ninguém escapa à herança. De uma forma ou de outra, todos participamos da pancadaria generalizada que envolve os vivos e os mortos. Luta renhida entre o Conhecimento e as Trevas, entre a Liberdade e a Opressão, entre a Compreensão e a Intolerância e entre tantas outras forças poderosíssimas que disputam a nossa mente e o nosso coração. Tudo vive a se digladiar dentro de nós. E é por isso que estamos lado a lado para combater o bom combate.

É verdade. Caí no sono pesado, por puro cansaço, e Gabito logo veio. E me chegou assim de forma clara. Eu, que pensava estar em *Cem anos de solidão*, não estava. Mal comecei a ler o livro, as pálpebras baixaram. Pesadas como as cortinas de veludo dos antigos teatros.

Gabito se diverte comigo, está tudo certo. Não vê desinteresse de minha parte. Haverá tempo de sobra para que eu retome a leitura de onde parei e separe os universos — o meu e o dele.

Vem cá, como é possível estar desperta em sonho, tão descansada e de conversa fiada uma hora destas? Por ansiedade e por toda a expectativa de amanhã, me imaginava exausta e rolando na cama sem conseguir dormir.

Pois é. Acontece. O controle nem sempre está em nossas mãos. Além do mais, este encontro já estava programado. Precisávamos mesmo nos ver. Sei muito bem a que Gabito se refere. Volta e meia me bate insegurança e me pergunto por que todo esse seu empenho em me ajudar tão desinteressadamente. Termos o mesmo nome não nos vincula. Termos datas coincidentes não nos obriga. Qual a explicação para a nossa amizade?

De repente, alguém que não conheço vem para perturbar, causar ruído. Interferência, imagens desconexas. Perco o foco. Vejo vultos zanzando pelo casarão. São parentes? Velhos clientes? Vivos ou mortos? Não consigo identificá-los. Nem idade nem sexo nem roupa, nada. Espesso nevoeiro. O quê? Repete. Não ouço o que Gabito me diz nem o vejo em meio a tanta gente. Desorientada, procuro e chamo por ele.

A turbulência passa — Gabito desdenha o que, em mim, é fruto de medo fantasioso. Admira minha curiosidade petulante. Para se chegar à verdade é preciso mesmo atrevimento. Vai logo me adiantando que por meio da poesia é que nos entendemos. Porque a poesia é que lhe dá fôlego para voar até aqui. Porque a poesia é que me devolverá as asas que tia Letícia, por ciúmes, cortou. Para provar o que diz, Gabito me abre novamente os olhos. Que nitidez, agora! Em um só gesto, vaidoso e arrebatado, suspende as tais cortinas pesadas do antigo teatro. E lá estou eu e José Aureliano dando vida ao beijo de Rodin! E nas jarras, em vez das flores de laranjeira, respiram fundo os girassóis de Van Gogh! Por fim, de uma das janelas do trenzinho caipira, Villa-Lobos, Gabito e eu, emocionados, acenamos aos habitantes de Macondo! Lenços coloridos, cartazes, banda! Todos os Buendía-Iguarán e agregados se aglomeram na estação para nos dar as efusivas boas-vindas!

Para que o espanto, Gabriela? A poesia nos permite viagens fabulosas, de verdade! Gabito afirma que, ao escrever "As portas", permiti que dona Maria Humberta, minha professora de português, nos apresentasse. Outras portas se abriram. Impensáveis portas. Lembra que há poucos dias, por exemplo, caminhando de volta para casa, cheia de paixão distanciada, consegui registrar cenas inacreditáveis com meu tio Paulo. Inaugurei meu diário, imprimi pensamento, materializei realidade que já não existe, reavivei mortos. Confirmei, assim, meu livre acesso a outros planos. Planos paralelos que nascem da poesia que há em mim — se entusiasma.

Isso pode explicar o que nos une, Gabito, mas não como nasceu nossa amizade. Por que escolheu a mim? Uma brasileirinha perdida no alto de uma favela — há milhões de brasileirinhas e milhares de favelas! Nossa amizade? Nasceu muito antes da escrita, ele diz. Um dia entenderei.

Gabito está prestes a fechar as cortinas do teatro. O trenzinho caipira parte da estação levando Villa-Lobos e a população de Macondo. No último vagão, eu vejo, está tia Letícia com Verônica e as meninas. Todos os passageiros, inclusive elas, leem *Cem anos de solidão*. Ninguém se fala, ninguém se vê. Na estação, em um dos longos bancos sem encosto, ficamos apenas vovô Gregório e eu. Ele me põe no colo. Diz que cresci e estou pesada. Começa a cantar, pede que eu o acompanhe enquanto damos adeus aos que viajam: "... lá vai o trem sem destino/ pro dia novo encontrar/ correndo vai pela terra/ vai pela serra/ vai pelo mar/ cantando pela serra do luar/ correndo entre as estrelas/ no ar, no ar, no ar."

No meio da noite

Acordo. Decepção. Me dou conta de que foi tudo sonho. Fecho os olhos para ver de novo, voltar ao lugar de onde vim. Quem sabe ainda alcanço vovô na estação? Quem sabe outro trenzinho virá? Repasso imagens e sensações. Esforço inútil. Gabito não está. Minhas pálpebras fechadas nada mais são que pesadas cortinas de antigos teatros. Sozinha, não tenho força nem fôlego para abri--las. Desisto. Contento-me com o escuro que, agora, é a realidade. Revirar na cama, não. Tudo menos isso. Acendo o abajur, defino meus limites — alguma vantagem haverá em controlar luzes artificiais. Levanto-me. Vou apertando os interruptores que encontro pelo caminho. Preciso de claridade. Assim está melhor. Mas o cenário diante de mim é pobre. Paupérrimo, se comparado com os que vi há pouco. E sem vida. Desculpa, Galileu. Nada pessoal. Preciso sair daqui, andar até a cozinha, tomar ou comer alguma coisa. Qualquer tipo de alimento.

O simples abrir a porta e sair da suíte me trazem algum alívio. A luzinha fraca na parede do corredor não me causa impressão. Corredor é corredor, lugar de passagem, e o pequeno foco cumpre sua finalidade na medida exata: me permite chegar às escadas que dão acesso ao térreo. Passo por algumas portas. Nesta madrugada, quase não há movimento nos quartos. Quase. Porque uma conversa em voz baixa ou alguns gemidos de dor ou prazer sempre vazam pelas frestas. Eu gosto. Mesmo tênues, são sinais de vida, me apascentam. Não me sinto tão só.

Vejo luz na cozinha, crio ânimo com a possibilidade de encontrar alguma das meninas. Uma conversinha à toa neste momento virá a calhar. Se bem que o que eu queria mesmo era poder contar meu sonho. Entender meu sonho.

— Oi, Gabi! Você por aqui no meio da noite? Que novidade é essa?

Minha resposta é correr para Verônica e abraçá-la apertado.

— Que isso, menina? Está tão carente assim?

— Saudade do meu vô. Do tempo em que a gente morava lá no alto do morro, na nossa casinha. Só eu e ele.

Respondo sem me desgrudar. Preciso de gente. Preciso de voz, de cheiro, de tato. Principalmente de tato, para me provar que aqui onde estou é que existe vida. Ninguém melhor que Verônica para me convencer disso. Ela que me sabe pegar com tanto cuidado e carinho. Sempre. Ela que me conhece toda. Por dentro e por fora. A ela, me entrego sem reservas. Confiança absoluta em sua amizade.

— Cuida de mim, cuida?

— Gabi, Gabi... O que é que está acontecendo, amiga?

— Promete que vai cuidar de mim, promete.

— Prometo, querida. Prometo.

— Por toda a vida?

— Bom, aí já não sei. Sou 14 anos mais velha que você.

O tom de brincadeira serve para atenuar meu drama adolescente. Me afasto de modo a olhar para ela. Está sorrindo, eu sabia. Mas é um sorriso triste.

— Você está bem?

— Estou. Por quê?

— Então que cara é essa?

— Nada, não. Bobagem. Estava aqui pensando na vida.

— Duas carentes solitárias?

Verônica ri de si mesma.

— Minha carência é crônica. A solidão, também.

— Você é nova, Verônica.

— Já vou completar 30 anos, Gabi. O tempo passa rapidinho.

— Eu só acho que você vive muito em função da tia Letícia e do casarão. Precisa cuidar mais de você, sair um pouco, conhecer gente nova. Nunca tira férias! Se ao menos você se divertisse no trabalho como as meninas. Nem isso. O que você faz é chatíssimo e de uma responsabilidade doida. Administrar este negócio aqui não é fácil. Desculpa dizer, porque sei que você gosta muito dela, mas tia Letícia sabe tirar o seu sangue direitinho.

— A culpa não é dela. Eu é que fui me acomodando com a situação. Só isso. Mas as coisas vão mudar. Você vai ver.

— Duvido. Mudar como?

Meio da noite. Um encontro por acaso. Duas carentes solitárias. Uma conversa de cozinha. Verônica me surpreende. Confissões de amiga, vontade sincera de mudar, de se dar a conhecer um pouco mais. O momento é favorável. Estamos sós e há silêncio — ideal para falar, ideal para ouvir. A cumplicidade, que começou no primeiro dia em que nos vimos, é a mesma. Sintonia. Verônica está disposta a falar sobre sua vida pessoal — verdadeiro milagre. Antes, me pede desculpas, diz que cheguei ali para que ela me ouvisse e ela falando o tempo todo.

— Para com isso, Verônica. Deixa de ser boba. Você sempre me escuta. Agora, é a minha vez. Vai, desembucha.

Verônica continua. Diz que a morte de Belarmindo Cruz é sua carta de alforria. O quê? Isso mesmo que estou ouvindo. Se eu quiser, ela conta tudo do início. É claro que eu quero e fico logo sabendo que ela chegou aqui por intermédio da madrinha, dona Mercedes, que havia trabalhado como cozinheira na casa de minha avó Teresa. Em 1968, os pais de Verônica estavam passando necessidade e decidiram voltar para o Sul. A vida deles seria uma incógnita e, certamente, não teriam condições de continuar pagando os estudos da filha. Com 15 anos, ela já estava cursando o segundo grau. A madrinha achava uma loucura parar a escola. Foi por isso que procurou tia Letícia e pediu, pelo amor de Deus e pela devoção às almas, que ela ficasse com a afilhada por uns tempos.

— Por que você nunca me contou isso?

— Porque Letícia me pediu. E eu achei que ela tinha razão. Afinal, minha madrinha trabalhou para os seus avós. Eu mesma cheguei a conhecê-los.

— Sério?!

— Eu era pequena e os vi duas ou três vezes. Mas me lembro bem deles. Principalmente de sua avó. Ela era muito bonita.

— Poxa. E só agora eu fico sabendo que você conheceu meu avô. Antes mesmo de eu nascer.

— Pois é. Mas acho que agora foi o momento certo de contar. Amanhã, você e a Letícia vão resolver de uma vez por todas suas diferenças familiares, espero. Se não resolverem, pelo menos vão pôr tudo em pratos limpos. Os fatos ficarão mais às claras. Ela certamente vai comentar minha história com você.

— Por quê?

— Minha madrinha sempre teve adoração por sua tia. Sempre se referia a ela como "uma santa mulher".

Não consigo conter o riso. Santa mulher?!

— Não ri, não, que é coisa séria. Dizia que sua tia foi muito injustiçada por todos e ficou do lado dela na briga contra o seu avô. Mas isso é assunto de família. Não quero me meter.

— Quer dizer que você tinha 15 anos quando veio morar aqui.

— A mesma idade que você tem hoje! O casarão já funcionava havia dois anos. Sua tia administrava tudo sozinha. Dava conta porque o movimento ainda era pequeno. Mas o talento das meninas e as especialidades da casa foram ganhando fama e atraindo novos clientes. O movimento aumentou muito e eu comecei a ajudar a Letícia.

Até aí nada de mais. Verônica demonstrava gratidão. Já estava concluindo o segundo grau e levava vida tranquila graças à generosidade da "santa mulher". Não custava nada colaborar na administração do empreendimento que lhe garantia o sustento e a formação. Acontece que a vida apronta. Principalmente quando se trata de assuntos do coração. Tia Letícia sempre foi mulher atraente, espirituosa, sedutora. E com uma inteligência invejável. As duas acabaram se envolvendo. Por amizade, confiança, interesses em comum, enfim. Verônica diz que também nunca deu muita sorte com os namorados. Não tinha assunto com eles. Logo se tornavam extremamente chatos, possessivos, e a atração inicial sempre ia por água abaixo. Todos medíocres, sem horizonte algum. A convivência com tia Letícia acentuava ainda mais as limitações de seus pares. Verônica confessa que paixão entre as duas, paixão mesmo, para valer, nunca houve. Havia, sim, um amor tranquilo e admiração recíproca. No início, a relação foi maravilhosa, parecia sonho. Pois é. Só que o idílio durou pouco. Quando meu avô morreu e eu caí aqui de paraquedas, tia Letícia já era outra pessoa. Cheia de desconfianças e amargura. Tudo por causa de Belarmindo Cruz. As duas o conheceram em 1974, numa recepção oferecida pelo governador do estado. Tia Letícia sempre teve bons contatos políticos. Convites assim eram frequentes. Ela e Verônica viviam uma fase esplêndida. Resolveram se enfeitar, sair, se divertir um pouco.

Solteirão, boa-pinta, rico e articulado, Belarmindo logo se aproximou, puxou conversa. Falava o tempo todo com tia Letícia. Contou de suas empresas, dos negócios no exterior, das viagens frequentes, da vida movimentada que levava. Conversaram sobre os mais variados assuntos. De política aos filmes em cartaz na cidade. Suas opiniões pareciam coincidir em tudo, a sintonia entre eles era total. Vez ou outra, Belarmindo dirigia o olhar para Verônica, mas apenas em consideração à jovem. O que prometia ser uma noite alegre e divertida transformou-se para ela em tédio profundo. E o pior ainda estava por vir.

Verônica afirma que, às tantas, para seu alívio, o falastrão pediu licença para se ausentar por uns instantes. E foi justo aí que veio a grande decepção. Tia Letícia queria ficar a sós com Belarmindo. Que ela não se preocupasse. Iriam tratar apenas de negócios. Seria importantíssimo para o futuro do casarão. Pediu paciência. Prometeu compensá-la pela frustração que causava. E aí? Embora decepcionada, aceitou. Tudo bem. O palácio era bonito, serviam comida e bebida com fartura, os convidados se divertiam, haveria muito que ver e por onde passear. Ficaram de se falar mais tarde. Mas só se encontraram na hora de voltar para casa, tia Letícia feliz da vida, exibindo o cartão de visita do conhecido empresário.

Já na intimidade do quarto, livre do traje formal, tia Letícia agradeceu a compreensão de Verônica. Que ela tivesse certeza: o sacrifício fora por uma causa nobre. O encontro com Belarmindo Cruz havia sido um sucesso. O futuro delas e das meninas, acreditava, estava garantido. Foram logo dormir. Por razões diferentes, estavam exaustas.

Resumindo a novela, como é sabido, tia Letícia e Belarmindo tornaram-se praticamente sócios. Os negócios prosperaram rapidamente e — aí, sim, surpresa — os dois levaram a bem-sucedida parceria para a cama. A relação dela com Verônica termina nesse exato momento. Nem precisa dizer quem tomou a iniciativa, precisa? Razões expostas com impressionante clareza.

Conversa civilizada, nada traumática. Afinal, o afastamento entre elas vinha sendo gradativo, como se tivesse sido homeopaticamente programado. Vida que segue.

Até que tia Letícia chega ao casarão querendo falar urgente com Verônica. Está arrasada, humilhada, um caco. Por quê?! O safado e ordinário do Belarmindo! Como foi idiota, como foi ingênua ao acreditar que pudesse haver romance entre eles. Bandido, interesseiro! Está indo para Paris dentro de um mês. Encontro importantíssimo com empresários europeus. Precisa de acompanhante, por uma semana, para se passar por sua futura esposa. Tia Letícia ama a ideia. Por esse tempo, o casarão pode funcionar sem sua presença. Adolescente, corre para abraçá-lo e é imediatamente contida. Belarmindo diz que ela entendeu mal. Como assim?! Ele precisa mesmo de uma mulher para acompanhá-lo na viagem, mas não ela. Ahn?! O crápula deixa bem claro que quer a companhia de Verônica. Mais que isso. Exige. Ela é jovem, bonita, excelentes modos e, detalhe importantíssimo, fala francês. Será ótima intérprete. Tia Letícia tenta lhe dar uma bofetada, mas é impedida. Segurando firme o seu pulso, machucando até, Belarmindo ameaça. Que ela não se faça de besta, está comprometida com ele até a alma. Não foi ambiciosa? Não está enchendo a burra de dinheiro? Então é bom ficar calminha e tentar convencer a jovem a aceitar o convite. Vai ser uma oportunidade única! Ir para a Europa com tudo pago! Conhecer Paris!

— Não tive alternativa, aceitei. Cumpri o papel que me foi determinado. Senti imensa pena de Letícia. Nunca imaginei vê-la daquele jeito. Tão desprotegida, tão vulnerável.

— Que loucura, amiga!

— A partir daí, Belarmindo passou a me solicitar cada vez mais e só se encontrava com sua tia para tratar de negócios.

— Acho tudo isso muito revoltante. Não entendo vocês terem se sujeitado.

Dando de ombros, Verônica mostra o sorriso triste de há pouco.

— A verdade é que Belarmindo sempre deu lucro ao casarão. Muito lucro. Investiu alto aqui dentro.

— Mesmo assim.

— Como empresário, era competente, e Letícia tinha consciência disso. Para continuar lidando com ele, passou a usar uma verdadeira armadura. Conseguiu. Acostumou-se à situação. E eu também.

— É por isso que ela diz que o ser humano se habitua a tudo. Até a pancada.

— Entende agora por que a morte de Belarmindo Cruz é a minha carta de alforria?

— O que você pretende fazer?

Verônica diz que pretende tirar férias o mais rápido possível. Viajar para o exterior. Passar um bom tempo longe daqui. Um ano ou mais, quem sabe? Acha que merece se dar esse prêmio. Concordo inteiramente. Dou força, inclusive. Vou morrer de saudade. Nossa! Não consigo me imaginar sem ela por perto. Vai ser barra. Ainda mais agora, com José Aureliano entrando em cena.

— É muito diferente, Gabriela. É outro nível de negócio. José Aureliano é um homem requintado, bem-nascido. Entre vocês, foi tudo acertado antes. Jogo aberto. E termina quando uma das partes quiser. Simples assim.

— Também envolve muito dinheiro. E o futuro do casarão.

— Vai dar tudo certo, você vai ver. E eu não vou sair assim, de uma hora para outra. Acho que preciso de pelo menos um mês para me organizar.

— Que bom. Aí me dá mais um tempinho para eu me preparar psicologicamente.

Verônica olha o relógio.

— Gabi, já são quatro e meia da manhã e a gente aqui de papo! Vamos dormir, menina!

— Tudo bem. Eu estou de férias no colégio, lembra? Posso acordar um pouco mais tarde.

— É, mas eu, não. Tenho um monte de coisa para resolver agora cedo.

Falei que ainda podia ficar acordada com intenção de contar a ela sobre meu sonho e sobre Gabito. Por que será que ela implica tanto com ele? Seria tão bom se a gente se entendesse nesse assunto. Um dia, talvez.

Com o costumeiro afeto, Verônica me abraça boa noite e me beija até amanhã. Nossos corpos se encaixam no durma com os anjos e se aconchegam no você também.

Proibida para menores

Oi, Galileu, olha eu aqui de novo. De volta ao meu quarto. Aos meus "aposentos" — como brinca a Clarice. Nem um pingo de sono. Mente trabalhando, coração a mil. Em vez de conversinha à toa com uma das meninas, papo barra-pesada com nossa amiga Verônica lá na cozinha. É, cara, a vida não é fácil para ninguém. Está pensando o quê? Ainda bem que, pelo que parece, a moça vai dar um jeito na vida. Já era hora. E eu? Como é que fico? Quero só ver quando ela for embora. Um ano ou mais longe daqui. Dá frio na espinha só de pensar. Com tanta coisa acontecendo ao mesmo tempo, melhor esquecer por enquanto, senão enlouqueço. Amenidades. Preciso de amenidades. "A enseada". Lá, meu primeiro caderno de música, é claro! Bem encapado, papel pardo original. Na etiqueta branca com barrinha vermelha em torno, lê-se "Canções brasileiras" — a caligrafia do vovô. Lembranças leves. Não pesam nada, nada. Só alegria solta, felicidade perambulando sem compromisso algum. Bom demais folhear essas páginas de quando minha vida era censura livre. As letras copiadas com capricho: "Carinhoso", "Roda viva", "Fala baixinho", "Pra não dizer que não falei das flores", "Trenzinho caipira"... Amo essa música e a poesia! Sei de cor todos os versos. Começo a cantar, incontida. Villa-Lobos me leva ao sonho de há pouco. Fecho os olhos. Lá estamos o maestro, vovô e eu na estação de Macondo. Celebramos felizes. Gabito chega e propõe o brinde: à Poesia! À Poesia! — respondemos todos, já com nossas taças de champanhe. Me espanto com a nitidez do que vejo, do que sinto. Impossível ser tudo tão real! Volto a abrir os olhos. Meus aposentos, o mundo de verdade. Preciso estar aqui, me fixar aqui! — me ordeno. Nada de sonhos, de voos imaginários com vivos e mortos! Fecho o caderno, fecho "A enseada", fecho o armário. Olho o relógio. Seis e quarenta e cinco. É verão, lá fora com certeza já clareou. Decido sair. Ar, luz, vida! Gente, gente comum! Barulho, a cidade indo para o trabalho! Todas essas exclamações me vão passando pela mente enquanto visto uma roupa qualquer, a que está ao alcance em cima da cadeira, o short e a blusa que usei ontem. Em sequência mecânica, ponho a meia, calço o tênis. Carteira de identidade em um bolso e um trocado no outro. Não é bom ir para a rua sem dinheiro algum — tia Letícia recomenda. Banheiro. Água no rosto, toalha no rosto, duas, três escovadas no cabelo, pronto, chega, nenhuma vaidade, preciso é respirar! Tchau, Galileu! A gente se vê! Chaves na mão, passo batida pelo corredor, desço as escadas voando, não cruzo com nenhuma das meninas. Porta da rua, serventia da casa — abro. A buzina exagerada a esta hora da manhã, os xingamentos que se seguem e a arrancada do carro em velocidade são provas irrefutáveis de que estou no meu mundo de verdade. Povo saindo de casa. Sou agora apenas um número que respira — ainda bem! Ânimo redobrado, encho os pulmões de ar, caminho em direção ao relógio da Glória — nele, o tempo tem quatro faces, todas iguais quando o mecanismo funciona. Paro um pouco mais adiante, em frente ao Palácio São Joaquim — construção triste e imponente onde, tia Letícia me contou, mora o bispo do Rio de Janeiro. Quer se queixar? É aí mesmo — ela sempre diz para me provocar. Queixar-me como? O palácio vive às moscas, nunca vi alguém entrando ou saindo. Talvez porque todos estejam bem

262

satisfeitos ao redor, nada a reclamar. Atravesso a rua, passo pela Vila Aymoré, amo essas casas! Subo a ladeira do Outeiro — modo de ir para o alto sem tirar os pés do chão. Chão. Paralelepípedos. Mundo de verdade. Preciso estar aqui, me fixar aqui! — irei repetir até me convencer. A ladeira é íngreme, requer esforço, transpiração, e isso é útil, é verdadeiro. Aperto o passo, bufo. Dois meninos dormem na calçada, o cimento por travesseiro. O Palácio São Joaquim é tão perto. Podiam ir se queixar ao bispo, única autoridade à mão. E autoridade divina, diga-se. Ufa! Chego ao topo. Inspiro e solto o ar, vitoriosa. Meu Everest em miniatura! A vista é linda e, assim cedinho, exala o perfume de um dia ainda neném. Aqui de cima, o verde, o cimento, o céu e o mar se equilibram em doses harmônicas. Lá embaixo, a praça Paris parece maquete. Acho graça. Vovô queria me levar para ver a cidade bem mais do alto. Não conseguiu. Tenho 15 anos e não conheço o Pão de Açúcar. Nem o Corcovado. Uma vergonha, mas, também, vivo trancada naquele casarão. Durante todo o ano, só saio para ir ao colégio e voltar. Meu mundo de verdade se resume aos bairros da Glória, Lapa e Centro. Conto as vezes que fui à praia em Copacabana ou ao cinema com uma ou outra colega de classe. Muito difícil cultivar amizade. Sempre me desculpo e justifico. Como convidá-las para conhecer minha casa? Vida sempre marginal. Com meus pais, com meu avô, com tia Letícia e as meninas. Não reclamo. Quem me garante que serão mais felizes e menos solitárias que eu? Todas não se queixam dos pais e dos irmãos, da vida que levam? Tantas vezes ouvi. Queixas intermináveis. Acho que é por isso que o Palácio São Joaquim vive fechado. O pobre bispo não daria conta do recado. Um avião da Varig acaba de decolar do Santos Dumont e me faz mudar de assunto. Varig, Varig, Varig! Gosto do comercial. Deu até vontade de viajar. Passar uns tempos longe daqui com a Verônica. Minha melhor amiga. Neste meu mundo, a pessoa mais importante. Pena que ela não se dá com Gabito. Não compreendo a implicância. Que coisa! O avião deu a volta no céu e já vai distante. Vista lá de dentro, toda a cidade deve ser menos que maquete e eu nem existo. Lá de dentro, eu sumo, desapareço. Passe de mágica. Tia Letícia diz que sou doidinha que nem vovô Gregório. Por isso, vivo pensando coisas sem nexo sem parar. Ela diz que eu canso. Ela também me cansa. Empatou. Quero só ver como vaí ser a nossa conversa hoje. Verônica espera que a gente ponha tudo em pratos limpos. Haja sabão! Conto os minutos. Não para a conversa discutida, mas para a conversa ilustrada. Os retratos de família! Relembrar os rostos de meu pai e de minha mãe! Mesmo de roupa, mesmo de papel, ver meu pai de corpo inteiro e não pela metade, cortado pelas águas da cachoeira! Será que tia Letícia tem noção do que isso representa para mim? Amanhã é quinta-feira. José Aureliano voltará para me ver de cabelo soltinho. Ele que tenha paciência. Sexo nem pensar! Não menosprezou as frutas que estavam nos galhos baixos? Não as achou oferecidas? Então. Vai ter que trazer escada comprida para subir na árvore. E, mesmo assim, vai ter que se espichar todo, esticar o braço e a mão para me provar. Risco de levar tombo até. Algum carinho é bem provável que aconteça. Dar a mão, fazer festa nas partes visíveis do corpo. E já está bom demais. Só até aí, senão perde a graça. O que está debaixo da roupa será revelado aos poucos, à medida que eu for ganhando confiança no desempenho dele. Se meu primeiro sexo não vai ser por amor, que pelo menos seja por prazer. Tenho quase certeza de que nossa química vai funcionar. Se pele e cabelo deram tão certo, imagina pele com pele. Do jeito que estou carente, vai até me fazer bem. Tenho é que me policiar, manter as rédeas curtas. Meu corpo será estrada controlada por radar. Ele vai ver. Mais de nove horas da manhã. Preciso voltar ao casarão, descer a ladeira do Outeiro. Para baixo, todos os santos ajudam. Os dois meninos — ascendidos aos Céus, talvez — já não estão. Meu mundo é móvel e mutável, mas preciso me fixar nele! Gabito que me perdoe, mas vou tirar *Cem anos de solidão* de cima da mesa de cabeceira. Nem vou puxar assunto do livro com José Aureliano. Chega de conexões em planos que transito e não conheço. Gabito é amigo fiel, há de entender minha aflição. Necessito de tempo para me pôr inteira. Questão de saúde. Assim como vivo, sou metades, pares de pedaços desencontrados. De que adianta a imaginação me levar às alturas, se a realidade me obriga o chão? A poesia, que nos conecta, me dá asas? A vida vem com tesoura de alfaiate. Sinto-me completamente perdida. Nem lá nem cá. Portanto, não tenho opção. Meu foco estará na realidade. Repete, Gabriela. Realidade. Mais uma vez. Realidade. Muito bem. É por aí mesmo: realidade, realidade, realidade. Como prêmio, uma sugestão. Com esse trocado que você tem no bolso, atravesse a rua e passe ali na Confeitaria Santo Amaro, "aberta 24 horas" — não é o máximo da realidade? Deve estar saindo uma nova fornada de pãozinho francês. Compre dois para o seu café da manhã. Você merece um carinho desses — quentinho, fresquinho, cotidiano. Depois, tome rumo. Você sabe qual. Encare o que vem pela frente, menina. Sua história está apenas começando. Proibida para menores.

Pandora

O preto e branco foi providencial. Não deu intimidade ao tempo, não deixou que ele se aproximasse tanto. Se o retrato fosse colorido, não teria mantido a devida distância, machucaria mais. E seria grande risco. É que a felicidade de papai e mamãe ali era tanta, que um pingo de cor bastaria para fazê-los respirar e saltar do papel.

Pelo que parece, tia Letícia pensou em tudo nos mínimos detalhes. Nosso ajuste de contas? No quarto dela e não no escritório, como eu imaginava. Não acreditei quando ela me disse que estaríamos melhor aqui. Mais protegidas, mais à vontade — palavras dela. As duas, com roupa de andar em casa, sem os sapatos, na cama — a convite dela. Eu, na cabeceira. Ela, nos pés. Aparente contradição. Foi assim que, informalmente, nos acomodamos. Frente a frente, mas sem cerimônia — por consentimento dela.

Aguardo o passado vir à tona, virar presente. Tia Letícia já está com a pasta de retratos nas mãos. Assim que nos pomos estranhamente confortáveis, começo a ter acesso às fotografias. Não por acaso, a que está por cima é essa — a da felicidade superlativa de meus pais. Assim, repito, o preto e branco é providencial. Amortece o impacto que sinto ao vê-los pela primeira vez. Tia Letícia me apresenta a eles sem nenhum drama ou suspense. Total naturalidade.

— Egídio e Luzia. Bem antes de você nascer.

Mesmo assim, ao segurá-los, minha mão treme. E meus olhos se enchem d'água ao conhecê-los. Diante deles, só me ocorre o óbvio.

— Estavam bem alegres.

— Os dois namoravam havia pouco tempo. A foto foi tirada em Petrópolis, primavera de 1963; está escrito atrás.

Enxugo os olhos para ver melhor. Confiro o registro feito com a caligrafia esmerada de mamãe. Volto para a imagem.

— Eram bem novinhos.

— Luzia tinha 20 anos. Seu pai, três anos mais que ela.

Tio Paulo bateu o instantâneo e foi genial ao flagrá-los tomando o café da manhã. Os dois às gargalhadas. Cena de intimidade ingênua que revela perfeita cumplicidade. Tia Letícia elogia. Ele era mesmo bom e rápido ao clicar. Tinha sorte, também. Sempre no lugar certo, na hora certa. Conseguia captar momentos inacreditáveis das pessoas. Alguns, até constrangedores — e se divertia com isso. Recusava-se terminantemente a tirar retratos posados. Nem adiantava insistir. Ele era "o mestre do inesperado", gabava-se. Os precavidos que se contentassem com cenários forçados e expressões dirigidas. Achava ridículos os comandos do chega um pouco para cá, junta mais, vira para o sol, levanta o queixo, está muito sério, sorri. Se tudo arrumado, que graça? Que vida? Que verdade?

— O mestre do inesperado. Incrível isso.

— Por quê? Fui eu que dei o apelido.

— Foi assim que tio Paulo entrou na minha vida: inesperado. Me atirando no chão e me cobrindo com seu corpo. Esta é a primeira lembrança que tenho dele.

— Curioso ouvir você dizer isso. Me reavivou uma cena com ele também me atirando no chão e me cobrindo com seu corpo. Só que não foi para me proteger. Foi para me despir e me possuir à força, apaixonadamente. É a última lembrança que tenho dele. Lembrança triste.

Tio Paulo não foi algoz. Foi vítima. Por isso, tia Letícia não o critica pela atitude arrebatada. Pelo contrário, até o defende.

— Quando conheci seu pai, fiquei imediatamente encantada por ele. Foi um desastre total, porque Paulo e eu já namorávamos havia algum tempo. Tínhamos uma relação amadurecida e nossa cama era muito boa.

Tia Letícia mostra outra foto. Ela e tio Paulo na praia de Copacabana com um grupo de moças e rapazes. Os dois eram quase vizinhos. Vovô ainda tinha o apartamento da Paula Freitas, onde vivia com ela, mamãe e dona Mercedes, que era quem cuidava da casa — vovó Teresa já havia falecido. Tio Paulo alugava um conjugado ali perto, na Barata Ribeiro. Dois anos depois, papai chegou para morar com ele. Meu avô Vicente — que nasceu, viveu e morreu em Montes Claros — pagava o aluguel dos filhos, que vieram de Minas para o Rio de Janeiro estudar medicina.

Outra foto, outra surpresa. Papai, tia Letícia e tio Paulo. Os três abraçados em frente ao antigo edifício da UNE, na praia do Flamengo. Todos na faixa dos seus vinte e poucos anos.

— Foi mamãe que bateu a foto?

Tia Letícia acha graça.

— Sua mãe?! Para nós, ela nem existia. Vivia em outro planeta.

Mamãe era sete anos mais nova e nunca se deu bem com a irmã. Mal se falavam. Os amigos eram diferentes, os lugares que frequentavam eram diferentes, porque os estilos e as personalidades eram diferentes. Tia Letícia conta que, naquele ano de 1962, quando participava das reuniões da União Nacional dos Estudantes com papai e tio Paulo, já levava vida bastante independente. Batalhadora, 26 anos, cursava o terceiro ano de medicina e trabalhava meio expediente no aeroporto Santos Dumont. Das cinco às 11 da manhã. Era recepcionista da Varig. Emitia bilhetes de passagens, chamava voos pelo alto-falante, atendia passageiros e os conduzia até a porta do avião.

— Adorava a vida que eu levava. Nunca reclamei por ter de trabalhar e estudar ao mesmo tempo. Pelo contrário, sempre me orgulhei disso. Não era filhinha de papai. Como Luzia, que sempre viveu à custa do seu avô, mesmo depois de casada.

Tia Letícia quase não parava em casa. Ou estava no aeroporto ou na universidade ou no apartamentinho da Barata Ribeiro com papai e tio Paulo. Os três eram inseparáveis. No início, ela fazia gozação com papai, insistia para que ele arrumasse namorada, tomasse vergonha e deixasse de ser vela do irmão. Falava isso da boca para fora, é claro. No fundo, adorava aquela situação de triângulo amoroso platônico que tanto lhe massageava o ego. Tudo corria tranquilo, os desejos sob controle, a cabeça no lugar, até que tio Paulo aproveitou a semana de folga e resolveu visitar os pais em Montes Claros.

— Não foi fácil. Não foi mesmo. Paulo havia viajado há dois dias. Decidi arriscar uma visita. Parecia que eu já estava pressentindo, porque quando toquei a campainha, meu corpo todo já tremia. Egídio abriu a porta. Quis parecer natural, mas ficou visivelmente nervoso com minha chegada. Me recebeu descalço e sem camisa. Só de jeans. Um jeans surrado, que ele adorava usar. Cabelo despenteado, cara de sono, tinha acabado de se levantar. Ficamos em silêncio por algum tempo, feito dois bobos. Não tínhamos nada para falar. Falar o que, se, naquela realidade de sonho, nosso pensamento era um só? Estávamos sozinhos no apartamento e não haveria o menor risco de sermos surpreendidos. Lembro-me como se tivesse acontecido agora há pouco.

Tia Letícia interrompe o relato. Toma fôlego. Continua. Diz que a iniciativa foi dos dois, ao mesmo tempo, ninguém seduziu ninguém. Foi descontrole, foi impulso, foi instinto. Foi paixão animal, amor, amizade, admiração, cumplicidade, perversão, fantasia, sabe-se lá mais o quê. Tudo misturado, que importa? Comeram-se vivos o dia inteiro e a noite inteira até as quatro e meia da manhã, quando, com dificuldade, se desgrudaram para que ela, atrasadíssima, engolisse um café e mastigasse um pedaço de pão, enfiasse a roupa e saísse direto para o aeroporto. Beijo longuíssimo de despedida e a promessa de que voltaria direto assim que terminasse o trabalho. Horas intermináveis. Cada minuto parecia século! E ela voltou.

— Foi uma loucura, pode acreditar. Passamos os quatro dias restantes na cama feito dois alucinados. Levantávamos para comer alguma coisa e só. Faltei ao trabalho, menti descaradamente para o meu chefe, inventei doença. Até dona Mercedes se preocupou comigo. Menti para ela também. Disse que estava direto no apartamento com os rapazes estudando para as provas. Ela foi compreensiva, como de costume. Se não acreditou, fez que acreditou e tranquilizou seu avô com os discursos de sempre. Que eu era uma menina de ouro, séria, estudiosa, não dava despesa nenhuma e ainda ajudava em casa etc. etc. etc.

Tia Letícia mostra agora alguns instantâneos dela e papai tirados por tio Paulo. O primeiro, numa reunião de estudantes. Outro, no restaurante Calabouço, no centro da cidade. E outro ainda, que ficou célebre, no apartamentinho da Barata Ribeiro: papai e ela, preocupadíssimos sabe-se lá por quê, apagando os cigarros ao mesmo tempo no mesmo cinzeiro. Tio Paulo amava essa foto. Belos momentos. Todos ingênuos, todos fraternos, todos captados quando os dois já viviam, às escondidas e aos sobressaltos, sua aventura amorosa. Apesar de tudo, tia Letícia garante, era o Paraíso na Terra. Tempos radicais, de paixão insana. O país fervilhava. João Goulart, presidente. A imprensa era exclamativa, manchetes sempre em letras garrafais. Revoltas nas cidades e luta no campo por melhores condições de trabalho. Paralisações, greves gerais, aprovação do décimo terceiro salário. Brasil, seleção de ouro, bicampeão mundial de futebol. Apreensão e insatisfação nos meios militares. Manifestações nas universidades, protestos estudantis, marchas, passeatas, *yankees go home!*

— Até que sua mãe, como sempre, entrou na minha vida para trazer infelicidade e estragar tudo. Nem devia me surpreender. Foi assim desde que nasceu.

— Desde que nasceu?!

— Seu avô, pelo jeito, não contou. É claro! Sempre protegendo e encobrindo a filhotinha querida, o xodozinho!

— Do que é que a senhora está falando, tia?

— Que sua avó Teresa morreu de parto.

— O quê?!

— Exatamente isso que você ouviu. O nascimento de sua mãe significou a morte da minha.

Tia Letícia respira fundo, solta o ar abruptamente, como se desabafasse. Cria fôlego.

— Eu tinha sete anos. Fiquei completamente perdida. Papai ainda era muito novo, entrou em parafuso. Todo aquele tamanho para quê? Um fraco. Bebia, vivia chorando pelos cantos. O bafo de bebida era insuportável, a barba por fazer me arranhava o rosto. Nem sei o que seria de nós se não fosse dona Mercedes. Com o tempo, naturalmente, ele foi se conformando. Mas minha infância já estava arruinada. Era um outro mundo, triste, inseguro. Completamente diferente daquele de quando mamãe era viva. E havia Luzia, evidente! Presença totalmente estranha para mim. O estrupício despencou do bico da cegonha e caiu lá em casa, bem dentro do meu quarto! Uma coisa esquisitíssima, que não parava de crescer e chorar e pedir os meus brinquedos. Que ódio que eu tinha! "Tenha paciência, Letícia", "Ela é sua irmãzinha", "O que é que custa emprestar a sua boneca um pouquinho pra ela?", "Deixa de ser egoísta". A ladainha de Mercedes e papai era a mesma. E Luzia chorava, chorava, chorava!

— Ela não tinha culpa. Era uma criança, tia.

— Eu também era! Só que não derramava uma lágrima. Nunca. Queria ser diferente daqueles dois idiotas chorões que me infernizavam a vida.

— E depois, quando vocês eram jovens? Nunca houve uma aproximação, uma conversa de irmãs, nada?

— Já disse. Éramos duas estranhas e nos detestávamos em silêncio. Com os anos, para tristeza de papai e de dona Mercedes, a situação só fez piorar. Tínhamos quartos separados. Mundos separados, como falei há pouco. Uma não sabia da outra nem queria saber. Não havia interesse. Nos suportávamos por obrigação e pronto. Afinal, estávamos debaixo do mesmo teto.

— E como papai entrou na vida de mamãe?

— Foi exatamente o contrário. Luzia é que entrou na vida de Egídio. Entrou, não. Invadiu é a palavra certa.

— Desculpe, tia. Mas não acredito nisso. Ninguém invade a vida de ninguém. Papai deve ter dado algum sinal verde para ela.

— É claro que deu! Um sinal verde-esmeralda! Que acabou com a nossa festa, porque só trouxe briga e desentendimento. Até o fim.

— Não entendo como a mamãe pode ter causado tudo isso.

— Nunca vou esquecer o dia e a situação constrangedora: 20 de janeiro de 1963, feriado de São Sebastião. Paulo, Egídio e eu tínhamos acabado de sair do apartamento, havíamos combinado um passeio em Ipanema e aguardávamos o ônibus no ponto em frente ao prédio. Por essas armações bestas do destino, Luzia parou do nosso lado. Pior. Ela, que em casa nunca me dirigia a palavra, cismou de me cumprimentar com um sorriso e um "oi". Deve ter sido por ironia, deboche, sei lá. Se eu estivesse sozinha, duvido que tivesse feito isso. Teria virado a cara ou até ido para um outro ponto. Não acreditei na cena. O que a cretina estava fazendo ali justo naquela hora? Como eu estava acompanhada, por educação, fui obrigada a devolver "amavelmente" o cumprimento. A minha desgraça começou exatamente aí. Egídio, entradinho, logo quis saber quem era aquela "graça", se eu não iria apresentá-la ao amigo "vela". Enfim, me devolveu irritantemente as brincadeiras que sempre fiz com ele. Não precisei abrir a boca. Luzia tomou a iniciativa de lhe estender a mão e se identificar. Egídio e Paulo levaram um susto. Irmã?! Como assim?! São muito amigas ou irmãs mesmo de sangue?! Luzia, friamente, confirmou que éramos irmãs de verdade, "filhas do mesmo pai e da mesma mãe", "morando juntas e tudo". Pronto. A pergunta foi inevitável: por que eu nunca havia mencionado o fato de ter uma irmã? E uma irmã "tão doce e educada"? Foi horrível, me senti péssima. Apanhada tão de surpresa, balbuciei alguma resposta idiota, que não fazia o menor sentido. Tipo: "que importância tem isso?" ou "acho que falei dela, sim, uma vez, lembra?". Completo desacerto. Os dois olharam imediatamente para Luzia, como se esperassem algo de mais concreto que lhes permitisse entender a situação embaraçosa.

Tia Letícia interrompe o relato, abaixa a cabeça, sente-se diminuída. Parece estar revivendo a vergonha que passou.

— Como você sabe, sua mãe era bem mais nova que eu. Agora, pelas fotos, pode confirmar que ela era também muito bonita. Imagina se eu ia querer vê-la se exibindo do meu lado, atraindo a atenção de todos! Era natural que eu me calasse, você não acha?

— Acho. Ainda mais porque vocês não se falavam.

Tia Letícia vê sinceridade na resposta, sorri para mim, agradecida por eu compreender o lado dela. Sente-se à vontade para continuar.

— Naquele dia, Luzia estava mais atraente que nunca. E, para me infelicitar de vez diante do Egídio e do Paulo, foi de uma honestidade desconcertante. Com delicadeza, contou toda a verdade. Que não nos falávamos, que nunca nos demos bem. Não me culpou e não se sentia culpada. Tínhamos temperamentos opostos, perdemos nossa mãe muito cedo. Cada uma com suas razões. Nessa altura, seu pai e seu tio Paulo já estavam envolvidos com nosso drama. Vários ônibus haviam passado para Ipanema. Nenhuma vontade de eles arredarem pé. Era óbvio que o passeio não aconteceria. Ainda tive a esperança de que tomaríamos rumos diferentes, mas Paulo, justo ele, quis dar uma de pomba da paz. Sugeriu que sentássemos em algum lugar ali mesmo em Copacabana para continuar a conversa. Egídio adorou a ideia. Quem sabe não seria a grande oportunidade de as duas irmãs se reconciliarem?! Luzia concordou no ato. Não era urgente o que iria comprar. Voto vencido, e amante da democracia, fui com eles. Cabeça baixa. Feito boi para o matadouro.

Aparentemente, tia Letícia não me esconde nada. Abre sua intimidade sem pudores e não pretende se justificar. Pelas informações que me traz, muita coisa começa a fazer sentido — uma boa dose de realidade para equilibrar as fantasias do vovô. Fala pausado, didática, mesmo quando demonstra raiva, tristeza ou indignação. Pelo distanciamento, sua versão dos acontecimentos passa credibilidade — mais do que a versão emotiva e apaixonada do meu avô. Afirma que, conforme intuía, a empatia entre mamãe, papai e tio Paulo foi imediata. Ela mesma ficou abismada com a desenvoltura da irmã caçula e com o que foi revelado já naquela primeira conversa. Sentindo-se em segundo plano o tempo todo, tia Letícia tinha certeza de que, a partir dali, o estranhamento entre elas daria lugar a uma rivalidade ferrenha.

— Luzia acabava de chegar e já era protagonista, a atriz principal! Por causa do mistério que eu criei, os dois ficaram curiosos sobre ela, principalmente Egídio. As perguntas não paravam. Naquela mesa, fui mera espectadora. Eu ainda estava sob o impacto do constrangimento recente. Me sentia incapaz de abrir a boca para dizer qualquer coisa. Dizer o quê? E sua mãe não parava de falar. Parecia se deliciar por ser o centro das atenções. Tudo o que dizia era bem-recebido. E meu ódio por ela cresceu proporcionalmente ao seu sucesso junto aos meus dois amores. Sucesso que a levou a namorar Egídio e a frequentar o nosso apartamento.

Tia Letícia faz uma longa pausa. Conclui olhando fundo nos meus olhos.

— Sua mãe invadiu, devassou meu santuário. E acabou comigo.

O ano de 1963 passou de estalo. Tudo muito rápido. Mamãe e papai firmaram o namoro e até já faziam planos para o futuro. Tia Letícia achava toda a situação ridícula.

— Me revoltava ver o safado do seu pai de mãozinha dada com a Luzia, falando de casamento na minha cara! Ela era a menina que tinha juízo, a que não dormia fora de casa, porque sexo era sagrado e deveria ser abençoado pela Igreja e avalizado pelo cartório, a que não trabalhava porque priorizava os estudos, a que cursava ciências sociais e que, como ele, também sonhava com um país melhor e mais justo. A impressão que me dava é que, para ele, Luzia era a mulher que poderia ser a mãe de seus filhos. E eu, a irmã fácil demais, a que foi feita pra divertir os homens. Minha vontade era de vomitar vendo as ceninhas românticas documentadas pelo Paulo, que dava a maior força para eles, é claro. Dizia que os dois formavam o par perfeito. Não entendia o motivo de eu haver escondido Luzia por tanto tempo e das minhas implicâncias com ela. Chegamos a ter algumas brigas por causa disso.

Sempre contida, tia Letícia diz que o clima entre papai, mamãe e ela foi se tornando insuportável. A ponto de ela perder a cabeça e virar a mesa. A partir daí, tudo se precipitou. Mamãe andava entusiasmada com o curso de enfermagem, que decidira fazer por influência de papai.

— Ela chegou da rua radiante, beijou seu avô e mal me cumprimentou. Pareceu de propósito. Foi logo alardeando felicidade. Que Egídio era especial, que mudou sua vida por completo, que depois que o conheceu tudo começou a dar certo para ela. Até a verdadeira vocação ela descobriu. Que com ele os assuntos eram intermináveis, os mesmos ideais, a mesma garra e disposição para ir à luta. "E olha só, paizinho", ela disse, exibindo a aliança na mão direita, "ficamos noivos e ele me pediu em casamento. Vai ser logo logo. E aí vamos morar em Minas." O cabotinismo foi demais para o meu gosto, me ferveu o sangue. Me aproximei e, sem me alterar, na frente de papai, disse na cara: "Parabéns, irmãzinha. Mais um pouco e você vai saber que Egídio é um homem realmente especial. Principalmente, na cama. Nunca fiz um sexo tão apaixonado, nunca senti um gozo tão gostoso." Luzia ficou perplexa de tão escandalizada. Papai veio para cima de mim, começou a me esbofetear, me chamando aos berros dos piores nomes. Dona Mercedes chegou correndo em meu socorro. Foi ela que, com dificuldade, coitada, o tirou de cima de mim. Eu já estava caída no chão. A surra foi grande.

Tia Letícia decidiu arrumar suas coisas e sair de casa, tomar rumo. Dona Mercedes tentou dissuadi-la, mas ela se manteve firme na decisão. Ali dentro, não poria mais os pés. Naquela mesma noite já dormiu em um quarto de pensão na rua do Catete. Dois meses depois, conseguiu um conjugado na rua Cândido Mendes, no bairro da Glória. Bem mais perto do aeroporto Santos Dumont, foi ótimo. Sua vida deu uma guinada de 180 graus. Trancou a matrícula na universidade. Não gostava mesmo de medicina, consolou-se. Continuava o curso mais pela companhia de seus "dois amores". Sem eles, que estímulo? Também deixou de frequentar a UNE, não almoçava mais no Calabouço e não se envolveu mais com política. Não queria correr nenhum risco de encontrá-los. Do jeito que as coisas ficaram malparadas, o distanciamento era sua única alternativa. Pelo menos, a mais digna. Além disso, precisava trabalhar em expediente integral para se manter dona do seu nariz. Este seria seu objetivo a partir de agora: ganhar dinheiro.

— A senhora e o tio Paulo terminaram?

— Não havia o que terminar. Eu era apenas uma amiga que ia para a cama com ele. Mesmo assim, se achou no direito de vir tirar satisfações pela "traição". Logo com o irmão! Logo naquele apartamento onde tínhamos tido momentos tão lindos de amor! De certa forma, ele tinha razão. Embora não houvesse nenhum compromisso entre nós, havia sentimento. E só por esse lado entendi a cobrança de fidelidade. Ele foi me ver na pensão da rua do Catete. Foi lá que, inesperado, depois do bate-boca, ele me atirou no chão e me obrigou a fazer sexo com ele. Só saiu de cima de mim quando eu lhe disse que era pena ele não poder registrar aquele momento. Daria um belo instantâneo. Ele parou de imediato. Acho que se deu conta do que estava fazendo comigo. Envergonhado, se levantou, abotoou as calças e saiu. Até hoje não entendo direito o que ele quis provar com aquilo. Talvez, desabafo de macho, prova de virilidade, sei lá. Foi a última vez que nos vimos. Foi muito triste.

— E papai?

— Nem quis me procurar. Eu até gostei, porque me poupou sofrimento. Era a ele que eu amava, mas nunca tive coragem de dizer. Tinha medo de magoar o Paulo. E como estávamos sempre juntos, me acomodei, ia levando. Mas me perturbava aquela situação de estar com ele sempre às escondidas. Amor proibido.

— Como é que ficou tio Paulo com papai?

— Seu pai mentiu para ele. A mesma mentira que contou para sua mãe. Disse que fomos para a cama uma única vez, porque eu o seduzi e ele não resistiu. Afinal, era jovem, viril, saudável, coisas do gênero. Mas jurou para os dois que foi apenas uma vez e que, ainda assim, ele se sentiu culpadíssimo.

— E a senhora não foi lá desmentir tudo na cara dele?!

— Para quê? Era a palavra dele contra a minha, só iria trazer mais briga e infelicidade. Eu não tinha a menor chance com Egídio. Era de sua mãe que ele gostava. As intenções dele me pareciam sinceras. E o futuro só fez confirmar que eu estava certa. Os dois se amavam de verdade. Enfim, achei mais fácil confirmar a mentira para o Paulo. Assumir, por completo, a fama de galinha da família.

Mesmo com expressão triste, tia Letícia acaba achando graça da própria avaliação e do termo que usa. Tem certeza de que fez a coisa certa. Se a mentira facilitaria a vida de todos, por que defender uma verdade que só colocaria mais lenha na fogueira? Fogueira que, diga-se, foi ela que acendeu. E não se arrepende. Quer saber do que mais? — ela continua: naquela época, o pessoal podia ser de direita, de centro ou de esquerda; com relação a sexo, o moralismo era o mesmo. Os preconceitos, iguais. Principalmente por parte dos homens. Só a mãe, a irmã e a futura mulher eram santas. Todas as outras eram boas para o fogo. No fundo, somando e subtraindo, acha que saiu no lucro com sua carreira solo, sendo independente, cortando definiti-vamente com o passado. Com o tempo, a situação do país só fez se agravar. Esquerda e direita radicalizavam suas posições. Até que veio o golpe militar de 64. Tio Paulo, papai e mamãe estavam cada vez mais empenhados na militância política contra a ditadura. E meu avô os apoiava com entusiasmo. Tia Letícia tinha notícias deles por dona Mercedes, que nunca deixou de procurá-la. Por ela, soube que papai e mamãe haviam se casado e, conforme planejado, ido morar em Minas, onde havia mais trabalho. Ele foi primeiro. Por dona Mercedes, soube também que em 1967 eu havia nascido e que, no ano seguinte, com o AI-5, tio Paulo seguiu com papai e mamãe para o Araguaia, onde estavam sendo criados os primeiros núcleos de resistência armada ao regime militar. Eles eram médicos e ela, enfermeira. Seriam úteis. Dona Mercedes dizia que havia muito idealismo por parte deles, achava bonito.

— As notícias eram só de lá para cá. Papai não queria nem ouvir falar no meu nome. "Minha filha está morta", vivia repe-tindo, para tristeza de dona Mercedes. Eu era a filha que o tinha envergonhado, a que quis arruinar a felicidade da irmã. A que abandonou a faculdade, os estudos, tudo. A que saiu de casa e ignorou a família. A que traiu seus ideais. A que se perdeu de vez.

Rindo de si mesma, tia Letícia lembra que a ideia de "se per-der de vez" aconteceu por acaso, numa mesa de bar, quando já morava na Cândido Mendes. Ela e a Odineia, colega de trabalho no Santos Dumont, bebiam e trocavam confidências sobre seus desacertos amorosos. Às tantas, já de pilequinho, Odineia, em desabafo bem-humorado, revelou sua grande e antiga fantasia: ser dona de bordel. Jura?! Depois de uma gostosa gargalhada, na brincadeira, é claro, tia Letícia logo propôs sociedade e participação nos lucros. Deu corda à falação, quis saber mais.

Animada, a amiga passou a lhe dar detalhes do ambicioso sonho. Tinha de ser uma casa de prostituição bem alegre, com ares românticos e ambiente rococó, nos moldes dos grandes clássicos da literatura e do cinema. Deu apaixonados exemplos de *madames* famosas. Lembra aquela de ...*E o vento levou*? É lógico! Que classe! A favorita? Odineia responde de imediato: Maria Machadão, criada por Jorge Amado em *Gabriela, cravo e canela*. Que mulher maravilhosa, que existência feliz! Pronto. Esse foi o momento da inspiração. Hora abençoada ou mau passo, acabava de nascer ali a ideia do novo Bataclan! O que foi dito como piada virou assunto sério. O que parecia loucura tornou-se projeto de vida, desafio. Ela, Letícia Garcia, a dona do negócio. Talvez, para causar desgosto ainda maior ao pai, revide inconsciente à agressão sofrida, aos insultos que fora obrigada a ouvir. Talvez, nada disso. Apenas um delírio como outro qualquer. Dos tantos que põem o mundo em movimento. Quem poderá saber?

Tia Letícia arquitetou o seu plano com paciência e obstinação. Profissional, estudou, fez pesquisas detalhadas. Foi à Lapa, ao Mangue, a hotéis de encontro escondidos pela cidade. Depois, quando já tinha o perfil do empreendimento que queria montar, começou a selecionar as meninas que a ajudariam. E, por fim, alugou o casarão da Glória. Por uma bagatela. No dia em que foi tratar o preço com o proprietário, percebeu que o espanhol se desdobrava em atenções com ela. Foi honesta, disse a verdade. Queria local discreto para o funcionamento de um prostíbulo. E aquele imóvel era perfeito. O dono relutou em rebaixar o preço e só entraram em acordo quando ela lhe ofereceu sexo periódico como parte do pagamento. A proposta foi aceita na hora, contrato inicial de um ano. Foi a primeira vez que se vendeu. A partir daí, começou a ganhar fama com proveito. A Odineia? Primeiro, achou que tia Letícia não teria coragem de levar a ideia adiante. Depois, preocupadíssima, desaconselhou a amiga a embarcar em aventura tão irresponsável — bem melhor seria manter o emprego no aeroporto. As duas acabaram se desentendendo e a história delas termina aí.

Em 1968, quando o casarão funcionava com relativo sucesso, as coisas já não andavam bem para o lado do meu avô Gregório. Envolvido cada vez mais com mamãe e papai na resistência aos militares, começou a ser investigado no trabalho, saiu do emprego, vendeu o apartamento e se mudou para Sobradinho, nos arredores de Brasília. Foi nesse mesmo ano que Verônica veio para o casarão. Dona Mercedes, já idosa, não pretendia mais trabalhar. Foi morar com a irmã, que tinha uma casinha em Inhaúma. Mas ia todo mês buscar a mesada que tia Letícia religiosamente lhe dava.

Sem dona Mercedes, único elo com o lado de lá, tia Letícia deixou de ter notícias da família. Só alguns anos mais tarde, acha que em 1970, Jeremias lhe bateu à porta. Identificou-se. Queria um auxílio para o amigo Gregório, que estava enfrentando momento bem difícil, passando necessidade até. Soube que ela era sua filha e que vivia com relativa tranquilidade. Qualquer quantia estaria de bom tamanho. Estava tomando o ônibus para Brasília no dia seguinte bem cedo e aproveitaria para levar a ajuda ao companheiro de luta. Tia Letícia diz que foi implacável com o homem.

— Deixei que ele terminasse o discurso emocionado e mandei o meu recado em poucas palavras: diga a meu pai que não se pede dinheiro aos mortos. A única coisa que posso fazer, morta que estou, é interceder por ele em orações. Lamento muito. Ele tem outra filha, jovem, batalhadora e que, graças a Deus, ainda está cheia de vida. Ele que peça a ela.

Tia Letícia afirma que, hoje, se arrepende da atitude que teve. Se pudesse voltar no tempo, teria ajudado o pai. Mas, naquela época, a ferida ainda não havia cicatrizado. E o revide lhe lavou a alma. Só que, no ano seguinte, a vida lhe deu o troco. Jeremias voltou a lhe bater à porta. Não para pedir dinheiro, mas para lhe dar notícia trágica. A irmã, a tal "cheia de vida", ele repetiu, e o marido haviam sido mortos por tropas do Exército. Gabriela, filha do casal, de quatro anos, já estava sob os cuidados do avô.

— Fiquei sem reação. Me senti mal como no dia em que sua mãe me surpreendeu com Paulo e Egídio no ponto de ônibus. Mais uma vez, ela me envergonhava diante de alguém. Mais uma vez, ela se saiu vitoriosa. E para piorar meu estado de ânimo, Jeremias recusou a ajuda que lhe ofereci. Insisti que não era para o meu pai, mas para você, que era minha sobrinha e não tinha nada a ver com brigas familiares. Mais uma vez ele agradeceu e recusou, me garantindo que você estava bem e não precisava de absolutamente nada. Passei dias prostrada neste quarto, remoendo tristeza, raiva, frustração. Nem sei o que teria sido de mim se Verônica já não estivesse aqui comigo. Ela foi o anjo que me estendeu a mão, que me ajudou a superar os dias de luto e a sensação de impotência diante da vida.

Tia Letícia ainda me mostra alguns retratos. O primeiro, posado, quase formal: vovô Gregório e vovó Teresa com ela no colo, ainda bebê. Depois, uma série de sua infância até os 5, 6 anos. Quase todas, com a mãe: na praia de Copacabana, no balanço da praça Serzedelo Correa. Na sala do apartamento da Paula Freitas, com dona Mercedes ao fundo. E chorando pelada, debaixo do chuveiro, porque tinha caído sabão nos olhos. Época em que ela ainda era filha única. Época de plena felicidade e que lhe ficou na lembrança como um sonho.

— Realmente, mesmo sem ser culpada, mamãe foi um verdadeiro desacerto na sua vida. A senhora tinha toda razão de não gostar dela.

— Não me chame mais de senhora. Afinal, você já é quase uma mulher e, agora, sabe coisas bem íntimas a meu respeito.

Positivamente surpresa, abro um sorriso.

— Está certo, tudo bem, eu até prefiro.

Outra surpresa. Como ainda continuamos recostadas na cama e sem sapatos, tia Letícia segura o meu pé, que está ao alcance de sua mão, balança, dá uns tapinhas nele e solta.

— Eu também prefiro. Estou com a impressão de que vamos ficar mais próximas a partir de agora. Será que estou enganada?

Minha impressão é a mesma. Em vez de nos afastar, a história de tia Letícia permite que eu a veja por outra perspectiva. Passo a compreendê-la melhor e até a entender o seu temperamento duro. Quase que uma armadura que ela criou para si mesma. Quando ela pega no meu pé — desta vez, no bom sentido, é claro — pela primeira vez, me passa coisa boa. Há cumplicidade no gesto, um carinho quase maternal. E a antiga barreira entre nós começa a se desfazer. O tato. Sempre o tato a me dar as pistas.

— Mas me diz uma coisa, tia. Por que a senhora... Quer dizer... Por que você ficou com todos esses retratos e vovô só tinha aquele com a vovó grávida da mamãe? Sempre que eu reclamava, ele ficava aflito, dizia que não sabia onde tinha ido parar a pasta com os retratos da família.

— Esse que ficou com ele estava num porta-retratos na sala. Era o único em que a família aparecia completa. Ou relativamente completa. A tal pasta é esta que você está vendo. Quando eu arrumei minhas coisas e saí de casa, trouxe ela comigo. Sempre considerei que os retratos eram meus. Até os instantâneos do Paulo.

Levando a conversa para outro plano, tia Letícia diz que, apesar de não ter religião, acredita na conexão entre vivos e mortos. Não faz a menor ideia de como isso se dá, mas tem recebido provas constantes que confirmam sua crença. Cita apenas os exemplos de dona Mercedes, que veio visitá-la, em sonho quase real, na véspera da morte — conta alguns detalhes que me impressionam. E, agora, as circunstâncias estranhíssimas do súbito falecimento de Belarmindo Cruz. Enfim, não é por acaso que as segundas-feiras são sagradas para ela. Com naturalidade, afirma que ultimamente tem sentido muito a presença de vovô Gregório, inclusive, com a história recente dos antúrios que, só por mim, ela veio saber que era a flor predileta dele.

— Esta noite, sonhei com Luzia e Egídio. Estávamos bastante emocionados com o reencontro depois de tantos anos. Eles se acomodaram exatamente aí onde você está. E eu me sentei aqui, em frente a eles. Vieram apenas para me dizer que haviam conversado com papai e tudo tinha se resolvido. Não entendi e perguntei: tudo o quê? Eles se olharam e sorriram fazendo suspense, como se tivessem uma boa notícia para me dar. Mas acordei e não fiquei sabendo o que era.

Só hoje pela manhã, tia Letícia decidiu que nosso encontro seria aqui e não no escritório. Interpretou o sonho como aviso e o conselho lhe veio nítido: para o nosso bem e o de todos, a conversa deveria transcorrer da maneira mais tranquila e informal possível. Por isso, a cama por palco. Por isso, o tirar os sapatos. Por isso, eu espontaneamente na cabeceira. E mais: seria preciso tato ao tratar de questões tão espinhosas. Foi esta a palavra que lhe ocorreu e ela usou: "tato". E tato, reconheço, foi o que ela mais teve o tempo todo. Literalmente até, quando dispensou o tratamento de senhora e, afetuosa, brincou com o meu pé. Tato. Puro tato.

— Difícil explicar exatamente o que aconteceu. Mas era como se alguém me insuflasse que, no acerto final de contas, a vida me compensou.

— Não entendi. Compensou como? Você perdeu a vovó, o vovô. Nunca teve o amor de papai ou a amizade de mamãe. Sobraram esses retratos.

— Pensa bem. Por fatalidade ou ironia do destino, sem um mínimo de esforço, acabei ficando com o que, para seus pais e seu avô, era o bem mais precioso.

Tia Letícia me olha nos olhos e verbaliza o que já pressinto.

— Você, Gabriela. Você. E só por causa do sonho de hoje à noite me dei conta do significado de sua vinda para o casarão. Por isso, antes de qualquer palavra, lhe mostrei o retrato de seus pais em momento tão especial para eles dois. Para que você saiba que não pretendo tomar o lugar de ninguém. A mim, me coube apenas assumir a responsabilidade que era deles. Isso já é a minha recompensa.

E assim termina o nosso encontro. A caixa de Pandora foi aberta liberando todos os nossos males, mas também deixando uma esperança de reconciliação e entendimento entre vivos e mortos.

De bom grado

O feio e o violento bem que arregaçaram as mangas, como Gabito me preveniu, mas não causaram dano algum. Muito pelo contrário. Em nenhum momento, mesmo nos de maior tensão, tia Letícia e eu discutimos. Falou-se a verdade. E saímos do encontro mais próximas que nunca.

Das fotografias que estavam na pasta, ganhei quatro de presente: aquela primeira imagem que vi de papai e mamãe, um retrato posado bem bonito de vovô Gregório e vovó Teresa, e um momento de papai e tio Paulo com seus belos corpos na praia de Copacabana. Acho que tia Letícia me deu esta última foto porque, certa vez, fazendo drama, eu comentei com ela que só me lembrava de papai da cintura para cima. E, em vez de sentir pena de mim, ela achou graça e disparou. "Ainda bem! Pior se fosse da cintura para baixo!" — na época, morri de raiva, mas hoje reconheço que foi uma brincadeira inteligente. O quarto retrato que trouxe comigo foi o único que tive de pedir. Ela relutou em me dar. Eu insisti e ela cedeu: a trança tiara! Tia Letícia estava acabando de fazer o penteado quando tio Paulo entrou e bateu a foto. A expressão dela é de contrariedade por ter sido surpreendida antes de concluir sua "obra de arte". O instantâneo é muito engraçado e a expressão que tio Paulo captou é típica de minha tia, até hoje.

Tia Letícia, que "não pretende tomar o lugar de ninguém", sugeriu que eu pusesse a imagem de papai e mamãe, que é belíssima, num porta-retratos. Não vou fazer isso. Eles, vovô, vovó e inclusive ela, com sua trança tiara, vão todos para dentro da "Enseada". Algo me diz que, a partir de agora, o passado deve permanecer no passado. Que volte apenas, vez ou outra, como ponto de referência. Meu foco tem de estar no meu futuro e nas pessoas ao redor que podem me ajudar. Meu foco tem de estar na realidade, no meu cotidiano aqui no casarão. E, portanto, em José Aureliano, o homem que me fará mulher, não por amor, mas por interesse. Negócio que dará certo porque é bom para todos. Sinto-me preparada para a vida adulta. A conversa sobre a família foi essencial para me situar no tempo e no espaço. Posso dizer que aprendi bastante sobre minha história e geografia. Aprendi que não devemos idealizar as pessoas e que elas estão sempre mudando. Mudam com a idade e de acordo com as circunstâncias. Apesar das decisões equivocadas ou injustas de quando era mais jovem, vovô Gregório foi se tornando um homem melhor. Se fortaleceu na adversidade. Tia Letícia diz que ele se redimiu comigo. Foi para mim o pai que havia sido para ela antes da morte de vovó Teresa. O pai sonhador, que dizia que ela era anjo, porque as asas estavam crescendo no lugar certinho. O pai que tocava violão e cantava canções românticas. Infelizmente, o destino lhe levou a mulher prematuramente, trouxe a bebida, fez calar o violão e os rumos foram outros. Aos trancos e barrancos, vovô foi à luta e, de certa forma, se saiu muito bem. Pelo menos, comigo.

Outra coisa: Gabito que me perdoe, mas vou mesmo tirar *Cem anos de solidão* de cima da mesinha de cabeceira. E é para já. Continuarei a ler o livro, é claro, porque estou presa à história e amo mergulhar naquele universo de realismo e mágica. Sim. Realismo e mágica. Tão bem combinados que até o absurdo faz sentido. Mas tenho de me precaver, guardar distância, me convencer de que ficção e realidade são coisas diferentes. A história, por mais fascinante que seja, é pura invencionice do meu xará. Personagem *não* tem vida própria — preciso pôr isso na cabeça. Portanto, nada de confidenciar meus sonhos a José Aureliano, como antes eu havia pensado. Nada de exibir as tantas coincidências que me unem ao prêmio Nobel de Literatura. Nada de mencionar as Úrsulas, Josés e Aurelianos de Macondo. Sobre esta questão, está decidido, guardarei segredo absoluto. Gabriel García Márquez vai ficar bem bonito na estante. Estará em boa companhia.

Pronto. Assim é melhor. Todos em seus devidos lugares. Os mortos guardados no passado e seus retratos guardados dentro de uma caixa no armário. Os personagens guardados dentro de seus respectivos livros e Gabito guardado dentro de mim. Como sonho.

Coração arrumado e cabeça no lugar, crio ânimo para o que é mais fácil e até distrai: pôr ordem no meu quarto. O dia todo por conta disso. Limpeza geral. Faxina no banheiro. Flores nas jarras, ambiente perfumado. Nem um cisco de pó. Tudo impecável para receber José Aureliano. Cumpro o papel que me cabe. De puta e de dona de casa. Foi o que a vida me ofereceu. E eu aceitei. De bom grado.

Olho ao redor. Começo a sentir aconchego neste meu quarto sem janelas. Aprecio as modificações que, aos poucos, o vão tornando parecido comigo. E os detalhes — como a reprodução de um quadro de Chagall, que as meninas se cotizaram e me deram de presente. Os tais noivos que voam de mãos dadas. Encantada, decidi colocá-los bem visíveis, em cima da minha cama. Reprodução barata, que também aceitei de bom grado e que me é tão cara.

Cor de menina

Levanto-me cedo. O quarto foi arrumado de véspera, mas falta mudar os lençóis da cama, tomar meu banho, pôr toalhas limpas no banheiro e sabonetes novos na pia e no chuveiro. Tudo de modo a agradar e a seduzir o meu homem. Às oito e meia, já tomei café e estou de volta ao meu lugar de entrega. Depois do encontro com tia Letícia, sinto-me bem mais confiante para encarar a responsabilidade. Estamos unidas e isso me transmite segurança. José Aureliano tem sido correto nos pagamentos. O cheque sempre é depositado com antecedência. Também estou feliz por Verônica, que, está confirmado, vai mesmo sair de férias, livre feito um passarinho graças ao falecimento de Belarmindo Cruz.

Minha amiga bate à porta. O cliente já chegou. Quinze minutos adiantado. Se eu quiser, ele espera lá fora até dar nove horas. É direito meu. Está escrito no contrato que tudo deve ser cumprido à risca para evitar mal-entendido. Acho bobagem tanto rigor. Melhor deixá-lo entrar logo. Será gesto de delicadeza que contará pontos a favor. Verônica concorda e diz que tem outra coisa. Outra coisa? É que José Aureliano chegou com uma caixa descomunal. Presente para mim. Eu que me prepare. O homem veio inspirado. Elegantíssimo, terno escuro, gravata.

José Aureliano entra. A caixa, exageradamente grande, chega antes.

— Posso pôr em cima da cama?

— Claro.

Só então meu cliente aparece por inteiro. Está realmente muito bonito. Rosto de felicidade, José Aureliano abre os braços.

— Não vou ganhar um abraço?

A pergunta é cobrança. Pelo combinado, não deveria ter sido feita. As iniciativas devem ser sempre minhas — preciso lembrá-lo com delicadeza. Disfarço. Improviso pretexto para não abraçá-lo e me saio magnificamente bem. Mostro curiosidade adolescente diante do presente.

— O que é? Posso abrir?!

José Aureliano se encanta com minha ansiedade. Acha graça do jeito com que rasgo o papel e desembrulho o presente sem nenhum cuidado.

— Você é mesmo uma criança, Gabriela!

Sentindo-me vitoriosa, levanto a imensa tampa de papelão e, em questão de segundos, a situação se inverte novamente. Não acredito no que meus olhos veem. Com que direito ele faz isso?

— Um vestido de noiva e um par de sapatos de cetim?!

— Para a princesa mais linda do mundo. A minha princesa.

Sobre o vestido, há um estojo de veludo azul-marinho, que ele mesmo abre e faz questão de exibir. Um par de brincos e uma aliança de brilhantes.

— Que loucura é essa, José?!

— Você me chamou de José! E com intimidade!

Sim. Diante do comportamento inusitado, fiquei completamente perdida. Chamei-o de José. Com intimidade, e daí? Daí que José Aureliano ganha terreno e vai tirando o controle das minhas mãos. O fato de ele ter chegado adiantado já mostra que veio disposto a quebrar as regras. Em seguida, o presente que afronta. Um vestido de noiva — fetiche que nunca poderia ter partido dele, nunca! E, por fim, esta demonstração ostensiva de poder e riqueza. Joias de extremo valor para uma "criança", que é como ele acabou de se referir a mim.

— Desculpe, mas não posso aceitar esses presentes. Você não está cumprindo nada do que foi combinado. Isso não está certo, vai nos trazer problemas, com certeza.

— Desde quando gestos de carinho trazem problemas? Olha só o quadro que você colocou sobre sua cama! Os noivos apaixonados de Chagall! Diz se não é uma prova de que o vestido está sendo dado de coração! Ou você acha que tudo não passa de simples coincidência?

Sem abrir a boca, imploro. Por favor, quero realidade, preciso de realidade! Realidade, realidade, realidade! De que adianta repetir sem parar a mesma coisa, se os sonhos vivem a me roubar o chão, a me tirar do rumo? É claro que o presente é sinal de afinidade entre José Aureliano e eu! É claro que o vestido de noiva tem tudo a ver com Chagall e minhas fantasias românticas! É claro que estou completamente envolvida por esse homem e suas iniciativas!

Com relação aos brincos e à aliança de brilhantes, sinto e penso diferente. Diante do espelho, admiro, extasiada, os enfeites de rara beleza. E penso — como posso negar? — que essa sua primeira extravagância já me garante um bom ganho financeiro. Tia Letícia irá se orgulhar da sobrinha.

— Então? Não ficam lindos em você? Por que não experimenta o vestido?

A pergunta me acende o sinal amarelo. Entreguei os pontos rápido demais. José Aureliano não gosta de mulheres fáceis. Quem sabe não está me testando? No encontro de hoje, já leva nítida vantagem. Modificou todos os procedimentos e, até agora, não encontrou resistência alguma. Ponho a aliança e os brincos delicadamente de volta no estojo. Agradeço o vestido e os sapatos de cetim branco. A fantasia já foi longe demais. Melhor ficar por aqui. Tento uma saída para me desvencilhar da teia que me enreda.

— Por que não conversamos um pouco?

— Mas estamos conversando. Ou não?

— Digo conversar sobre outros assuntos. Como os do nosso primeiro encontro.

— Tudo o que eu precisava falar sobre mim, já falei.

— Mas muito da minha história você não conhece.

— Sua história começa hoje, Gabriela. E começa aqui, comigo.

José Aureliano fala firme olhando nos meus olhos. Pelo comportamento, parece mesmo disposto a não cumprir o que foi acertado. Sinto-me acuada. Incapaz de tomar as rédeas do jogo. O que fazer? Preciso mostrar ao estranho que ele é apenas um cliente. Poderoso, influente, rico, mas cliente. Devo posicioná-lo nessa condição. É a minha garantia, a minha segurança. Se não der certo, paciência. Ele que se desespere, saia, bata a porta e não volte nunca mais. Para mim, será até um alívio.

Será? Sinto-me dividida. Meu Deus, por favor, me ajude, não posso pôr o negócio a perder. É o meu futuro e o futuro do casarão. Como vou ficar diante de tia Letícia e das meninas? Depois de tantas aulas, de tanto investimento em mim. Será uma vergonha. Serei considerada a puta mais desastrada e incompetente da história da humanidade. A que se tornou puta sem nunca ter chegado a ser. A que desapontou o primeiro e único cliente da fila.

José Aureliano vem em minha direção. Confiante, tenta me dar um beijo. Para quê? Foi só insinuar pôr as mãos em cima de mim para levar um violentíssimo chute na canela. Tão violento que o pobre se ampara na cama, senta-se e geme de dor com a mão no local do golpe. Depois, abaixa a meia para conferir o estrago que causei.

— Gabriela?! O que é que deu em você?! Estávamos indo tão bem! Eu queria apenas lhe dar um beijo. Inocente, sem maldade nenhuma!

Inocente, sem maldade nenhuma, é?! Pois sim! Sinto-me orgulhosa pela atitude corajosa. Meu instinto falou mais alto que a razão, mais alto que a emoção. Na hora do aperto, não foi a palavra nem o sentimento. Foi o meu lado bicho que me defendeu. Meu lado bicho. E é assim, com garras afiadas e olhar felino, que acompanho seus movimentos.

— Olha aí. Chegou a tirar sangue.

Bem feito. Quem mandou. Nem um pingo de pena. Tirei sangue, mas não tirei virgindade. Talvez, agora, se convença de que é cliente como outro qualquer e, portanto, está sujeito às normas do casarão. Tenho para mim que a agressão funcionou, porque a vítima não dá o menor sinal de querer ir embora. José Aureliano é puro desconsolo. Rende-se com o silêncio de quem quer levantar bandeira branca.

— Tudo bem, você está certa. Eu extrapolei. Me perdoa.

Olha para mim com cara de cão sem dono. Agora, sinto dó. Vontade de ir até ele e lhe fazer festa. Mas me seguro. É cliente e agiu errado, acaba de reconhecer o erro, não posso fraquejar. Mas perdoar não custa nada.

— Tudo bem. Já passou.

— Passou coisa nenhuma, está doendo pra burro!

Não consigo conter o riso. Ele acaba que ri junto.

— Será que não mereço nem um band-aid?

— É só um minuto.

Coitado. Trago algodão, água oxigenada, mercurocromo e band-aid. Eu mesma limpo o machucado e ponho o curativo. Termino. Levanto a meia, desço a perna da calça. Olho para José Aureliano que, sentado na cama, parece bem satisfeito com a cena doméstica. Eu, abaixada, cuidando dele. Feito esposa, filha, sei lá.

— Vista assim, você consegue ser ainda mais linda.

Desaforo. Ponho-me imediatamente de pé. Fico mais alta que ele.

— E assim?

José Aureliano sorri e não responde. Levanta-se, anda pelo quarto, repara na arrumação. Vai até a cômoda, sente o perfume das flores de laranjeira, que chegaram ontem fresquinhas. Olha para dentro do banheiro com ar de aprovação. Volta. Para em frente à mesinha de cabeceira.

— Tudo perfeito, como da vez anterior. Só estou sentindo falta de uma coisa.

— Fora o quadro, que as meninas me deram, está tudo exatamente do mesmo jeito.

— Não estou me referindo à decoração do quarto. Estou falando do livro que estava aqui anteontem. Não vai me dizer que já acabou de ler.

— Você notou?!

— É claro que notei. Quando assinei o contrato com sua tia, li seu nome completo: Gabriela Garcia Marques. Achei instigante você ter o nome do autor que tanto admiro. Quando vi *Cem anos de solidão* na sua mesa de cabeceira, fiquei ainda mais fascinado.

— E por que não me falou nada?

— Eu estava tão preocupado em lhe contar sobre meu universo doméstico e meus problemas pessoais que não cabiam voos mais altos.

Ele prestou atenção no meu nome, na minha leitura! Admira García Márquez e reconhece que seu universo doméstico e seus problemas pessoais lhe impediram "voos mais altos"! Eu ouvi! Nítido! Voos mais altos! Os noivos apaixonados de Chagall! O vestido que ele me trouxe! Não posso continuar negando, está tudo ligado, tudo! Crio ânimo para fazê-lo entrar no meu mundo de sonho.

— Incrível você admirar um autor que eu amo tanto!

— É mesmo? Você conhece os outros livros dele? Gosto muito do último, que foi lançado no ano passado, *Crônica de uma morte anunciada*.

— Pra falar a verdade, conheço pouco o autor. *Cem anos de solidão* é o primeiro livro dele que eu leio. E ainda estou nos primeiros capítulos.

— Então é exagero seu dizer que o ama tanto.

— Não, não é exagero coisa nenhuma!

— Calma, não precisa ficar brava desse jeito! Estou sendo sincero. Como você pode amar um autor que você mal conhece?

— Amo como pessoa. O ser humano especial que ele é.

— Ah, entendi. Você se interessa mais pela biografia dele do que pela obra.

— É. É mais ou menos isso.

Fico ainda meio sem graça de entrar em detalhes sobre minha amizade com Gabito, mas, pela sensibilidade de José Aureliano, decido contar pelo menos algumas outras coincidências que nos unem.

— Além de termos o mesmo nome, fazemos anos no mesmo dia: 6 de março.

— Verdade?

— E tem mais. Nasci em 1967.

— Ano em que García Márquez publicou *Cem anos de solidão!*

— Nossa, você sabe!

— Essa história faz parte da minha vida. Às vezes, chego a pensar que Úrsula e eu saímos de dentro dela, tantas as ligações. Ligações que não se limitam a nomes coincidentes. Há muito mais. Muito. Você nem imagina.

Não posso acreditar no que estou ouvindo. É muito bonito para ser verdade. Estou conversando com um homem que acredita na possibilidade de ter saído de um livro! Não um menino.

Não um adolescente. Um homem feito! Um empresário respeitado! E eu não estou sonhando. Tudo isto que está acontecendo é realidade.

— O problema é que nunca consegui que alguém embarcasse no mesmo sonho que eu. Hoje, por exemplo, tentei trazer mágica para o nosso encontro. Achei que seria possível ser visto por você não como um cliente frio e interesseiro, mas como um homem. Como José Aureliano. Ou, simplesmente, como José. Do jeito que você me chamou.

Ao ouvir essas palavras, uma outra Gabriela, que é sentimento, desperta em mim e me leva a agir com o coração. Não penso uma nem duas vezes. Obedeço ao comando interno.

— Me dá só um tempo, José. Vou pôr o vestido. Não demoro, prometo.

Quando saio do banheiro e pego as flores de laranjeira para armar o buquê, meu prometido já está de pé na antessala me esperando. Seus olhos brilham. Ao som do violão de minha infância, caminho devagar até ele. Chego ao altar e os convidados já se foram? Claro que não, me convenço. Estão todos aqui, em volta. Meus avós, meus pais, tio Paulo. Jeremias, Ronald e Tininha. Tia Letícia, Verônica e as meninas. Os Iguarán, os Buendía e os tantos parentes e amigos de Macondo — estes vieram pelas mãos de Gabito. Vivos, mortos ou personagens, que diferença faz? Somos todos feitos da mesma matéria, do mesmo sonho. Presenças obrigatórias em dias assim. Dias de celebração. Dias de fé em algo maior que nos dê sentido. Dias de amor, ainda que inventado.

A cerimônia dura o tempo de um prolongado beijo. Precisava mais? Enfim sós — solidão desejada. Meu amado me leva nos braços e me deita na cama e me abraça e me torna a beijar. Noivos apaixonados nas alturas. Lá onde as roupas não pesam, os sapatos não pesam, nada pesa! O infinito à disposição da curiosidade dos amantes!

Com mãos hábeis e experientes, José me despe e toma posse de meu corpo por inteiro. Me acaricia e me beija e me saliva, inaugurando toda e cada parte de mim. Abandono o que aprendi nas aulas com as meninas. Esqueço os ensinamentos, os conselhos. Opto pelo caminho oposto. Meu prazer está em me deixar levar. José faz comigo o que quer e bem entende. Com isso, sente-se cada vez mais forte, mais dominador. Que seja. Se há amor e sonho, não temo a virilidade que obriga e machuca. Confio plenamente nesse homem incomum que, sensível, acredita ter saído das páginas de um livro!

Acontece que, na fantasia, súbito, nossos corpos se desencontram. Onde eu esperava delicadeza, recebo agressividade. José decide que estou no ponto que ele deseja. Nem um calor, um gemido, um espasmo a mais. Agora, chega. Se estou preparada ou não, lhe é indiferente. Amor? É algo complexo, melhor deixar quieto, lembra? O momento dele é este. Quem sou eu para querer cuidados e lhe pedir que espere? Ele é o dono e o senhor. Feito animal ferido, cheio de fúria, José me abre e me penetra e me abafa os gritos com violentos beijos. E me cala a dor com palavras baixas e xingamentos que me colocam no devido lugar. A ordinária, a que não presta, a que sempre quis exatamente isso que ele está me dando. A que se fazia de inocente, mas sonhava se realizar como puta, perder a castidade como puta, se dando bem. Não era o que eu queria? Então toma, sua vadia! Toma! E vá contar na escola, para as suas coleguinhas, como foi sua primeira vez! Quieta, minha criança! Quieta, minha menina! Nada de choro, agora! E como pai que castiga, urros incontidos, José jorra dentro de mim toda a raiva que sente. E, em seguida, me abraça com ternura, e me beija com afeto sincero e me agradece extasiado pelo prazer fantástico que sentiu, único, absurdo de tão bom! E, comovido, se põe aos meus pés e me pede perdão por ter estragado tudo. Por perder a cabeça, por se deixar dominar por frustrações mal resolvidas do passado. Jura que nunca mais voltará a se comportar dessa maneira aviltante. Pede, pelo amor de Deus, que eu lhe diga alguma coisa, que eu não fique assim tão calada e quieta. Que grite, desabafe, lhe bata até. Tudo menos o silêncio que ele não compreende e cujo sentido não alcança.

Dizer o quê? Ainda não tenho noção exata do que houve. Sem uma palavra, levanto-me da cama. Não me cubro, não tenho vergonha de quem sou. Minha nudez agora é armadura de um corpo que dói. Caminho em direção ao chuveiro. Vejo um fio vermelho me escorrer pela perna. Tininha me vem à lembrança e, na saudade, me consola. Nem foi tanto sangue assim. Deixo a água cair, lavar e levar o que não presta. No piso do box, uma água rosa-clarinho. Cor de menina.

João-teimoso

Quando saio do banheiro, enxugando os cabelos, já sou outra. Verônica entra no quarto. Apreensiva, quer saber o que aconteceu. José Aureliano foi embora desembestado pedindo desculpas, afirmando que tinha compromisso importantíssimo e estava mais que atrasado. Deixou cheque preenchido com quantia que cobre os dois encontros da semana que vem. Garantiu que terça-feira chegará na hora certa.

— Não aconteceu nada, Verônica. Ou melhor, aconteceu o que a gente já esperava.

Automática, minha fala não convence muito. Mas, mesmo assim, Verônica vem e me abraça.

— E foi tudo bem?

— Tudo.

— Você fez conforme a gente ensinou? Ficou claro para ele que o comando é seu?

— Perfeitamente claro.

— E ele sentiu prazer?

— Como nunca havia sentido antes, me garantiu. Chegou a beijar meus pés, de tão comovido.

— Quer dizer então que José Aureliano Dias está em suas mãos.

— Acho difícil se livrar de mim tão cedo.

— Você não é fácil, menina. Letícia vai gostar de saber das novidades. Posso contar a ela ou você mesma conta?

— Conta você, eu estou cansada. E preciso dar um jeito aqui nas minhas coisas.

— É claro.

Para meu alívio, sem me perguntar, Verônica vai arrancando os lençóis da cama e as fronhas dos travesseiros. Acha melhor já pôr a roupa para lavar. Arruma a trouxa. Vê o vestido de noiva e as flores de laranjeira, feito buquê, no chão. Acha graça. Pelo visto, a brincadeira foi mesmo divertida. Sente orgulho de mim, pela maneira firme e prática com que encaro a vida. Suas palavras me caem bem. Afinal, não deixam de ser um pouco verdade.

Quando Verônica sai e fecha a porta e meus olhos se encontram com os de Galileu, ainda não sei o que fazer. Vontade de chorar, mas não choro. Desilusão e dor. Meu amigo, que presenciou toda a cena, me pede calma. E que eu não tome nenhuma atitude precipitada. Observador imparcial que é — por cima dos óculos —, garante que tudo se arranjará.

Piso descalça sobre o vestido e as flores, trago Galileu para a cama. Nenhum pano que nos proteja: eu, ele, o colchão à mostra e os travesseiros. Todos expostos. Guardarão eles, também, segredos e tristezas? Uma coisa é certa. Por mim, ninguém fica sabendo da forma com que José Aureliano me tratou nesta cama. Da humilhação que me impôs. Se acreditei no discurso e na sensibilidade dele, o problema é meu. Se embarquei no sonho de que seria possível voarmos de mãos dadas como noivos apaixonados de Chagall, o problema é meu. Se, por romantismo imaturo, desconsiderei todos os conselhos e os ensinamentos das meninas, o problema é meu. Darei um jeito, que sempre dou. Sou joão-teimoso. Pode me deitar à força, não adianta. Eu volto e continuo de pé.

Favela Santa Marta revisitada

Revide é a palavra que me vem à cabeça. Estou almoçando com as meninas na cozinha. Corto o bife, garfo um pedaço maior do que o normal e ponho na boca. Sinto dificuldade para mastigar. Virginia percebe.

— Nossa, Gabi, que exagero!

Clarice provoca.

— Se o cliente te convida para jantar fora, vai passar vergonha, coitado.

Pior que é mesmo, reconheço calada. Com o que tenho entre os dentes, nem consigo falar. Acho graça, tomando cuidado para não me engasgar, e continuo, com fôlego e disposição de fera que saboreia a presa ainda quente. A mesa muda de assunto. Eu, não. Enquanto trituro o naco de carne, meu foco permanece no cliente, "coitado". Vou ruminando e repetindo com gosto carnívoro: revide, sim. O troco, a resposta na mesma moeda ou algo parecido que me compense a ofensa e me ponha em pé de igualdade com José Aureliano Dias. Só nos veremos na terça-feira. Há tempo de sobra para eu pensar como agir. Mal engulo, ponho outro generoso pedaço de carne na boca. Mordo com vontade.

Nos dias seguintes, passo a elaborar meu plano. Plano ambicioso e bastante complexo. Plano a longo prazo. Plano para enredar o cliente. Aquele que, no descuido da intimidade, chamei de José. O que me comprou e me sangrou do jeito dele. Não estou pensando no próximo encontro ou no outro ou no outro. Estou pensando em uma vida inteira. Trabalho de formiga tibetana.

Terça-feira chega. Dormi muitíssimo bem, sinto-me ótima e não quero correr riscos. Às oito e meia da manhã já estou de banho tomado e pronta para sair. Tia Letícia e Verônica não se metem em assunto que é da minha competência, mas não entendem absolutamente nada. Vai sair? Como assim?

— Não se preocupem. José Aureliano vai compreender bonitinho. Acho até que vai gostar.

Tia Letícia desconfia. "Aí tem coisa", é o que sua expressão sinaliza para Verônica. Não dou importância. A decisão é minha e já está mais do que tomada. Peço licença, preciso ir. Beijos. Não posso cruzar com o cliente nem aqui nem na rua. Estragaria os planos.

Fora do casarão, a realidade já põe meu entusiasmo à prova. O dia amanheceu cinzento. O céu está tão baixo que mais parece teto. Oprime. Nem uma gota de ar. Atmosfera abafada. Ainda não deu nove horas e o calor já é insuportável. Fiz bem em vestir essa blusinha de alça. Atravesso a rua para tomar o ônibus que vai me deixar na rua São Clemente. Tininha não me sai da cabeça — desde o momento debaixo do chuveiro, desde o fio de sangue escorrendo pela minha perna. E sua voz me repetindo: primeiro, a gente sangra para se tornar moça e, depois, sangra de novo para se tornar mulher. Tininha. Como estará ela? E o Ronald? E o Jeremias? Depois que vim para o asfalto, não voltei ao morro, nunca mais os vi. Sete anos já. No início, vez ou outra, ainda sentia saudade, pensava em revê-los. Mas dependia de alguém para me acompanhar. Verônica prometia, mas protelava. Qualquer dia desses. E o dia nunca chegava. Deixei de pedir. As amizades do colégio foram ocupando espaço.

Ronald e Tininha já não me faziam falta. E também não haveria assunto possível, porque, na minha mente, eu tinha crescido e eles continuavam crianças. Com a mesma idade e com a mesma roupa de quando choramos abraçados e nos despedimos com juramentos de amizade eterna.

O ônibus já chega lotado ao ponto da Glória. É o povo que vem trabalhar na zona sul. Porteiros, operários, pessoal de comércio, empregadas domésticas. Tenho de me espremer para subir, alcançar a roleta e pagar a passagem. Viajamos colados uns nos outros. Sufoco. Conformação. Paciência. Cada um com seus botões. Vou encontrando caminhos, tentando chegar mais à frente. Por favor. Dá licença? Obrigada. É bom me posicionar o mais perto possível da porta de saída — onde vou saltar é meio do percurso e poucos passageiros terão descido.

Passamos em frente ao Colégio Santo Inácio. É a próxima parada. Puxo a corda, soa o sinal, o ônibus encosta com má vontade. Uma senhora e um rapaz saem antes de mim. O motorista, que tem horário a cumprir, não pode perder tempo. Dá uma ou duas aceleradas para que a gente deixe de ser mole e não atrase o lado dele. A condução arranca, vai embora. Ufa! Que alívio!

O refresco dura pouco. Olho ao redor. Novo golpe no meu entusiasmo. No asfalto, o cenário já é feio e hostil. A praça Corumbá, suja e abandonada, mais parece terreno baldio. Os brinquedos, quebrados e cheios de ferrugem, deprimem. Mato. População de rua. Meu Deus! Quantas vezes Ronald, Tininha e eu descíamos até aqui só para andar de balanço! Tudo tão diferente! Hoje, os pequenos edifícios em volta, com grades e cobertos de pichações, são prova do descaso das autoridades e da desvalorização da área. Quando pego a rua Marechal Francisco de Moura, em direção ao pé da escada que me levará ao alto da minha querida Santa Marta, a impressão que tenho é que a pobreza aumentou. O dia escuro e abafado entristece ainda mais a paisagem feita de tijolo e cimento. Degrau a degrau, persevero na minha escalada — travessia para um mundo que já não existe. Como se fosse missão, vou à busca de algum indício, pelo menos, que me faça acreditar que um dia eu vivi aqui e fui feliz.

Meio do caminho. Paro para tomar fôlego e apreciar a vista. O mar e a pedra da Gávea lá ao fundo. A Lagoa e a infinidade de edifícios. Tudo bem combinado — Deus e o homem de mãos dadas. Mais perto, com perfeição, a pedra do morro recorta a floresta da Tijuca, que se estende atrás e se eleva até o Cristo — íngreme e exuberante altar. Do lado de cá, em toda a encosta, o amontoado de casebres forma um mosaico que, embora confuso, respira e emociona. Obra de arte em andamento. Instalação que se quer permanente.

À medida que subo e me aproximo da antiga vizinhança, o coração acelera e, na expectativa de reencontros, um belo presente me é dado. Seu Manuel, amigo de vovô Gregório, vem em minha direção, me reconhece de imediato.

— Seu Manuel?

— Gabi! Que surpresa, meu anjo! Você está uma moça, nossa! Mas o rostinho é o mesmo!

Meu anjo, porque era assim que vovô se referia a mim. Uma moça, porque não lhe passa pela cabeça que já sou mulher feita, ou malfeita, não importa. Quando nos abraçamos, me sinto anjo e moça de verdade. E ele deve ter percebido que meu sentimento não mentiu, porque se emociona ao me afastar para me olhar melhor. E torna a me abraçar ainda mais demorado, feito eu fosse uma de suas filhas.

— Quanta lembrança boa, Gabi! Quanta saudade daquela época!

Seu Manuel é contador de histórias. Histórias vividas. Chegou aqui nos anos 1950. Tinha de descer pelo outro lado da mata, até Laranjeiras, para buscar água para a família. Conseguia o precioso líquido com os porteiros dos edifícios que se compadeciam dele. Só muitos anos depois, a favela ganhou sua primeira caixa-d'água, que ele mesmo ajudou a construir, bem lá em cima do morro, ao lado do Campinho do Pico. Todo orgulhoso, conta que, no mesmo local, também participou da construção da igrejinha de Santa Marta, onde tantas vezes vovô me levou para assistir às missas que o padre Veloso e o padre Hélio celebravam. Pergunto se ele tem visto o Jeremias.

— Muito pouco. Ele ficou arrasado com a morte do Gregório. Até hoje se sente culpado. Foi ele que aconselhou seu avô a não se arriscar com a polícia e esperar uns dias mais na favela. Vê só a ironia do destino, minha filha.

— Eu vou lá fazer uma visitinha a ele.

— Vai, sim. Ele está sempre por lá, fazendo um servicinho ou outro. A situação anda meio complicada, sabe? Muita gente desempregada, muito aperto.

— Senti as pessoas mais sérias, distantes, sei lá. O clima, meio pesado.

— É, não está fácil, não. Mas com saúde e fé em Deus a gente vai levando, não é verdade?

Seu Manuel me dá um beijo e mais um abraço. Pede para eu não ficar tanto tempo sem visitar os amigos. Com seu jeitinho característico, vai pegando a mala de ferramentas, diz que precisa mesmo ir. Só de me ver, ganhou o dia, garante.

Um pouco mais animada, aperto o passo, enveredo em direção à Segunda Mina. Dou sorte. Jeremias está em casa — a porta aberta, como de costume. Chamo por ele, que logo aparece e não acredita no que vê.

— Mas não é possível! Bom demais pra ser verdade! É muita alegria, meu Deus do Céu!

Jeremias e eu nos encaixamos como se fôssemos metade um do outro. E ficamos assim, com ele repetindo: Gabi, Gabi, Gabi!

— Que susto bom, meu anjo! Vem, vamos entrando!

Impressionante. Tudo exatamente igual. As mesmas coisas nos mesmos lugares. Até o sofazinho onde eu sentei quando ele me trouxe para cá — ainda o estofamento de plástico verde--escuro com duas almofadas surradas de lã cor de vinho. Em cima, na parede, um pôster com o time do Fluminense, campeão brasileiro de 1970. E um retrato, emoldurado e autografado, de Carlos José Castilho, segundo ele o maior goleiro de todos os tempos!

Jeremias, cinquentão, envelheceu bastante. Está mais careca, engordou. Mas o sorriso e o olhar são os de sempre. Como fez há sete anos, me oferece um copo de laranjada bem docinha e, novamente, vai logo avisando que não se compara com os sucos que vovô me preparava.

— Sinto falta do velho Gregório. Você nem calcula o quanto.

— Como é que você está, Jeremias? Me conta.

— Ah, meu anjo, vou tocando a vida. Fazer o quê? Tem muita novidade, não. O tempo passa pra todo mundo. As mazelas vão chegando e a gente vai aprendendo a lidar com elas.

Jeremias acha graça e conclui.

— Mas você ainda é muito novinha pra entender dessas coisas.

— E os amores?

Jeremias fica meio encabulado, mas fala.

— Os amores? Estão por aí, como sempre. De vez em quando, aparece um. Depois, vai embora. É este meu gênio, sabe. Tem conserto mais não. Vai assim até o final.

— Mas seria bom você ter alguém do seu lado, pra fazer companhia, um carinho, cuidar de você. E você cuidar dela, também, é claro!

Jeremias se diverte com a minha preocupação.

— Ah, mas isso eu tenho! Dona Laura, aqui do lado, é quem faz minha comida. Mulher batalhadora. Boa de prosa e de tempero. Viúva do Seu Feliciano, lembra dele?

— Não.

— Pois é. A gente até andou trocando uns carinhos depois da morte do falecido. Sabe como é. Eu, sozinho aqui. Ela ali, carente e chorosa. Foi bom pros dois. Ela se sentiu amparada. Remoçou até. Seu Amós e dona Olga, nossos vizinhos, comentaram comigo várias vezes. Todo mundo notava. Mas durou pouco. Eu sou mulherengo, pavio curto, é uma desgraça. A gente se acertou melhor assim. Cada um no seu canto e com sua liberdade. E a gente cuida um do outro, como você diz. Na casa dela, eu sou o faz-tudo. Bombeiro, eletricista, pintor, carpinteiro, faxineiro, tudo. Em troca, ela faz minha comida e lava a minha roupa. Acerto de boca. Apalavrado que dura faz tempo. Quer coisa melhor?

— Ah, então é casamento.

— É e não é. Porque, como eu disse, de vez em quando aparece um amor novo. Não pra morar junto, que aí estraga tudo! É amor só de faz de conta, de calor e de beijo. Elas também não querem mais que isso, não. Então, está de bom tamanho.

— E a dona Laura não acha ruim?

— Nem um pouco. Até gosta, porque aí eu fico mais sossegado. Laura é gente boa. Adora uma festa, uma cervejinha. Tem muitas amizades. Gosta de dançar. Eu sou mais paradão, fico na minha. Então está tudo certo.

— O casamento perfeito!

Jeremias dá uma gargalhada que assina embaixo. Depois, me olha nos olhos e se interessa, curiosidade de pai.

— E você? Me conta. Está feliz? Se acertou lá com sua tia Letícia?

— Hum, hum.

— Ihhh... Não senti muita firmeza, não.

Abro sorriso sincero. Da minha história, conto a parte verdadeira que vai tranquilizá-lo. Digo que, no início, foi barra, mas que agora está tudo bem. Conto de Verônica e das meninas. Conto das minhas conversas com tia Letícia e do nosso último acerto de contas. Abro a bolsa e mostro para ele o retrato de papai e mamãe, que ganhei de presente. E o de vovô Gregório com vovó Teresa. Jeremias se emociona.

— Egídio e Luzia. Duas crianças!

Jeremias não se conforma. Tanto idealismo, tanto estudo, para quê? Foram lá para aquele fim de mundo lidar com a miséria, aliviar sofrimento alheio. Para morrer bestamente. Adiantou alguma coisa? Menos um médico, menos uma enfermeira no país. E as injustiças continuam. A violência e a pobreza só fazem aumentar. No campo, na cidade. Falta escola, falta hospital. Os preços disparando, o cruzeiro se desvalorizando a cada dia. O povo nem sabe mais como acrescentar tanto zero. Tudo para ferrar a vida de quem trabalha e é honesto. Aqui na favela, semana passada, houve batida policial. Palhaçada. Que venha o diabo e escolha o pior. O tráfico de drogas cresce a olhos vistos. Muito elemento estranho se instalando no morro. Os moradores estão com medo. E desconfiança, que não havia, começa a envenenar a convivência. Uma tristeza a mais. Jeremias pede desculpas pelo desabafo. Não quer estragar a visita, o dia tão especial. Melhor mudar de assunto. Falar de coisa mais alegre.

— E a Tininha, o Ronald? Estou louca pra ver eles. Não se anima a dar um pulo lá em cima comigo?

Jeremias coça a cabeça, faz cara de que o que tem a me dizer vai decepcionar. É que os dois arrumaram de ter um filho e não estão mais na favela. Foram morar no sítio de um tio do Ronald, perto de Duque de Caxias. Lá eles têm mais condição de sustento. Ronald está com 18 anos, um homão. A Tininha? Imatura e abusada como sempre, mas corajosa. Enfrentou Deus e o mundo para não tirar a criança. Não teve apoio de ninguém. Nem da família, nem do Ronald. O padre Hélio é que segurou a onda e deu todo o apoio a ela. Acabou que, felizmente, tudo se acalmou. O menino é uma graça. Deivid. A cara do Ronald — que hoje baba por causa do "filhão". Pena que o inocente já é obrigado a vestir a camisa do Flamengo. Uma maldade.

— Quando foi que eles se mudaram?!

— O Deivid nasceu no comecinho do ano passado, eles foram embora logo em seguida. Passaram por aqui faz uns dois meses, se tanto. Estão na batalha, mas felizes. Parece que se acertaram lá por aquelas bandas.

A decepção é mesmo grande. Esperava tudo menos isso. Também, não posso reclamar. Queria o quê? Foram cuidar da vida deles. Fizeram muitíssimo bem. Nunca mais procurei nem me preocupei em dar notícias. Não iam ficar plantados esperando a minha vinda, como se eu fosse o Messias. Quem diria? Ronald e Tininha vivendo juntos e já com um filho. Não consigo imaginar.

— Já é mais de meio-dia, meu anjo. Quer ir ali conhecer a Laura? Almoça com a gente. Onde comem dois, comem três. Feijãozinho caseiro com folhinha de louro. Que tal?

Nem precisa oferecer duas vezes, vou com meu estômago batendo palminha. Dona Laura é um amor. Faz com que a gente logo se sinta em casa. Azeitona no palito, pasteizinhos de queijo de minas feitos na hora, mil e um agrados. O almoço é uma delícia em todos os sentidos. Conversa fácil, risadas, assunto puxando assunto. Quando vou ver, já comemos a sobremesa e estamos no cafezinho. Terminado o banquete, ela fica aborrecida por eu insistir em ajudar a tirar a mesa e a lavar a louça.

— Imagina, nem pensar! Fica sentadinha aí, que isso é trabalho meu.

Mas eu teimo e dona Laura acaba aceitando que eu vá enxugando os pratos. Mais pela companhia, ela justifica. Jeremias não sai de perto. Parece gato com chocalho. Foi acompanhar a amiga na cerveja — para celebrar a visita especial — e agora está mais falante e alegre que de costume.

Fim de tarde. Sintonia, afinidade. O encontro se estende sem nenhum esforço. Pão francês quentinho, manteiga e café com leite na caneca. E tem bolo de laranja, que eu ainda preciso provar. Vontade de ir ficando neste lar que é só carinho e aconchego. Tão bom me sentir assim paparicada. Como se fosse em casa de pai e mãe. Se desse, até passaria a noite aqui com os dois, ia embora só amanhã. Mas não posso. O pessoal lá no casarão já deve até estar apreensivo com minha demora. Tudo bem. Um dia não são dias. E eu mereço este sonho acordado. Me sinto anjo de novo, é verdade. Seu Manuel me chamou assim. O Jeremias, também. Eles devem ter percebido as minhas asas crescendo no lugar certinho.

Quando meto a chave na porta e entro em casa, já sou outra. Sou a mulher feita que revida. A menina deve ter se perdido lá fora, em algum ponto na viagem de volta. Verônica, Clarice, Frida e Virginia estão na cozinha. Fico sabendo que José Aureliano esteve aqui conforme o combinado. Chegou pontualmente às nove horas da manhã. Esperou sentado até as dez e foi embora sem reclamar. Não quis a restituição do dinheiro. Meio sem graça, argumentou que eu estava no meu direito. Deixou um beijo. Disse que voltava na quinta-feira. No mesmo horário.

Quinta-feira, uma vida inteira

Verônica vem cedo me ver. Praticamente me tira da cama. Está preocupada. Entende que José Aureliano é assunto que não lhe diz respeito e que, embora envolva dinheiro alto, o que acontece dentro destas quatro paredes é de minha inteira responsabilidade. Ainda assim, se dá ao direito de vir falar como amiga. E de me pôr a par de certas decisões que tomou.

— Não vou mais viajar.

— Não?! Por quê?!

— Letícia me pediu e acho que ela tem toda razão.

— Sabia. Você não tem vida própria, Verônica. Nunca vai ter. Ela tripudia e faz o que bem entende, porque você não ousa contrariar.

— Não é nada disso, Gabriela. Eu mesma achei que seria precipitado me ausentar agora. Estamos vivendo um momento de muitas mudanças aqui no casarão. Não preciso dizer, você sabe. A morte do Belarmindo foi a nossa liberdade, mas também trouxe problemas sérios. Era ele que fornecia a maior parte dos clientes.

— Tia Letícia já comentou isso comigo. Problema dela, que se acomodou com a situação.

— Problema dela, não. Problema nosso! Muitos deixaram de vir por causa desta suíte, que agora é de uso exclusivo seu.

— Uso exclusivo meu, uma ova! Uso exclusivo de José Aureliano Dias! A exigência foi dele! Por mim, eu teria ficado lá mesmo na lavanderia. Eu só acho é que ele não ia achar muito romântico me tirar a virgindade atrás de um biombo, com todo aquele entra e sai das meninas, ao som das máquinas de lavar e de gargalhadas escandalosas!

— Você consegue ser insuportável quando quer, sabia? O que eu estou dizendo é que o problema do casarão é de todas nós. E porque é de todas nós, resolvi ficar e dar uma força pra sua tia. Estou fazendo todo o recadastramento da clientela, entrando em contato com antigos frequentadores. Enfim, não queremos ficar nas mãos do seu "amado" como ficamos nas mãos de Belarmindo. Cometer o mesmo erro duas vezes seria burrice, você não acha?

— Acho.

— Outra coisa. Confiamos na sua capacidade de seduzir e cativar o cliente. Você é petulante, sabe arriscar. Já deu prova disso. Letícia e eu ficamos de queixo caído com a docilidade de José Aureliano ao afirmar que era direito seu deixá-lo ali sentado por uma hora. Não quis o cheque de volta e ainda se desculpou por não poder esperar mais tempo. Não temos ideia do que aconteceu aqui nesta cama. Mas ficou claro que você seguiu os conselhos das meninas à risca e que o domínio do jogo é inteiramente seu.

— Então, ótimo. Qual é a dúvida?

— A dúvida é essa sua arrogância que, na minha opinião, pode estar escondendo alguma decepção, ou pior, alguma grande dor. A dúvida é que eu me preocupo com sua felicidade pessoal e sei que, no fundo, você é uma sonhadora incurável, Gabi. Os noivos apaixonados de Chagall! As asas que seu avô Gregório lhe deu de presente! O amigo bigodudo que salvou a sua vida e que você acabou descobrindo que é ninguém menos que Gabriel García Márquez! Acha pouco? A dúvida é que você idealize José Aureliano e veja nele o que não existe. A dúvida,

314

e também o medo, é que você esteja alimentando algo ruim aí dentro desse coração rebelde e, mais tarde, venha a se arrepender por não ter falado nada com ninguém, nem com sua melhor amiga.

— Não tenho nada pra falar, Verônica. José Aureliano come na minha mão. E está tudo bem comigo.

— Tem certeza?

— Pode ficar tranquila.

Verônica parece que lê pensamento. Não resisto e lhe dou um abraço daqueles de sufocar. Minha carência é bandeira e ela desconfia que alguma coisa errada esteja de fato acontecendo comigo. Me desafia nos olhos.

— Posso confiar que está mesmo tudo bem com a senhora, dona Gabriela?

— Pode, sim. Diz a tia Letícia que ela não vai se decepcionar com a sobrinha.

— Não se trata disso, Gabi. O que ela quer, e eu também, é que você se sinta confortável com a opção que fez. E que não se violente. Apenas isso.

— Eu estou confortável e não existe violência nenhuma. Pode acreditar.

Encenação perfeita. Verônica acaba se convencendo de que, mesmo que haja algum pequeno problema, está tudo sob controle. Brincando, pergunta se pretendo receber José Aureliano hoje ou se o "infeliz apaixonado" vai tomar outro chá de cadeira.

— É claro que vou recebê-lo. Com todo meu amor. O encontro de hoje marcará a vida de José Aureliano Dias para sempre.

— Nossa, Gabi! Assim, você até me assusta!

Caímos na risada. Imaginando cumplicidade, Verônica acredita que a profecia não passa de mais uma provocação da adolescente petulante e abusada.

— Agora chega, menina! Que daqui a pouco o seu homem está aí fora e você ainda nem tomou café.

— Culpa sua, que veio me alugar com essa falação boba.

— Não seja por isso. Já estou de saída. Só volto para fazer as honras da casa e acompanhar o moço até aqui. Boa sorte, garota. E cuide-se.

"O encontro de hoje marcará a vida de José Aureliano Dias para sempre." Até eu me espanto com a fala inesperada e custo a crer que, de modo pensado, eu tenha conseguido verbalizar algo veemente assim. Algo que, em tom de ameaça, me saiu bem lá do fundo da alma e chegou à tona como premonição ancestral. Algo que me leva a acreditar que estamos sujeitos a forças misteriosas e desconhecidas. Forças que, como a própria Verônica presenciou, realmente assustam, porque resultam de desejos inconscientes.

Quinta-feira, dia 16 de dezembro de 1982. Como previsto, José chega às nove em ponto, veste-se de modo bastante informal. Jeans, camiseta branca folgada, tênis batido, cabelos em desalinho. O estilo do meu homem me agrada e surpreende. Coincidência ou o quê? Mexo com ele, porque, sem que houvéssemos combinado, resolvi usar uma roupa bem comum. Shortinho, blusa, cabelo solto e descalça — a pretexto do calor. Não fiz a cama e não pus flores na jarra. Não abri sabonete novo nem troquei as toalhas do banheiro. Nada planejado. Apenas decidi que seria melhor assim e pronto. José diz que eu adivinhei, que eu não podia ter sido mais feliz na escolha. Pergunta se sou bruxa, se tenho bola de cristal. Tudo de que ele precisava hoje era informalidade. Para se sentir mais perto, mais íntimo. Pergunta se ainda estou com muita raiva dele, brinca. Diz que o castigo que lhe apliquei foi merecido. E que ainda fui boazinha, porque, por justiça, ele deveria era ter sido posto de joelhos e com a cara virada para a parede — como as professoras faziam antigamente com alunos insubordinados.

— Nossa, José, que exagero! Assim também já era maldade demais!

— Gosto desse seu jeito de me chamar. Senti saudade, acredita?

— Acredito.

— Você, não?

— Não. Nem um pouco.

— Claro. Que idiota. Eu nem deveria ter perguntado.

— É, não devia.

— Mas fica sabendo que estou realmente disposto a consertar a besteira que fiz. Eu só preciso é que você me dê uma chance.

— Problema nenhum. Eu sou paga, e muito bem paga, para lhe dar quantas chances você precisar.

— Não fala assim, Gabriela. Esta é a chance que eu lhe peço: não falar mais assim.

— Acho que vai ser difícil, mas com o tempo, quem sabe?

— Posso lhe dar um abraço?

— Claro que pode.

— Com beijo e tudo?

— Deixa de ser bobo, José. O estrago que você podia me fazer, já fez. E sentiu prazer.

— Está vendo só? Você não vai me perdoar nunca.

— Vem cá, anda. Me abraça e me beija. Sou eu que estou pedindo. Pedindo, não. Mandando.

José vem e me pega com vontade e me toma de paixão. Não é o cliente, é o amante. O tato é outro e o gosto do beijo é outro, eu sinto. E com igual sabor, o meu corpo e a minha boca e a minha língua respondem. Desta vez, sou eu que o levo pela mão e o faço deitar na cama. As aulas das meninas terão servido apenas para isso. Porque no mais, nele e em mim, tudo é improviso louco e criativo. Juntos, somos aprendizes e mestres sem limite algum, coordenada alguma que nos dê um mínimo de orientação. Somos emaranhado de sentidos sem juízo.

José é todo entrega, mesmo quando me possui — meu corpo sente e responde fácil. Sequer imaginava haver prazer assim. Prazer logo retribuído, quando lhe dou a prova mais evidente de que esqueci a ofensa e o libertei de culpa para sempre: sincronizados em gozo, com a fúria de todas as nossas raivas guardadas e a mansidão de todos os nossos amores sonhados, nos misturamos em líquidos, lágrimas, suores, salivas.

Olhos nos olhos — as suas mãos no meu rosto e as minhas no rosto dele —, José verbaliza, levianamente, um eu te amo. E eu, levianamente, vou mais adiante e respondo um também te amo. Muito, muito.

Aconteceu ou foi sonho? Nos cheiramos, nos beijamos, nos acariciamos e pegamos como se quiséssemos nos provar que existimos de verdade. Exaustão de vitória, guerra vencida. Sorrimos. Alegria infantil. Certos de que este encontro terá marcado nossas vidas para sempre.

Difícil desgrudar

As terças e as quintas se sucedem. Depois, não bastam. José Aureliano e eu incluímos as quartas e as sextas. No período de aulas, para compensar as horas de estudo, nos encontramos também aos sábados — os domingos, ele dedica à família, e as segundas, por imposição de tia Letícia, eu ofereço às almas. E assim correm as semanas. Meses a fio. Anos seguidos.

O casarão prospera como nunca. Clientes, no livro de espera, reservam horário com meses de antecedência. As meninas estão exultantes, nunca faturaram tanto. Verônica vibra porque o negócio caminha por si só. Na conta bancária, entra dinheiro a rodo e o saldo não para de crescer. Tia Letícia tem certeza de que José Aureliano atrai coisa boa. O homem é ferradura, pé de coelho, figa, tudo que traz sorte. Não é à toa que tem fortuna.

— E eu?! Se ele é tudo isso, tia, eu sou o quê?!

— Você, querida, é a minha galinha dos ovos de ouro!

Quem manda eu provocar tia Letícia na frente das meninas? A gargalhada é geral. E ainda fazem gozação. Dizem que posso ser de ouro, mas galinha, não sou mesmo. Puta de um homem só! É muita falta de criatividade! E caem na risada. Não sei o que é variar de prato, desconheço outros sabores, caçoam. Ainda me aconselham a "chifrar" o cliente. E sem dor na consciência, pelo amor de Deus. Se o safado tem outra mulher, porque eu não posso ter outro homem? Eu me defendo, digo que estão todas morrendo de inveja do meu José, de nossa vida eternamente apaixonada. Frida me alerta com versos de Vinicius.

— "Que seja infinito enquanto dure", meu amor. Aproveita enquanto é tempo.

Bato três vezes na madeira. Vira essa boca para lá, isola, cruzes. Virginia concorda com Frida.

— É a realidade, Gabizinha. Não há mal que sempre dure e bem que não se acabe.

Bom, já vi que hoje elas tiraram o dia para implicar comigo. Dou o último gole no café, peço licença para ir à luta.

— Vocês que fiquem aí com seus paladares diversificados e fantásticos, que eu vou cuidar da vida. Tenho mais o que fazer.

Frida não perde a oportunidade. Virginia, em duo, dá força.

— Nossa! Depois que entrou pra universidade vive esnobando a gente.

— Isso é que dá ser sobrinhazinha de titia e fazer Letras na PUC.

— Sobrinhazinha de titia?! Sou eu que pago os meus estudos, está pensando o quê?

— É, Virginia, ela agora é mulher independente, esqueceu?

— Mulher independente que vai encarar um ônibus até a Gávea, enquanto vocês ficam aí de tralalá. Por favor, me poupem.

Tia Letícia põe um ponto final na discussão boba. Sobra para mim, é claro.

— Gabriela, deixa de falação e toma rumo, anda, que eu preciso ter uma conversa com as meninas.

Aproveito para destilar meu venenozinho de leve.

— Claro, se é assunto sério de trabalho, não quero atrapalhar.

Frida me atira em cima um pão francês, quase me acerta e eu saio me rindo. Ainda ouço os xingamentos e as gargalhadas.

— Vai, sinhazinha dos pobres!

— Puta de um homem só!

— Cinderela do Saens Peña-Gávea!

— Dama do lotação!

Sentada no ônibus, vou pensando: amo o casarão e o nosso convívio meio doido. As brincadeiras, as implicâncias, as confissões, os desabafos, as conversas intermináveis, às vezes, noite adentro. Tia Letícia, Verônica e as meninas são minha verdadeira família. José Aureliano? Ainda é projeto de vida. Projeto que eu não sei aonde vai dar. Continuo cheia de sonhos com ele, mas, no fundo, as meninas estão certas. Esse nosso relacionamento é mesmo bastante esquisito. Pode haver diálogo, pode haver paixão, pode até mesmo haver, como ele diz, interesse em me fazer a pessoa mais feliz do mundo. Mas minha felicidade é fabricada e só acontece dentro das quatro paredes de um quarto sem janelas. Amor escondido. Sexo pago. Com o mesmo homem. Há três anos. Quando penso que todas as minhas colegas de faculdade têm namorado mais ou menos da mesma idade, saem juntos, vão à praia, ao cinema, às discotecas, passeiam de mãos dadas, viajam em grupos, se beijam e se abraçam em público, nossa! Como deve ser bom! Causa inveja, confesso.

Abro a minha mochila e, de dentro da carteira, tiro o cartãozinho branco e leio.

À minha pequena Gabriela, com a certeza de que, para nós, uma nova vida agora se inicia, plena de encantos e descobertas! Do seu, José Aureliano.

Primeira e única declaração amorosa que José me enviou. Guardo como lembrança da época em que a gente ainda namorava — época que nunca existiu. Guardo como se a declaração tivesse vindo acompanhada de uma caixa de chocolates ou de uma braçada de flores. Tento esquecer que essas palavras me chegaram junto com uma cama imensa onde, logo depois, ele me iria sangrar.

Chega! Detesto quando começo a me fazer de vítima. Reajo na hora. Reclamar do quê, mocinha? Pensa bem. Você está fazendo sua independência financeira. Apenas 18 anos e olha a sua conta bancária. Além de ser pródigo em presentes, José Aureliano é um companheirão. Não é do tipo que quer apenas sexo e pronto. Não há por que se envergonhar ou se sentir usada. O que existe entre vocês dois é muito maior, pode acreditar. Ele vem, se abre sobre intimidades, medos, inseguranças. Conta do trabalho, da mulher, dos filhos. Não tem segredos. Você é a pessoa em quem ele mais confia. Pode apostar.

Outro dia, no papel de galinha dos ovos de ouro, perguntei o que eu era dele. Amiga? Namorada? Já que não admite que eu seja puta, eu sou o quê? Sou amante paga, é isso? Ele odiou. Me assustei com a reação desproporcional a pergunta tão inofensiva. José se enfureceu. Disse que amantes poderia ter às dúzias e lhe sairiam bem mais baratas! Não, definitivamente, não! Que horror! Tudo, menos amante! Está bem, está bem, não precisa ficar desse jeito, eu disse até achando graça. Abracei-me a ele e ganhei um longo e saboroso beijo. Parece que estou vendo a cena. José pede desculpas por ter levantado a voz, jura que nem ele sabe ao certo o que é de mim. Que importa? Rótulos são apenas rótulos. Confessa que, no início deste ano, se dando conta de que estava beirando os 40, achou-se velho e ridículo com os nossos encontros. Entrou em crise. Chegou a imaginar que eu era a filha que ele não teve. Filha extremosa e paciente, sempre pronta a escutar, a aconselhar. Filha que foi bênção, presente dos Céus. Contraste com os dois galalaus dentro de casa, com suas vozes grossas e desafinadas, infernizando-lhe a vida. Cheios de cobranças e rebeldia burra, enquanto eu, o extremo oposto. Filha incestuosa, permissiva, fêmea apaixonada — era assim que ele me via. Lembro que essas palavras me causaram boa impressão. Sempre valorizei palavras. Pedi que ele repetisse como me via. E ele, novamente e com doçura, ousou dizer o que eu queria ouvir. Filha incestuosa, permissiva, fêmea apaixonada. Fomos para a cama. Ele era o pai que cuida e protege. Eu era a filha que ele, orgulhoso, levava ao altar. Filha que ele, sem ciúmes, entregava a ele mesmo. Foi um dos nossos mais belos momentos.

No casarão, apenas Verônica está a par do que existe de verdade entre mim e José Aureliano. Nossos conflitos, nossa relação de altos e baixos, o amor que, apesar de tudo, eu sinto por ele. E, imagino, ele também sente por mim. Para as meninas, e até mesmo para tia Letícia, o que acontece dentro da suíte principal é puro sexo. A velha história do homem maduro e bem-sucedido que se encanta pela ninfeta abusada que lhe dá ordens e o manipula. A carne nova, o perfume de juventude, a inocência que se desencanta e se deixa prostituir — a literatura erótica está farta de exemplos parecidos. Por isso, brincam e me atazanam como fizeram agora de manhã. Sem maldade. Provocações naturais de colegas de profissão.

Nem sei o que seria de mim sem a Verônica por perto para apagar meus incêndios internos. Ainda bem que ela atendeu ao pedido de tia Letícia e não partiu na tal viagem longa. Até hoje continua firme no posto. Amiga de todas as horas. Não arreda pé. Levanto as mãos para os Céus e agradeço. Verônica é sensível, alma generosa, mas extremamente prática. Acho que a triste experiência com Belarmindo Cruz lhe deu musculatura ao coração. "Hay que endurecerse pero sin perder la ternura jamás" — guerrilheira do cotidiano, não cansa de repetir o pensamento de Che.

Outro dia, por força do hábito, fui chorar em seu ombro minha mais recente decepção com José Aureliano.

— O que foi agora?

— Caí na besteira de pedir a ele que, pelo menos por uma vez, nosso sexo não fosse pago. Que ele não tirasse caneta do bolso e não preenchesse o cheque pelo prazer que tivemos um com o outro. Aconteceu o pior.

— O quê? Que ideia é essa, Gabriela? Amor de graça? Nem pensar, foge inteiramente ao combinado.

O argumento não me convence. Desde o início, nossa relação foge ao combinado. Só o meu preço e a obrigação de pagamento por parte dele vigoram no contrato. Irredutível, José expôs seus motivos com frieza empresarial. Amor de graça arruinaria tudo. Lembro que essas palavras me causaram má impressão. Sempre valorizei palavras. Amor de graça arruinaria tudo? Como assim? José se perdeu em explicações sem nenhum sentido. Disse que era homem de palavra, que honrava seus compromissos. Como ficaria diante de tia Letícia? Ela, certamente, iria pensar que ele já estava arrumando maneira de lhe passar a perna. Insisti, quase implorando. José ficou aborrecido, me comparou aos filhos gala-laus e às eternas cobranças que lhe faziam. Será que eu passaria a ser como eles? Foi embora. Não quis saber de conversa. Não quis saber de amor. Nem pago nem de graça. Como de costume, passou na recepção e preencheu o cheque com quantia redonda em nome de Letícia Garcia. Pagou pelo prazer que não teve. Pelo desprazer até. Observou, rigorosamente, o parágrafo segundo da cláusula oitava do contrato: "Depois de passar pela porta da suíte principal, o cliente se compromete a efetuar o pagamento dos valores acima ajustados, não importando o prazer que venha a sentir dentro daquelas quatro paredes."

Verônica é paciente comigo. Pede que eu seja mais compreensiva com José Aureliano, que tem sido tão bom para mim. Três anos a me cobrir de atenções e cuidados, a investir nos meus estudos e, portanto, no meu futuro. E que eu me convença de uma vez por todas que ele é cliente — O Cliente! E ponto final. Não posso ficar me martirizando com esses surtos românticos de adolescência. O quê?! Surtos românticos de adolescência, sim! Onde já se viu?! Me revoltar só porque José Aureliano quer seguir cumprindo com o que foi acertado! Além do mais, eu já estou bem grandinha para entender que sexo é instinto muito forte, mexe com a cabeça das pessoas. É válvula de escape. Pode estar ligado ao egoísmo e ao desejo de poder, a frustrações, a raivas reprimidas. Pode resultar de carência afetiva e necessidade de proteção. Pode ser fruto de amor ou de uma simples atração física. Sem mistério algum, pode estar apenas no prazer de querer dar prazer ao outro. E pode, incrivelmente, ser tudo isso misturado. Difícil saber o que se passa na mente de cada um. Portanto, deixa o homem pagar em paz e fique feliz por isso!

Verônica está certa. Sempre faço tempestade em copo d'água. Lembra que, outro dia, vim com aquela crise hamletiana ridícula: sou amiga, namorada, amante paga? Sou o quê? Ser ou não ser puta, eis a questão. Tenha a santa paciência, Gabi!

Para terminar — que ela não pode ficar o dia inteiro me ouvindo —, duvida que alguma das minhas colegas lá da PUC tenha vida afetiva tão original e atribulada quanto a minha.

— Com sexo pago ou não, a cama de vocês continua fantástica. Verdade ou mentira?

— Verdade.

— Sexo gruda as pessoas umas com as outras. É cola das boas. Literalmente. Se o sexo é bom, aí é que a cola pega firme. Difícil desgrudar, minha amiga. Muito difícil. Vá curtir o providencial cliente que Deus lhe deu e deixe de besteira.

Acabo achando graça e concordando. *Touché*, como diria tia Letícia.

Maioridade

Sábado, 5 de março de 1988. Dia de grande faxina no casarão. A maior, a mais completa de todas. Amanhã, faço 21 anos. Oficialmente, passarei a ser dona do meu próprio nariz. Tudo será diferente a partir de agora, eu sinto. Até com José Aureliano. Ele que me aguarde. Nem acredito. Finalmente, minha maioridade!

Para celebrar a data, tia Letícia decide organizar a mais bela festa de todos os tempos. Afinal, missão cumprida! E o principal: vai realizar o velho sonho de se ver livre da sobrinha estorvo! Fala de brincadeira, é claro. Porque, pelos lucros que dou, não pretende se separar de mim tão cedo. Uma mão lava a outra e José Aureliano lava as duas. O melhor e mais surpreendente negócio que fez em toda sua vida! Negócio abençoado que só atraiu coisas positivas e que continua dando certo porque é bom para todos — repete com o sorriso característico de quem vive no azul.

Como o aniversário cai em um domingo, decidimos que festejaremos hoje, na passagem da meia-noite. Com champanhe francês e um bolo descomunal de três andares feito aqui mesmo pelas meninas. Ou, para dar o merecido crédito, pela Clarice, que é doceira e confeiteira de mão cheia. Talento que, aliás, usa com perfeição também em seu cotidiano amoroso — os clientes amam. Enfim, todas e cada uma contribuindo para o sucesso e o brilho da festa. E eu, que nasci com a bunda virada para a Lua, sendo, como sempre, o centro das atenções.

Mulheres presentes seremos nós aqui de casa e algumas amigas animadas que também frequentam o casarão. A maior parte dos convidados é de homens. As meninas ficaram eufóricas, porque cada uma teve o direito de escolher três clientes — aqueles mais divertidos e que já se tornaram íntimos e confidentes. Estão ansiosas para ver no que resultará essa ousada diversidade de sabores — alguns bem exóticos, por sinal. Tia Letícia, que não dá ponto sem nó, aproveitou a ocasião para convidar alguns de seus amigos mais importantes. Amigos que, certamente, ajudarão a divulgar o clima de magia e deslumbramento do casarão em uma noite de festa. Verônica preferiu não convidar ninguém. Assim — ela mesma diz — terá plena liberdade para se movimentar, orientando os quatro garçons que foram contratados e o rapaz encarregado do som, concentrando sua atenção nos convidados e cuidando para que tudo saia a contento. A festa, ela garante, será um sucesso!

Meus convidados? Foi difícil fazer a lista. Jeremias e dona Laura, por exemplo. Por mais que lhes queira bem e vá visitá-los com alguma frequência, não faria nenhum sentido chamá-los — tia Letícia é da mesma opinião. Os dois se sentiriam totalmente deslocados. Já combinei de passar lá amanhã e almoçar com eles. As colegas da PUC? Só mesmo rindo! Nem sonham que levo vida semelhante. Vivem em outro planeta, inteiramente diferente do meu. Algumas são bem legais, mas nosso convívio se limita ao horário da universidade. Portanto, convidado, convidado para valer, só tenho um: José Aureliano Dias. A grande dúvida é se ele poderá comparecer. Nossos encontros aos sábados sempre são marcados na parte da manhã. A partir da hora do almoço, o empresário, cioso também de seus deveres domésticos, passa a se dedicar inteiramente à família. Mesmo assim, convido. E ele, parecendo honesto, diz que fará o possível e o impossível para estar presente. As meninas organizam logo um bolão: o homem vem ou não vem? A maioria aposta que ele vai me dar um senhor bolo — ou seja, o verdadeiro bolão! Maldade fazerem esse tipo de piada justo no dia dos meus anos. Mas não me importo. É praxe. Estamos todas acostumadas.

Nove horas da noite. Tudo pronto. Não há peça do casarão que não esteja iluminada. Todos os quartos abertos e feéricos. O pátio interno, com suas folhagens exuberantes, parece saído de sonho. Valorizados pela luz nos canteiros, antúrios vermelhos fazem careta para as tristezas do mundo. No hall de entrada, o jarrão gigantesco, Companhia das Índias, ostenta um arranjo de flores tropicais de fazer inveja aos do Copacabana Palace. As portas dos salões foram escancaradas de modo a facilitar a circulação dos convidados. A mesa de jantar, aberta em sua máxima extensão, exibe o bufê encomendado a um dos *chefs* mais conceituados do Rio de Janeiro — tia Letícia prefere não divulgar o nome, porque é cliente antigo que lhe pede sigilo. Por fim, o salão principal, arrumado para receber a aparelhagem de som e oferecer amplo espaço para a dança. Jonas, o DJ — exemplar masculino de tirar o fôlego —, já está a postos. A pedido de tia Letícia, *The Very Best of Chris Montez* será a trilha escolhida para a chegada dos convidados, com *hits* conhecidíssimos, como "The More I See You", "Sunny", "Time After Time", "Day by Day", "Fly Me to the Moon" e tantos outros.

De repente, lembro-me de alguém importantíssimo. Corro até a suíte e busco meu velho e bom companheiro Galileu para também festejar comigo. Decido que ele ficará de *grand voyeur*, no salão principal, como convidado de honra em lugar privilegiado. E ai de quem ousar lhe pôr as mãos. Peço ao Jonas que seja também o segurança do meu carneiro. Ele aceita na hora. Com olhar cheio de segundas e terceiras intenções, diz que será um prazer.

Dez e meia da noite. Quase todos os convidados já chegaram. Falação alta. Bebida e comida circulam com fartura. Algumas das meninas já se animam com seus pares na pista de dança. Tia Letícia está orgulhosa pela recepção que oferece, vejo em seu rosto. Já me apresentou a vários amigos, cobrindo-me de elogios. Nunca pretendeu tomar o lugar de ninguém, mas afirma que sou a filha que sempre quis ter. Dá mais um gole no champanhe e, emocionada, me libera.

Vou circulando e apreciando a alegria de todos. Volta e meia olho o relógio. Quase onze horas. José Aureliano não vem mais — já é quase certeza dentro de mim. Deve ter combinado algum programa com Úrsula. Enfim, tudo bem. Ele é casado. Bem-casado. E não existe cláusula alguma em nosso contrato que o obrigue a comparecer a festas oferecidas sábado à noite. Portanto, Gabriela, brinque com as meninas, beba e se divirta com os que estão aqui para prestigiá-la. Você é o centro das atenções.

Onze e quarenta. O volume do som está bem mais alto agora. Gloria Gaynor é só felicidade e chega com força total para estimular o sonho, o voo e o exibicionismo de todos. Danço como se José Aureliano estivesse diante de mim, embevecido com minha juventude, minha saúde, minha sensualidade. Orgulhoso por eu estar usando o vestido vermelho de *griffe* que ele me deu de presente, o par de brincos e a aliança de brilhantes. Quando entra a faixa "Can't Take My Eyes Off of You" Virginia e Isadora me puxam para dançar em roda com elas. Dou com Jonas me observando. Mesmo flagrado, o abusado não disfarça. Pelo contrário. Faz questão de sustentar o olhar. E de sorrir para mim como quem convida. Minha carência afetiva estimula altas fantasias eróticas com o bonitão, que poderá ser meu a um estalar de dedos. Chego a provocá-lo com minha dança. Pura maldade. Covardia. Sei que o coitado está ali trabalhando. E de que me servem tanta beleza e sedução se não é a pessoa que amo e desejo? Sou puta, mas sou puta de um homem só. A mais recatada de todas. Infeliz destino, eu sei. Fazer o quê?

Quando a tristeza ameaça estragar tudo e penso até em sair da pista, Lulu Santos vem em meu auxílio e gira na fita com "Dancing Days". Gritos frenéticos, o salão vem abaixo. As meninas abrem uma imensa roda e me põem no meio! O povo todo canta.

"Abra suas asas/ Solte suas feras/ Caia na gandaia/ Entre nessa festa/ E leve com você/ Seu sonho mais louco/ Eu quero ver seu corpo/ Lindo, leve e solto/ A gente às vezes/ Sente, sofre, dança/ Sem querer dançar/ Na nossa festa vale tudo/ Vale ser alguém como eu/ Como você..."

Armações do destino, justo nessa hora de loucura total, José Aureliano decide chegar. Encabulado e relutante, é obrigado pelas meninas a entrar na roda e a dançar comigo. Desajeitado — ainda mais apanhado assim de surpresa —, o pobre quase não sai do lugar. E eu lá me importo? Quero é abraçá-lo e beijá-lo ali na frente de todos. E ele gosta, porque sabe que é o dono da minha felicidade, e retribui apaixonado, enquanto o povo segue cantando.

"Dance bem/ Dance mal/ Dance sem parar/ Dance bem/ Dance até/ Sem saber dançar."

Meia-noite em ponto. Apagam-se as luzes. Trazido pelos garçons, o bolo de três andares e 21 velas vem em minha direção. Parabéns para você, aplausos, vivas, assobios, tudo o que é meu de direito. Sem hesitar, passo a lâmina da faca pela cobertura, massa e recheio até o fundo. E depois, novamente, com redobrada vontade, para formar o generoso triângulo. O primeiro pedaço vai para tia Letícia. As meninas aprovam minha decisão com entusiasmo.

— Ela merece! Ela merece! Ela merece!

Modesta, Verônica se surpreende com a segunda fatia. Chora copiosamente abraçada comigo, me desejando todas as felicidades do mundo. José Aureliano parece conformado com o terceiro pedaço do bolo. Acha justo.

Encerradas as homenagens, Jonas é autorizado a voltar com o som. Música lenta, todos pedem. Acho ótimo. Cheia de paixão, e muito bem-acompanhada, quero mesmo é dançar juntinho e de rosto colado. Boleros são os eternos *hits* do casarão. Osvaldo Farrés nos envolve com "Quizás, quizás, quizás". Gregorio Barrios nos maltrata com "Una mujer". E Altemar Dutra nos leva aos Céus com "Sentimental demais". De Lucho Gatica a Augustin Lara, dançamos o repertório completo. Às tantas, o clima de paixão pede o tango arrebatado de Carlos Gardel. "Por una cabeza" e "El dia que me quieras" nos fazem ferver por dentro. E pedimos para ouvi-las de novo e de novo e de novo.

As horas voam. São mais de cinco da manhã. As luzes reduzidas condizem com o clima de final de festa. Tia Letícia se recolheu faz tempo. Os quartos já quase todos com as portas fechadas. Dentro deles, outro tipo de celebração. José Aureliano está feliz. Nunca o vi assim, sem divisões. Um homem inteiro. E todo meu. Entramos abraçados em nossa suíte. Nenhuma pressa.

— Domingo de madrugada, e eu aqui com você. Parece sonho.

— E Úrsula?

— Tivemos uma discussão absurda. Assim, do nada. Foi ótimo, porque me deu pretexto para sair de casa, batendo a porta.

— Que discussão?

— Dinheiro. Como sempre. Ela não me diz o que faz com o dela nem eu me interesso. Mas quer decidir o que eu faço com o meu. Mulheres!

— Calma lá, não me mete nisso, não!

José acha graça da minha reação. Chega, me pega, me beija e tudo bem.

— Sua boba. Saiu sem querer. Modo de falar.

Não vamos estragar a noite. Tudo tão perfeito! Até a briga ´ com a mulher veio a calhar, insiste. Não foi ele que montou o barraco, por isso está com a consciência tranquila. Úrsula bate na mesma tecla, acusa-o de ser um pai ausente. Só ela põe limites nos filhos — dois homens já de barba na cara, mas que vivem completamente fora da realidade, porque recebem tudo de mão beijada. E ele nem se toca. Pensa que resolve tudo abrindo o talão de cheques.

Fico bem calada, não ouso dar opinião em assunto de família, mas Úrsula está certa. Prova de que conhece bem o marido que tem.

— E então? Posso dormir aqui ou vou ter que ir para um hotel?

É claro que pode! Que melhor presente? Meu homem! Quem sou eu para julgar? Mal sei de você, mal sei de mim. Vamos aprendendo um com outro no dia a dia. Ninguém nasce com manual de instrução, já ouvi dizer. Só na prática, mexendo aqui e ali, a gente tem alguma ideia de como o outro funciona. Não é não?

6 de março de 1988. Maioridade de alegres surpresas. Pela primeira vez, ganho festa de aniversário. Pela primeira vez, José Aureliano passa a noite comigo. Pela primeira vez, não nos despedimos na suíte — sou eu que o acompanho até a porta. Pela primeira vez, ele me beija a céu aberto, dia de sol ainda por cima. E, pela primeira vez — milagre ou o quê? —, vai embora sem pagar. Talvez, por esquecimento. Talvez, por ser domingo. Talvez, por distraída felicidade.

Fecho a porta da rua. Feito boba, querendo reter o beijo que ganhei lá fora, fico repetindo para mim mesma: Gabriela, tudo será diferente a partir de hoje. Você é maior de idade e, pela primeira vez na vida, fez amor de graça! Amor de graça, amor de graça, amor de graça! Me abraço e rodopio comigo mesma pelos cômodos silenciosos. Dentro de mim, estou em plena festa! Maior de idade? Onde termina a menina e começa a mulher? Não faço ideia.

Voltar para a suíte, não volto. Decido ir me sentar lá no pátio interno — meu novo jardim secreto. Apreciar o verde e as flores. A cabeça gira, o coração vai junto. O pensar e o sentir se confundem. Afinal, misturados dentro de mim, o que é um e o que é outro? Vejo meus pais aqui comigo. Vejo o rosto do meu avô em cada antúrio. Vejo meu tio Paulo saindo de trás de uma das folhagens e me dizendo, feliz, que estava ali fazendo cocô e que conseguiu se limpar sozinho! Gabito cai na risada. Levo um susto. Gabito?! Bom demais para ser verdade! E não é sonho!

Você pode ter vendido o corpo, Gabriela, mas não vendeu a alma. Por isso, ainda sonha e voa. Por isso, vim vê-la.

Gabito veste roupa clara. Calças e camisa de linho. Também faz anos hoje, diz que sua visita é rápida, só para me atiçar. Para me convencer de que meu voo é outro. Voo que transcende cálculos matemáticos e testes de aerodinâmica. Voo que fascina e arrebata. Voo perigoso, sem controle algum. Pois é: o imprevisível e absurdo voo dos que amam apaixonadamente.

Gabito me pede um presente de aniversário: que, na universidade, eu não me preocupe tanto em ostentar conhecimento e estudá-lo a fundo. Por quê? Meu amigo não diz, apenas sorri. Como de costume, vai embora interrompendo a conversa antes do fim.

Ruptura

A visita de Gabito surpreende. Antes, nossos encontros aconteciam de madrugada, em sonho. Depois, visitinhas rápidas, passei a vê-lo vez ou outra nos meus cochilos da tarde. A chegada de José Aureliano em minha vida coincidiu com o seu afastamento. Achei estranho. *Cem anos de solidão* já havia me marcado. Identifiquei-me tanto com aquele universo e com aquela gente que morri de saudade quando fechei o livro e eles se foram. Saí à procura de lugares vizinhos e parentes próximos na obra do meu amigo. Li *Ninguém escreve ao coronel, Crônica de uma morte anunciada* e *O amor nos tempos do cólera*. Recentemente, o professor de literatura comparada me recomendou *Olhos de cão azul*, uma antiga coletânea de 11 contos fantásticos, cujo tema central é a morte. Devorei o livro em pouco tempo. Amei. Gabito escreve sobre pessoas mortas que têm consciência de sua morte e de pessoas vivas que morreram em vida e não sabem. Por extensão, contribuo com minha própria história, com meus mortos que continuam presentes dentro de mim e com os vivos que foram embora para sempre: não faço ideia do que terá acontecido com tio Paulo. Voltou à luta para vingar a morte de papai e mamãe e caiu por terra em Xambioá? Desistiu de tudo e vive em algum lugar do Planalto Central? Em Minas, imagino que não esteja, porque meus avós paternos morreram faz tempo e não há mais ninguém por lá. Mesmo Ronald e Tininha, que desapareceram felizes para sempre, me fazem pensar. Como será o sítio onde moram? O Deivid já deve estar com uns 6, 7 anos e eu nem conheço, não chegou a nascer para mim — um vivo que a vida me abortou.

Gabito sempre me faz falta. Suas ausências, mesmo que temporárias, me incomodam. Por isso, me especializo em sua vida, em sua obra. Contraditoriamente, parece que quanto mais eu leio e me aprofundo nos escritos de García Márquez, mais meu amigo se torna distante. As notas altas, as teses elaboradas, os elogios dos professores, nada nos aproxima. Suas vindas não dependem de mim. Apenas dele. Ontem, por exemplo. Veio me visitar quando eu menos esperava e daquele jeito: não em sonho ou em cochilo, mas em pensamento-presença. Como na primeira vez em que nos vimos — o dia em que me salvou a vida. Está certo. Foi meu primeiro aniversário festejado. E aniversário dele, também. É compreensível que tenha vindo. Fez-me imenso bem ouvi-lo dizer que vendi meu corpo, mas não a alma e que, portanto, ainda sou capaz de sonhar e voar — aliviou-me o peso da culpa. Só não entendi o pedido para que eu não o estudasse tanto nem ostentasse conhecimentos. Que mal haverá em tentar compreendê-lo através dos meus professores? Estudiosos sérios que, pela experiência, tanto me têm ensinado sobre ele.

Logo na terça-feira, movida por estas e outras inúmeras dúvidas, decido ter longa conversa com José Aureliano. O ponto de partida? *Cem anos de solidão* — livro que também o marcou e, segundo ele, nos poderia levar a voos mais altos. Eu tinha apenas 15 anos, mas sua fala permanece viva até hoje.

"Essa história faz parte da minha vida. Às vezes, chego a pensar que Úrsula e eu saímos de dentro dela, tantas as ligações. Ligações que não se limitam a nomes coincidentes. Há muito mais. Muito. Você nem imagina."

Lembro que fiquei hipnotizada com o que ouvi. Era bonito demais. Eu tinha um homem que acreditava ter saído de um livro e que lamentava não ter encontrado alguém que embarcasse no mesmo sonho que ele. Assim, foi por *Cem anos de solidão* que acreditei no amor, me vesti de noiva e, com flores de laranjeira, me entreguei a José Aureliano. Foi por *Cem anos de solidão* que suportei a violência e os xingamentos no mesmo instante em que ele sentia prazer imenso. E foi por *Cem anos de solidão* que o perdoei logo em seguida e não me arrependo por isso, porque desde então o amor tem prevalecido entre nós. Ainda que amor pago, ainda que amor escondido, ainda que amor confinado em quatro paredes.

— Que tantas e tão fortes ligações são essas que eu sequer imagino? Você sempre desconversa quando pergunto.

— Quantas vezes já repeti, Gabriela? São questões pessoais que envolvem a intimidade de Úrsula. Por isso, prefiro não comentar.

— Tudo bem. Não vou mais insistir. Embora eu continue achando que você me esconde algo com relação a essa história. E é algo que o incomoda bastante. Está nos seus olhos, está na sua voz, eu sinto.

— Imaginação sua. Vem cá, me dá um beijo.

Me faço de difícil. José faz cara de cão sem dono.

— Já sei. Você não queria que eu viesse hoje, porque dormi aqui no domingo. Ainda não deu tempo de sentir saudade.

Vou e dou o beijo que ele pede. E muitos outros. Paixão.

— Você sempre arruma um jeito de virar o jogo. Mas cuidado, as coisas agora não vão ser tão fáceis.

— Não?

— Estou pensando seriamente em estabelecer novas regras para a nossa relação.

— Sua tia sabe disso?

— Não só sabe como me dá total apoio.

— Jura?!

— Por tudo o que há de mais sagrado no mundo.

— Então me dá outro beijo.

Mesmo abraçada a ele, afasto o rosto.

— Nada disso.

Ele insiste, eu não deixo. Ele me solta com uma ponta de irritação.

— Vai, fala. Que cláusulas você pretende incluir no contrato?

— Não ironiza, não, que estou falando sério.

— Eu também estou.

— Sempre que lhe peço para sair comigo para passear, jantar ou almoçar juntos, você se nega. A desculpa de que sou menor de idade não cola mais. Arruma outra.

— Ah, não, por favor, essa cobrança de novo, eu não aguento.

— Acontece que quem não está mais aguentando sou eu, José. Parece loucura. Seis anos trancados aqui neste quarto! Só nos encontramos aqui! É doente, não faz o menor sentido!

— Foi o combinado desde o início. Eu cumpro a minha parte. Você cumpre a sua.

— Domingo, quando dançamos juntos e nos beijamos na frente de todas aquelas pessoas, parecia sonho! Você não calcula a felicidade que eu senti! E depois?! Quando, pela primeira vez, eu fui levá-lo até a porta e você se despediu de mim lá fora e saiu apaixonado sem pagar! Você tem ideia do que isso significou para mim?

— Eu errei. Eu não devia ter vindo à festa. Foi uma besteira muito grande!

— José!

— É claro que isso ia acontecer! Nós dois juntos, em público, dançando de rostinho colado, amor de graça, despedida na porta, como se fôssemos namorados! Ridículo!

338

— Não diz mais nada, por favor.

— Eu errei, eu não devia ter vindo, repito mil vezes! Você agora vai achar que eu não sou cliente. Quem sabe noivo? É isso? Tem pretensões de ocupar o lugar de Úrsula e se casar comigo?

— Você é um poço de contradições, José. Diz que se apaixona pelo meu lado menina, minhas adolescências. Brinca com meu romantismo exagerado, guarda todos os meus bilhetinhos e desenhos. Vive me dizendo que, se não fosse por mim, você seria um homem infeliz e amargurado. Perdi a conta das vezes que ouvi você afirmar que sua vida em casa é um tédio e não faz o menor sentido. Eu nunca vi você como cliente, José. Nunca.

— Mas aceitou o meu dinheiro!

— Por imposição sua! Você sabe muito bem disso!

— Eu não vou aceitar ficar saindo de mãozinha dada com você, como se fôssemos sei lá o quê!

— Amigos.

— Amigos! Muito boa, essa! Amigos!

— Você me proibiu de verbalizar que sou sua "puta". Fica tristinho e ofendido. Também não tolera o termo "amante". Acha brega, diz que "amantes poderia ter às dúzias". Pensei que "amiga" fosse um eufemismo simpático que agradaria.

— Seja como for, tira da cabeça. Sem condição de eu ser visto na rua com você.

— Então, faça o favor de se dirigir à recepção, acertar as suas contas e seja feliz. Foi um prazer conhecê-lo.

— Gabriela, você não está falando sério.

— Nunca falei tão sério em minha vida.

— Merda!

José Aureliano sai e bate a porta. Não me importo com a cena. Sei que quinta-feira ele estará aqui de volta feito um cachorrinho. E aceitará minhas condições.

Melhor esquecer de vez

Quinta-feira. José Aureliano não vem nem dá notícias. Fato inédito. O gesto me surpreende, mas não preocupa. Vou cuidar da vida. Tenho mais o que fazer do que ficar dando importância a essas picuinhas de "cliente" mimado.

Semana seguinte. Nada. Nenhuma notícia. Começo a ficar preocupada. Comento com Verônica e tia Letícia. As duas são de opinião de que ele está fazendo de propósito para me testar. Qualquer hora telefona ou aparece com a cara mais deslavada do mundo, apostam.

Um mês. Chego ao meu limite. Sinto falta da pele, do cheiro, do gosto, da figura e dos sons de José Aureliano. Me viciei ao seu modo incomum de fazer sexo — às vezes, ogro. Às vezes, menino. Não me concentro em mais nada. Morro de saudade. Sofro pelo desgraçado. Decido telefonar. Tia Letícia me proíbe.

— De jeito nenhum!

— Tia, isto não está certo! Seis anos juntos! Ele precisava pelo menos ter me dado uma satisfação!

— Ora, Gabriela, pelo amor de Deus! Que não está certo nós já sabemos, mas não se trata mais disso!

— Se trata do quê, então?

— De agir com inteligência e manter sua dignidade. Se você ainda tiver alguma chance com José Aureliano, ela acabará no momento em que você pegar esse telefone e ligar para ele.

— Bandido, ordinário! Me usou o tempo todo!

— E também foi usado. A culpa é dos dois que misturaram tudo. Mudaram as regras do jogo conforme as conveniências. Deu no que deu.

Tia Letícia é dura no seu discurso. E está certa. Desde o início, havia afirmado que não iria interferir no que se passasse dentro da suíte. Que eu agisse e fizesse como bem entendesse. Não queria errar comigo e José Aureliano como errou com Verônica e Belarmindo. Além do mais, depositava inteira confiança em mim. Na minha habilidade para lidar com situações eventualmente adversas. Não se sente omissa. Não se arrepende. E mais: na conta de padeiro, tirando o lápis atrás da orelha, somando e subtraindo, o saldo é extremamente positivo. No sentido próprio e figurado! Só mesmo tia Letícia para me fazer rir numa hora dessas. Mas meu riso é de raiva. Vontade de matar, trucidar e picar em mil pedacinhos o "maridão". O quê?! É isso mesmo, tia! Finalmente, consigo verbalizar a palavra! Maridão! Esta é que é a verdade. Sempre enxerguei José Aureliano como marido, esposo amantíssimo. Não é imaginação minha. Não tive vestido de noiva? Não caminhei até ele com flores de laranjeira? Não casei imaculadamente virgem? Claro! Está aí a causa de toda a minha decepção. Meu marido me abandonou e foi embora com outra. Por que o espanto? Úrsula sempre foi a outra. A que fez tudo para destruir o meu lar e conseguiu. A que se entregou a ele fácil fácil. Fruta de galho baixo, que ele nem precisou se esforçar para provar. Pensa que eu não sei? A quantos ela se entregou antes dele? Oferecida! Ainda arrumou filho. Golpe da barriga. Tão conhecido. E é por essa mulher que ele me troca. Mulher que, quando se deitou com ele, já era mais que usada. Infeliz! Quero que morram todos! Ele, ela e os dois galalaus idiotas!

Tia Letícia entende perfeitamente o meu desabafo. Chora. Chora, sim, que faz bem — ela conforta. Põe toda essa raiva para fora. Amanhã tudo isso passa, você vai ver. Tanto rapaz bom, da sua idade, com belos planos para o futuro. E você presa a um homem gasto que não quer mais nada com você. Acho que já é tempo de partir para outra, minha filha. Encontrar alguém que possa lhe dar uma vida normal. Aproveita a oportunidade que o destino está lhe oferecendo e esqueça José Aureliano de vez.

Júlio

Os conselhos de tia Letícia, embora conservadores e cheios de lugares-comuns, vieram a calhar. Foram como água oxigenada, algodão e mercurocromo que me ajudaram a curar o machucado. Verônica, por sua vez, também me soprava a ferida para não arder tanto. E as meninas nunca fizeram piada com a minha dor. A solidariedade e o afeto deram certo. Não cicatrizei, mas pelo menos criei casca. E fui vivendo. Passei a cuidar mais de mim. De março a setembro daquele ano de 1988, minha rotina se concentrava na universidade, na academia de ginástica e nas visitas periódicas ao Jeremias e à dona Laura. Às vezes, pegava uma praia ou ia a um cinema com Verônica. Vida mais que comportada.

Onze horas da manhã, sábado, 24 de setembro. Dia de faxina no casarão. Toca o telefone. Virginia grita que é para mim. Paro de lavar a louça, fecho a torneira, enxugo as mãos e vou atender. É Júlio. Já nos conhecemos há algum tempo. Professor da PUC nos cursos de linguística, literatura e língua francesa. Solteiro, moreno, tipo bem brasileiro, 30 anos no máximo. Conversa agradável e inteligente. Bem simpático. Nunca imaginei que sentisse alguma coisa por mim ou se interessasse por algo mais que amizade. Pois é. O próprio. Conseguiu meu número com dona Margarida, na secretaria. Tomou coragem e ligou. Espera que eu não fique aborrecida com a iniciativa. Aborrecida? Imagina. Surpresa boa. Lembro que, certa vez, ele chegou a verbalizar que precisávamos sair para conversar, mas ficou parecendo que era aquela coisa de carioca, que diz "aparece lá em casa" e nunca convida. Júlio vai direto ao assunto, confessa que nosso encontro ontem na universidade mexeu com ele. Mexeu? Mexeu. Mas acha melhor não falar sobre isso por telefone. Pergunta se não quero sair para jantar. Acho a ideia ótima. Oito, oito e meia? Oito e meia, prefiro. Fechado. Digo que não precisa vir me buscar, nos encontramos no local marcado. Restaurante La Trattoria, ele sugere. Ambiente descontraído, comida saborosa. Fica na rua Fernando Mendes, bem pertinho de onde mora. Sei onde é. Perfeito, então. Ele me espera na porta. Até mais tarde. Até. Um beijo. Outro.

As meninas não acreditam quando conto. Alardeiam o milagre. Aleluia! Fazem logo a festa. Avalanche de recomendações e agradecimentos emocionados. Vejo que a torcida pela minha felicidade é grande.

Ai, minha Nossa Senhora, até que enfim! Obrigada, São Judas Tadeu, padroeiro das causas impossíveis! Fiz tanta promessa! É hoje que o falecido desencarna de vez! Já vai tarde! Letícia, tua sobrinha agora desencanta, pode levar fé! Professor universitário, que *chic*! Larga essa louça aí, garota! Vai cuidar da *beauté*, anda! Não está pretendendo sair com o moço com esse cabelo horroroso! Nem com as unhas desse jeito, por favor! Primeiro encontro, lindinha! Tem que caprichar no visual! Escolhe um vestido bem fresquinho que hoje está calor!

Dão corda e eu vou no embalo, evidente. Era tudo de que eu precisava. Marco hora para fazer mão e pé, corro para o cabeleireiro. Peço ao Renatinho aquele corte radical que ele há tempos havia sugerido. O que é que deu em mim?! Ah, querido, sei lá! Sei é que baixou um caboclo aqui dentro com vontade de mudar tudo. Pintar?! Também não exagera, adoro a cor do meu cabelo. Renatinho dá risada, diz que foi brincadeirinha. Peço para ele caprichar.

— O quê?! Amooor, o bofe vai enlouquecer com seu *new look*!

Chego de volta ao casarão. Virginia, Verônica, Clarice e Isadora estão de papo na cozinha. Ao depararem comigo, gritos e assobios. Aplaudem a ousadia do estilo.

— Uau! É isso aí, menina má!

— Maravilha, Gabi! Um arraso, amei!

— Jogando no ataque e partindo pra cima!

Com entusiasmo, falando todas ao mesmo tempo, avisam que chegou uma braçada de flores para mim. Não desgrudam, fazem questão de ir comigo até a suíte para apresentar o espetáculo. Abrem a porta e...

— Tchan, tchan!

Me espanto com a quantidade de rosas amarelas na jarra. Ansiosa, sem acreditar, abro o cartão.

Ontem, você me disse que flores amarelas são as suas favoritas. Torço para que nos tragam sorte e felicidade. Beijos, Júlio.

A noite promete. Júlio já está à minha espera. Vem em minha direção, sorriso largo. Nota de imediato o corte do cabelo, elogia.

— Impressionante, você remoçou ainda mais, não é possível, cara de menina de 15 anos!

Vamos entrando. Sou apresentada a dom Mario e a dona Regina — donos do restaurante. A alegria e a afetuosidade do casal logo me contagiam. Sinto-me totalmente à vontade. Júlio conhece bem o cardápio, recomenda camarões com *spaghetti* ao *funghi* tartufado, uma das especialidades da casa. Aceito sem hesitar. Para mim, tudo é descoberta. Nossa conversa, regada a vinho italiano, flui com facilidade. Falamos de tudo um pouco. Amenidades. Quando nos levantamos da mesa, já passa de meia-noite. Levo um susto. Nossa! Júlio lembra que amanhã é domingo, ninguém tem hora, ou tem? Pergunta se não quero conhecer seu apartamento, pertinho, na Atlântica, a dois passos de onde estamos. Digo que não, fica para a próxima. Ele insiste. Poxa, o edifício é colado, custa nada. Pede que pelo menos eu dê uma subidinha para ver o lugar onde ele mora. Jura que não está com segundas intenções. Vai se comportar, promete. Bobo. Está bem, fico dez minutinhos e pronto. Combinado? Combinado.

Júlio já chega provocando o porteiro.

— E aí, Paulinho? O que é que deu no seu Flamengo? Amarelou?

— O primeiro milho é dos pintos, professor. Ainda tem muito chão pela frente.

Enquanto aguardamos o elevador, reparo. A portaria, de gosto duvidoso, é meio desleixada para os padrões da orla. Júlio explica que todos os imóveis ali são alugados, inclusive o dele. O dono do prédio é um velhinho que mora no décimo primeiro andar. Olhos azuis que transmitem bondade. A simplicidade em pessoa. Verdadeiro *gentleman*.

O número 1866 da avenida Atlântica — apelidado de "a Prédia" — ganhou fama por seus inquilinos. Muita gente de teatro e televisão. Atores, figurinistas, autores, cenógrafos — povo boêmio e festeiro. Há também uma fantástica coleção de senhoras idosas, extremamente gentis e bem-educadas. Todas de valor inestimável e, portanto, tombadas pelo patrimônio histórico. No badalado endereço, ainda moram um conhecido casal de advogados, um designer, uma socialite, um carnavalesco, um bailarino e um joalheiro de renome. Júlio considera-se o único mortal do 1866 — felicíssimo por viver em uma comunidade que, apesar de tão heterogênea, é exemplo de boa vizinhança e de respeito às diferenças. Os porteiros, de anos, são velhos amigos. Mais até. São família.

Sou convidada a entrar. O pequeno apartamento de cobertura é um charme. Altíssimo astral. Embora nunca tenha viajado para fora do Brasil, tenho a impressão de estar em uma daquelas ilhas gregas, Míconos ou Santorini. O piso de pedra, as paredes caiadas de branco com detalhes em azul, uma graça. Ao correr de duas grandes portas de vidro, passamos da sala à varanda aberta. Pura mágica! Estarei sonhando? A discreta maresia perfuma o cenário que, visto de cima, é realmente de tirar o fôlego. Uma neblina cerrada e baixa, valorizada pelos postes da avenida, forma um imenso tapete de luz que se estende por toda a praia e não nos deixa ver absolutamente nada do que está abaixo. Sobre nossas cabeças, o céu estrelado. Ao longe, o barulho das ondas. O que é isso?! Paraíso na Terra?! Respiro fundo e solto o ar, agradecida por me sentir tão leve. Vontade secreta de me deixar estar. Um anjo passa e diz amém. Sem nenhuma cerimônia, vou ficando.

— Bebe alguma coisa?

— Água natural, o vinho me deu sede.

Júlio acha graça.

— Pura ou com gelo?

— Pura.

Júlio, ainda em tom de brincadeira, diz que me acompanha. Vai à cozinha e já volta. Ofereço ajuda. Ele prefere que eu fique onde estou, curtindo a paisagem. Nesses instantes comigo mesma, as comparações são inevitáveis. José Aureliano é ímpeto. Júlio é cuidado. José Aureliano está associado a tudo o que é fechado, hermético, proibido. Amor emparedado, claustrofóbico — amor ou paixão ou vício, seja lá o que tenha sido. Júlio vem para abrir portas e janelas. Me fazer respirar. Não tenho noção do que sinto por ele. Amizade, com certeza. Gratidão, agora. Sua companhia é oxigênio. Está associada a tudo o que é saudável e permitido. Júlio me liberta. Júlio me prepara para o futuro que não sei.

Vindo da sala, um canto apaixonado e triste chega antes para me fazer companhia. Voz de homem. Uma canção francesa.

— Gosta?

— Muito. Mas não conheço.

— Charles Aznavour. "Il faut savoir". Esse CD é todo muito bom.

Ao me passar a taça, Júlio propõe um brinde ao momento presente. Precavido, prefere não manifestar desejos nem se aventurar no que está por vir.

— Alguma decepção amorosa?

— O que é que você acha?

— Gato escaldado, então.

— Exato.

A conversa segue pausada. Nenhuma pressa. Estimulados pela calma e pelo silêncio da hora, começamos a falar sobre nossas vidas pessoais. Histórias não faltam. Às tantas, muito ainda o que dizer e ouvir, concordamos em abrir um vinho, comer alguma coisa. Pãezinhos, queijos, pastas, frios surgem diante de mim em um estalar de dedos. Júlio intuiu que eu viria e não ficaria apenas dez minutinhos. Apostou e ganhou. Às vezes, acontece. A gente arrisca o palpite e dá o bicho. Felicidade passageira.

Tudo novo

Júlio é presente que me foi dado, reconheço. De mansinho, vai mudando minha vida por completo. Ou quase. Nossa ligação vai se tornando cada vez mais estreita e íntima. Não há paixão. Longe disso. Mas existe cumplicidade, companheirismo. A cada dia descobrimos novas afinidades, novos vínculos, novos interesses. Sinto falta quando não nos vemos. Me alegro quando o telefone toca e é ele. Convívio tranquilo que me faz imenso bem.

Nunca vou esquecer nosso primeiro sexo. Que contraste com José Aureliano! Em tudo. Domingo, 9 de outubro — umas duas semanas depois do nosso jantar, se tanto. Já era dia, sol alto. Havíamos combinado de ir à praia. Lá mesmo, em frente ao 1866. Cheguei pontualmente às dez. Júlio me recebeu de sunga. Nunca o tinha visto assim, seminu. Acho que fez de propósito, quis causar impacto, exibir o corpo. Não na praia, mas na intimidade. Conseguiu o que queria. Eu, que só o conhecia escondido em camisas e calças folgadas, me surpreendi. O cheiro, eu já sabia que era bom. O tato, também — sua maneira doce de acariciar e beijar. Mas vê-lo assim, abusado e sozinho comigo, me despertou desejo. O comentário saiu incontido.

— Covardia.

Com cara de quem não presta, se faz de desentendido.

— Covardia, por quê?

— Se eu soubesse, teria tocado a campainha só de biquíni.

Júlio me puxa para ele e me beija. Diz que não se importa que eu revide.

— Ainda nem tomei café. Você pode ficar de biquíni e ir pegando um sol ali fora. Acho justo.

Aceito a sugestão, é claro! Só que, mudança rápida de planos, ele não vai tomar café nem eu vou pegar sol. Vamos para o quarto da frente, que também dá para a varanda. A janela, toda aberta. Claridade radiante. De onde estamos, vemos apenas o oceano. E o céu — azulíssimo, com alguns chumaços de nuvens brancas. Parece viagem de navio, alto-mar. A brisa que sopra aumenta ainda mais a impressão de movimento. Um *futon*, repleto de almofadas, cobre grande parte do assoalho. E é aí que, beijos na boca, nos deitamos e nos acariciamos e nos despimos e nos entregamos um ao outro, mesmo sem entender direito o que existe entre nós. Que importa se o amor passa longe e é só amizade? Os corpos pediram. E nós permitimos. Eles merecem esse carinho. Os corpos. Estão o tempo todo com a gente. Nos bons e nos maus momentos. Na alegria e na tristeza, na saúde e na doença. Casamento indissolúvel até o fim. Então por que não lhes fazer a vontade de vez em quando? Não lhes aceitar os caprichos? Eles ficam tão mais bonitos e saudáveis quando paparicados desse jeito! E assim fizemos. E assim foi.

A partir daí, passamos a nos encontrar com mais frequência. Amigos de cama — se é que existe algo assim. Nossos horários na PUC coincidem. Já saímos direto da universidade para o 1866. Crio o hábito de ir à praia durante a semana. Nunca imaginei que um dia seria capaz de tal proeza. Mas, também, quem resiste? Só atravessar a rua e o mar ali, à disposição. Conforto demais. Volta e meia, descemos para almoçar no La Trattoria. Dom Mário, sempre no comando, regendo os garçons e cuidando para que tudo funcione com perfeição. Algumas vezes, nos sentamos à mesa com ele, dona Regina e a família — uma falação alegre, um senta e levanta que não para. Tratam o Júlio como se fosse parente. Um filho. Cena bonita de se ver. Júlio adora e me põe na roda. Meio encabulada, aceito. Me entroso aos pouquinhos com o novo ambiente.

Novembro. Fico a maior parte do tempo no apartamento do Júlio. Durmo mais lá do que no casarão da Glória. Vou levando uma roupa e outra e, quando vejo, já ocupo parte do armário dele. As meninas começam a perceber as prolongadas ausências. Comentam. Qualquer hora me mudo de vez. Será? José Aureliano é passado, todas confiam. Ainda bem, caiu de maduro. Oito meses sem dar notícias. Daquele mato não sai mais coelho, querem acreditar. Sentem-se aliviadas. Ninguém aguentava mais a novela interminável — cópia barata de *O dono do mundo*. Tia Letícia, escolada, acha prematuro virar a página e fazer previsões. Ainda que temporariamente desativada, a suíte principal continua à minha disposição. Não por mim, mas por ele, que sempre foi um cliente corretíssimo. Não se trata de favorecimento. Nada disso. É simples consideração por quem foi pontual nos pagamentos e honrou o combinado. Melhor esperar e ver o que está para acontecer. Encerrando o assunto, tia Letícia declara alto e bom som que não pretende cuspir no prato que comeu. E comeu com fartura, durante anos. É bom não esquecer que, se o casarão vai bem e ainda prospera, deve muito ao fôlego e à generosidade de José Aureliano. Generosidade?! Generosidade, sim. O homem foi pródigo ao pagar por suas fantasias. Nunca se viu por aqui alguém que abrisse a carteira ou preenchesse um cheque com tanta rapidez. Além do mais, como estamos cansadas de saber — e põe cansaço nisso! —, sexo é coisa complicada. O meu com José Aureliano então nem se fala. Alguma ali ficou debaixo da nossa cama para saber o que se passava? Pois é. Então melhor ficar de boca fechada e não fazer julgamentos precipitados. Ouço tudo calada. Verônica também não se manifesta. Só faz é me olhar de vez em quando. Tia Letícia em parte está certa. Em parte. As meninas também têm alguma razão. Alguma.

Dezembro. Chegamos ao Natal e ao Ano-Novo. Viva! Época de amor, mau humor e gastos excessivos. E o pior de tudo, o que mais tortura e semeia discórdia e ressentimentos: ter de decidir onde passar e com quem — velho dilema familiar, que afligiu nossos ancestrais, inferniza a vida dos atuais celebrantes e continuará massacrando as gerações futuras para todo o sempre. Júlio é filho único. Sempre passa a noite de 24 de dezembro na casa dos pais, que moram na Gávea. No réveillon, convida alguns amigos, não muitos, para beberem um champanhe e verem com ele a queima de fogos que é, de fato, um espetáculo belíssimo. Os pais? Entusiasmados, foram uma única vez, no ano em que ele se mudou para a Atlântica. Apreciaram os fogos, mas a volta para casa foi de trânsito caótico, verdadeira tortura. Via-crúcis que lhes deve ter garantido, pelo menos, alguns bons anos de indulgência. Juraram que nunca mais repetiriam a experiência, que já não têm idade nem disposição para essas aventuras.

Tia Letícia, na contramão do mundo, nos recomenda enfrentar esses períodos de fim de ano com frieza e disciplina espartanas. Frieza, para que os nossos corações não sofram com as boas lembranças ou com os eventuais traumas do passado. Disciplina, para que não nos deixemos engolir pela onda consumista que vai levando todos de roldão, crentes e ateus. No casarão, nos reunimos apenas no Natal. Armamos a árvore e o presépio na sala de jantar, onde todas ceamos sentadas à mesa. Ninguém de fora. Só nós da família, que é como tia Letícia se refere a mim, a Verônica e às meninas. E nada de presentes, pelo amor de Deus! Muito menos essas alternativas da moda, como o tal de amigo-oculto e outras invencionices parecidas. Ao fim da ceia, fazemos uma oração pedindo paz para todos os povos da Terra. Em especial, para nós aqui do Brasil e do Rio de Janeiro. Não tem adiantado muito, a gente sabe, mas todo ano renovamos o pedido. Na passagem do ano, cada uma se sente livre para fazer o que bem entende. Algumas meninas viajam. Outras, ficam e escolhem lá suas programações. Normalmente, passo com tia Letícia, Verônica e com as meninas que não encontram melhor opção. Abrimos um champanhe, fazemos a contagem regressiva, damos o famoso pulinho para entrar com o pé direito e o ano começa a valer. Beijinhos, votos de saúde, amor, paz e prosperidade e pronto.

Júlio diz que eu não tenho escolha: passamos a meia-noite juntos e rompemos o ano de 1989 na cobertura dele na Atlântica. Só nós dois e mais ninguém. Amigo nenhum, parente nenhum, ele promete. Amo o convite, é claro! Abraço, beijo e digo que ele é o melhor homem do mundo. Mas depois, pensando em tia Letícia e Verônica, me vejo diante do velho dilema familiar — aquele a que me referi há pouco e que a todos inferniza.

— Que isso, Gabriela?! Você mesma disse que só se reúnem no Natal, que no Ano-Novo cada uma faz o que quer!

— E é verdade!

— Então?! Sua tia não vai se importar de você celebrar aqui comigo, muito menos essa sua amiga Verônica, se ela for realmente sua amiga!

— Se importar, não vão, evidente. Acontece que, desde que eu fui morar no casarão, nunca passei a meia-noite longe delas. Nunca. Meu coração aperta só de pensar que as duas vão ficar enfiadas lá dentro e eu aqui curtindo toda essa beleza sozinha com você. Acho egoísmo, entende?

— Ah, Gabriela, Gabriela... Elas vindo, muda tudo. E depois vão ficar reclamando que nem meus pais, que a volta para a Glória foi uma tortura, que foi a primeira e última vez etc. etc. etc.!

— Elas podem dormir aqui. O apartamento não tem dois quartos?

— O quê?! Dormir aqui?!

Júlio é um santo. Acaba aceitando que tia Letícia e Verônica comemorem conosco. Mas é enfático: como "penetras", só elas e mais absolutamente ninguém! Fechado. Pode ficar tranquilo. Peço a ele para não fazer cara de chateado. Ele diz que ainda está digerindo a decepção. Mando ele digerir logo, senão mudo de ideia e não venho. Ele acha graça, diz que não sou fácil e tudo bem. Selamos a digestão com um baita de um beijo.

Segundo passo: convencer tia Letícia e Verônica a aceitarem o convite. As duas resistem, se negam terminantemente a atrapalhar nossa noite romântica. Teimo, imploro. Nem pensar, elas fazem coro. Vão estar muito bem ali onde sempre estiveram. Apelo para o plano B e parto para a mentira deslavada. Digo que é o Júlio que está insistindo, que elas têm de fazer esse sacrifício por mim. Invento história, digo que ele deseja dar um ar de compromisso à nossa relação, conhecer a família, essas coisas.

— Já chegou a esse ponto, jura?!

— Juro, tia! Por minha mãe mortinha!

— Sua mãe está mortinha faz tempo, Gabriela.

— Verônica, fala alguma coisa, dá uma força aí, vai! Tia, por favor, me ajuda!

— Bom, se ele está insistindo desse jeito, tudo bem. O que é que você acha, Verônica?

— Acho que será até uma desfeita a gente não aceitar.

— Então está certo. Pode dizer que nós vamos. Mas com uma condição.

— Qual?

— Nós levamos o champanhe.

— E eu faço a minha famosa *mousse* de chocolate!

Fico radiante. Abraço as duas, aperto, beijo, digo que vai ser a noite mais linda de toda nossa vida, elas vão ver só! Me aguardem! Sou Peixes, mas sou fogo! Tia Letícia e Verônica estão felizes, eu vejo pelos rostos. Parecem duas meninas. Parecemos todas. Combinamos de sair as três para comprar nossos vestidos brancos e as sandálias e as calcinhas, tudo novo! Por cima e por baixo, por dentro e por fora!

Não é sempre assim?

Último dia do ano. Acordo cedo e vou comprar flores. Não economizo. Palmas e rosas. Brancas e amarelas misturadas. Muitas, muitas. Foram tantas dúzias que também tive de comprar jarras para poder arrumá-las pelo apartamento. Depois, ainda volto à rua e passo no supermercado — me esqueci do creme de leite para a maionese. Nessas idas e vindas, cruzo com vários vizinhos. Todos animadíssimos organizando suas próprias festas. Todos me convidando para um brinde mais tarde em suas casas. Não me surpreendo, porque já estava sabendo dessa romaria festiva, que é tradição na "Prédia".

Eu é que preparo a ceia. Tudo no maior capricho. Quero impressionar o Júlio — São Júlio! Nem acredito que Verônica e tia Letícia virão celebrar aqui conosco. Às onze da manhã, está tudo mais que adiantado. De vez em quando, vou até a varanda acompanhar o movimento lá embaixo. Uma das pistas já está interditada ao trânsito. Na praia, as incontáveis oferendas para Iemanjá começam a colorir o cenário com flores, frutas, velas e imagens. E o povo vai chegando e se instalando na areia à procura do melhor lugar. Muitos ambulantes. Grupos de turistas caminham pelo calçadão, tiram fotos, compram *souvenirs*. Uma das áreas reservadas para o lançamento dos fogos fica bem em frente ao nosso edifício. Júlio diz que é impressionante vê-los pipocar tão de perto. Tomara que o tempo ajude. Faz calor. Céu encoberto. Mormaço. A meteorologia prevê instabilidade — uma frente fria que vem do Sul, mas não deverá chover. O mar está batido.

— Vamos dar um mergulho de descarrego? Faço isso todo 31 de dezembro.

Não precisa perguntar duas vezes. Mas tem de ser agora? Agora. Tudo bem, a ceia está praticamente pronta. É só pormos o biquíni e a sunga. Nem camiseta nem sandália, nada. As chaves, como de costume, ficam com o Paulinho, na portaria — pegamos na volta.

A arrebentação, lá atrás, é beleza que impõe respeito. Ressaca. Vai encarar? Aventura. As ondas altas assustam, o mar está puxando demais. Na areia, o salva-vidas acaba de fincar a placa de "Perigo! Correnteza!". Mas o pessoal não quer saber e se arrisca assim mesmo. Júlio e eu entramos de mãos dadas. Água gelada. Reclamo. Provação ou o quê? Depois, deixo de bobagem e curto o arrepio, a reação boa no corpo. Delícia! Ainda próximos à beira, já somos derrubados. Mal nos equilibramos e outra onda, inesperada, nos obriga a mergulhar de novo. O destempero de Netuno nos faz rir. Melhor não desafiá-lo e ficarmos a salvo. Júlio está certo. Mais vale um covarde vivo. Não viemos para diversão. Viemos para homenageá-lo, e a Iemanjá e a todas as entidades que estejam eventualmente por perto. É só um tchibum para cumprir o ritual e pronto — saravá, meu pai! —, tomamos o caminho de casa.

Onze e meia da noite. O show está para começar. Na varanda, Verônica, tia Letícia e eu parecemos três adolescentes. Júlio vem e me diz no ouvido que foi bom elas terem vindo. Está feliz por nos proporcionar essa alegria, eu vejo. A paisagem que temos à nossa frente parece saída de sonho. Transatlânticos feéricos, ancorados ao largo. Inúmeras embarcações menores, distribuídas harmonicamente feito luzinhas de presépio. Na praia iluminada, uma multidão de branco a celebrar por antecipação o ano que não demora. Contraste: vejo religiosidade nessa festa pagã. Mais do que no Natal, quando todos ficam trancados em suas casas, exibindo suas compras e comparando seus presentes. Pelas costas, comentando avarezas e prodigalidades, reparando preços e etiquetas de *griffe*. Aqui, ao contrário, sem dar importância a classes sociais, credos, raças ou nacionalidades, todos se irmanam na mesma fé: a de que serão mais felizes no ano que chega. Na contagem regressiva, velhos e crianças, todos, sem exceção, acreditam que tudo há de melhorar e o mundo será mais fraterno, luminoso e justo. Não importa que a utopia dure apenas os dez segundos gritados em uníssono de trás para a frente. Importa, sim, que nessa mínima fração de tempo, há verdadeira sintonia do pensar, do sentir e do querer.

— Dez! Nove! Oito! Sete! Seis! Cinco! Quatro! Três! Dois! Um! Meia-noite!!! Salve 1989!!! Salve!!!

Entre fogos de artifício, lágrimas, risos e abraços, rompemos o ano. Os votos de felicidade são generosos. Aqui na varanda, ou lá na praia, é troca que não se avalia. Todos dão, todos recebem. E a gente se atira em quem está mais perto e vai logo desejando. Tudo, tudo, tudo de bom! Pra você também, querida! Muita sorte, muito amor na sua vida! Que 89 venha repleto de belas surpresas! Vem cá, menina levada, me dá um beijo, anda! Que o Ano-Novo lhe dê todas as alegrias do mundo! Obrigada, amiga! Você é muito especial, sabia? O champanhe, entornado no vestido por descuido de afeto, é sinal de sorte — Verônica me diz, emocionada. E eu?! Não vou ganhar nem um beijo?! Júlio sabe fazer charme. Os últimos serão os primeiros e os mais recompensados! — falo e, sem dar fôlego, vou direto à sua boca. Provo, com vontade, que estou dizendo a verdade.

No céu, presenciamos uma explosão de luzes e de cores. É o nascimento de vários universos, seguidos *Big Bangs*! Quem ousa discordar? Figurativo ou abstrato, o cosmo é obra aberta.

Permite uma infinidade de interpretações. Cada um entende a Criação como quer e com os recursos de que dispõe — ciência, poesia ou religião. Tudo isso me passa pela cabeça, enquanto novas galáxias vão sendo lançadas das areias de Copacabana pelas mãos de homens comuns — deuses que extasiam a infantil humanidade durante 15 minutos. No décimo sexto, descansam, que também são mortais.

Terminado o espetáculo, sirvo a ceia. Todos elogiam o requinte da mesa, a comida, o *menu*, meus dons na cozinha. E não falam por falar, porque comem, repetem, se fartam sem cerimônias. Concluindo a entusiasmada louvação, já sob o efeito do champanhe, tia Letícia insinua um enfático "já pode casar". Júlio rebate de imediato.

— E ela quer? Isso aí é bicho arredio, Letícia.

Júlio acerta em cheio no comentário. Apesar de pouco tempo juntos, me conhece e sabe. Se ele é gato escaldado, eu sou bicho arredio, sim. Fera ferida. Não faço segredo. Melhor deixar sarar. Mais prudente. E vamos mudar de assunto, que hoje é só alegria.

Ainda não são duas horas quando tia Letícia diz que está indo. Como assim?! Não vão dormir aqui?! O quarto está pronto, a cama já está feita, toalhas no banheiro e tudo! Verônica explica que não é desfeita, que elas haviam combinado passar a meia-noite comigo e depois ir caminhar na areia, apreciar o movimento, ver o dia amanhecer na praia. Sinceramente, preferem sair e passear um pouco. Então, está certo. Olho para o Júlio e confirmo que ele quer o mesmo. Sou voto vencido.

O "enfim sós" é bem mais divertido do que o que eu poderia imaginar. Júlio está com a corda toda. Nem de longe parece o professor universitário tão cioso de sua imagem de intelectual respeitado — o exemplar que tia Letícia e Verônica conheceram há pouco. Agora, sozinho comigo, não se policia com o champanhe. É uma taça atrás da outra. Dança, brinca, permite-se falar bobagens. Amo essa sua versão embriagada, solta, sem censura alguma. Morro de rir quando ele cisma de imitar o Ney Matogrosso cantando "Balada do louco". Ele afeta a voz, faz os trejeitos, as expressões do rosto. Fico impressionada. Que isso, gente?! Quem é essa figura que eu não conheço?!

— "Dizem que sou louco/ Por pensar assim/ Se eu sou muito louco/ Por eu ser feliz/ Mais louco é quem me diz/ Que não é feliz, não é feliz..."

Embarcamos juntos na viagem a dois. A noite é catarse. Para ele e para mim. Depois, o cansaço, os corpos que pedem trégua. O dia começa a clarear, chega de festa. As pálpebras quase fecham, não aguentamos mais. Exaustos, caímos na cama e apagamos. Não é sempre assim quando a festa é boa?

A mulher e a menina

Júlio continua lá estirado na cama. Pesa toneladas, não se move, parece pedra. Venho para a varanda tomar ar, conferir o tempo. Decepção. O sol não nasce em 1989. Não em Copacabana. O céu cinzento, de cara amarrada, é prenúncio de ano que irá surpreender, eu sinto. Sinto? A ressaca. O bode, o gosto amargo da bebida velha que insiste em ficar grudado dentro da boca. Bebo água. Litros. É o jeito. Na cozinha, a pilha de louça, os restos de comida nas travessas, as panelas de gordura que olham para mim como putas cansadas e desafiam: estamos te esperando, *baby*! Vai ter que encostar a barriga na pia, sim! Não adianta essa carinha de desânimo nem fingir que não vê! Volta aqui, *baby*! Volta, *baby*!

Fujo novamente para a varanda. Difícil acreditar que houve festa neste apartamento. Difícil explicar o aperto no coração, a tristeza sem causa. Não foi uma noite fantástica? Não saiu tudo como eu havia planejado? Olho o mar e imagino onde terão ido parar os barquinhos bonitos de oferendas. Na areia, os garis vão varrendo o que foi deixado para trás e já não presta. A fé e a beleza viraram cotoco de vela apagado, lixo, inutilidade — ano novo? Solidão. Saudade indefinida. De coisa, de gente, de lugar ou o quê? Melhor é não pensar muito e ir lavar louça. Fazer a ínfima parte que me cabe. O universo não pode parar por minha causa. E lá vou eu cuidar do que depende única e exclusivamente de mim.

Quando Júlio se levanta e me dá adeus de longe em direção ao chuveiro, o apartamento já está com a aparência digna de antes. O caos, pelo menos aqui, foi domesticado. A ordem e a civilização voltam a reinar. Algum avanço para a humanidade. Melhor que nada. E não é que a atividade física me fez bem? Aquela aflição no peito, aquela sensação esquisita foram praticamente embora. A cozinha está um brinco. Nada como bom detergente e esponja nova em mãos dispostas. Sinto-me mais confiante para o primeiro de janeiro e o segundo e o terceiro. Que venham, e os outros todos dos meses seguintes! Não me intimidam. Ponho a mesa do café. Cestinha de pães e brioches, queijo de minas fatiado, frutas descascadas, suco de laranja na jarra. Sentimento de gratidão que me melhora o ânimo. Aguardo o meu amigo ou companheiro ou o que for. Por que, raios!, sempre temos de nos rotular?

Júlio chega. Me beija cotidiano, automático. A cabeça dói. Pudera, bebeu todas. Olha ao redor, tudo arrumado, elogia minha eficiência e disposição. Tomamos café. Durante a conversa, querendo reviver o que foi bom e pouco durou, comento que amei o número Ney Matogrosso cantando "Balada do louco". O elogio desagrada. O professor, sóbrio, se justifica com poucas palavras.

— Eu estava bêbado.

E daí?! Estava ótimo, impagável! Mil vezes o Júlio embriagado e solto do que esse professor reprimido a se explicar por algo tão sem importância, quase pedindo desculpas! Resolve eu ter dito na lata essas coisas? Com seriedade de palestrante, Júlio afirma que tomou conhecimento da música dos Mutantes em um trabalho, que fez para a universidade, intitulado *A loucura na música popular brasileira*. Ah, não! Pelo amor de Deus, diz que é mentira, que está de gozação!

Mentira coisíssima nenhuma. Prova por a + b que o que diz é a mais pura verdade e desfia a letra de "Maluco beleza", do Raul Seixas.

— "Controlando/ a minha maluquez/ misturada/ com minha lucidez/ vou ficar/ ficar com certeza/ maluco beleza…"

Segue por aí afora. Não cantando, mas recitando, didático!, os versos do poeta insano. Para arruinar de vez o sonho, ainda me pergunta se percebi a genialidade do autor ao criar o neologismo "maluquez" para significar "maluquice" ou "maluqueira". Nem me dou o trabalho de responder. Vou ao que me interessa.

— Me passa a geleia, por favor.

Terminado o café, cada um toma seu rumo. Calha de amanhã, dia 2 de janeiro, ser segunda-feira. Júlio tem de organizar material para as aulas na PUC. Ótimo. Aproveito para passar o dia lá na Glória. Estou ansiosa para rever as meninas, contar as novidades e também saber como foram de passagem de ano. Mal ponho os pés na rua, vejo a tragédia estampada nos jornais: o naufrágio do *Bateau Mouche*, na noite do réveillon, com várias mortes. Superlotação, falta de manutenção e mar agitado durante o percurso para Copacabana são as primeiras causas apontadas. Atos de heroísmo, omissões de socorro, salvamentos milagrosos. Depoimentos emocionados de gente que desistiu de embarcar no último momento. Parentes e amigos revoltados. Que indenização paga uma vida? Tudo será rigorosamente apurado, afirmam as autoridades — já vi esse filme. Várias vezes.

No casarão, tia Letícia, Verônica e as meninas acompanham o drama pela televisão. Abraçada com Virginia, Clarice chora copiosamente — uma amiga dela estava no barco com o namorado. A Soninha, lembra? Encontraram-se pela última vez no final da tarde de ontem. Ela estava tão animada para ver os fogos — Clarice não se conforma. Uma garota linda. Todo ano ia para o Posto 6. Desta vez, disse que ia ver o espetáculo de lugar privilegiado. Exibiu os bilhetes e brincou: vou de *Bateau Mouche*, minha filha. Está pensando o quê? Muito *chic*!

Não quero ouvir mais nada. Subo direto para o meu quarto sem janelas. Útero. Me atiro na cama, me enrosco com Galileu. Irmãos gêmeos. Siameses, até. Ficamos encolhidinhos os dois. Quietinhos. Bebê dentro da barriga não chora. Mas sente. E como.

Janeiro passa. A dor passa. O carnaval cai cedo e o ano recomeça já no início de fevereiro. Tia Letícia gosta quando é assim, porque a clientela só volta mesmo na semana seguinte à Quarta-feira de Cinzas. Portanto, vamos ao trabalho! Quando entra março, a rotina do casarão já segue em velocidade de cruzeiro. Meu aniversário? Está decidido: nada de festas. 6 de março será um dia comum. Qualquer celebração me fará lembrar a felicidade do ano passado. A felicidade que não quero.

Folha a folha, as reproduções de quadros célebres vão sendo arrancadas do calendário, levando com elas o respectivo mês. Entra *Lilás ao sol*, de Monet, e estamos em setembro. Dia 24, vai fazer um ano que Júlio e eu nos conhecemos e ainda não temos planos para o futuro. O presente está de bom tamanho. Chegamos à conclusão de que somos apenas amigos de cama e companheiros de passeios ao ar livre. Quem poderá sugerir algo mais cômodo? Quando decidi trazer minhas roupas de volta, ele achou precipitado, mas falou sem um pingo de convicção. Sei que, no fundo, sentiu enorme alívio por eu ter desocupado seu armário. E eu também, confesso. Achei uma delícia quando pude me espalhar novamente na minha suíte. Durmo na avenida Atlântica vez ou outra, nos fins de semana. Estamos satisfeitos assim. Verônica sabia que eu não ficaria morando com o Júlio por muito tempo. Por quê? Porque não levei o Galileu comigo, ora! Acho graça. E o que tem isso de mais?! Quem fez as malas foi a mulher, ela diz. A menina sonhadora decidiu ficar. Não arredou pé. E a menina em mim sempre vence a mulher.

A menina em mim. Responsável por todos os meus prazeres e dores. A menina em mim. Sempre aprontando comigo e com os outros. A menina em mim. Apaixonada, abusada, recalcitrante. Posso provar o que estou dizendo.

19 de setembro, terça-feira, 9 horas da manhã. Estou pronta para a universidade. Verônica bate à porta e entra, cara de quem viu assombração.

— Que cara é essa?

— Você não vai acreditar.

— Fala logo, o que foi?

— O homem está lá embaixo querendo falar com você!

— Quem?! O Júlio?!

— Que Júlio nem meio Júlio! O José Aureliano!

— O quê?!

— O próprio! De carne e osso! Quase tive um troço quando abri a porta e dei de cara com ele!

— Não acredito.

— Nem eu nem ninguém. É louco! Aparecer assim depois de quase dois anos!

— E tia Letícia?

— Ainda está dormindo, graças a Deus! O que é que eu faço, Gabi?

— Hoje é terça-feira. São 9 da manhã em ponto. Significativo, não? Ele está querendo mostrar que o cliente voltou. O dono do mundo!

— Despacho ele, então?

— Claro que não. Antes, o mocinho precisa escutar umas verdades que estão entaladas aqui na garganta. Manda subir.

369

— Tem certeza, Gabi? Você vai receber ele aqui na suíte?

— Manda o traste subir.

Os minutos de espera são séculos de conflito. A mulher que mandou José Aureliano subir se esqueceu de consultar a menina — que, abusada, chega sem avisar. Agora, sozinhas, as duas não se entendem. Uma é cabeça. A outra, coração. A mulher tem autoridade. Manda a menina apaixonada se aquietar. Resta saber se ela, recalcitrante, vai obedecer.

Ele é José Aureliano

Quando ficamos frente a frente, tudo muda de figura. Ele é José Aureliano. O que me comprou. O que me sangrou e sentiu prazer com isso. O que só me quer entre quatro paredes. Na cama, de preferência. Ele é José Aureliano. O ogro, que paga pela exclusividade do meu corpo, e o menino, que sonha em voar comigo. Ele é José Aureliano. O que me perturba com sua presença. O que me enlouquece com seu tato. O que me desanda.

A menina e a mulher se dão as mãos. Mais que nunca precisam estar juntas. Criar coragem, dizer o que tem de ser dito e fim. Mandar o opressor aos diabos. E que não ouse nos procurar nunca mais. Quem ele pensa que é?

— Eu sou um infeliz, Gabi. Um infeliz, vítima de mim mesmo. Eu sou o meu verdadeiro algoz.

Concordo em silêncio — nenhuma expressão no rosto que lhe transmita sentimento de solidariedade ou pena. Apenas ouço. O açoite está em suas mãos. Ele que continue a se flagelar.

— Sem você, minha vida é puro tédio. Um imenso vazio. Sempre tentei conciliar as obrigações de homem casado com o nosso romance. E acho que, durante bom tempo, eu até que consegui. Úrsula nunca desconfiou de nada. E, bem ou mal, tivemos nossos momentos de felicidade. Ou não?

— É. Tivemos.

— Só que quando você me fez aquela exigência de começarmos a sair juntos, eu me desestruturei por completo.

— Se desestruturou.

— Exatamente isso. Perdi o chão, o rumo, tudo. Naquele momento, meu casamento não ia nada bem. Eu precisava salvá-lo... Tornar visível nossa relação me levaria na direção oposta, entende?

— Entendo.

— Por isso, eu fui embora daquele jeito e não a procurei mais. Era necessário acabar com o mal pela raiz.

— E eu era o mal.

— Claro que não, Gabi! O mal era aquela divisão que eu sentia. Aquela divisão que me impedia de ser inteiro com você e com Úrsula.

— Sei. E quem é esse José Aureliano que eu estou vendo agora? Um homem inteiro ou ainda pela metade?

— Um homem em busca de si mesmo.

— Comovente. "Um homem em busca de si mesmo." Dá um ótimo título de filme, sabia? Você não mudou nada, José. Sempre saindo pela tangente. Peixe ensaboado. Que é como as meninas apelidaram você. Elas é que estão certas.

— O que eu digo é sério, Gabriela. Úrsula e eu estamos nos separando.

— Que sejam felizes. Não tenho nada a ver com isso.

— Tem, sim. É claro que tem.

— O quê?! Você some, desaparece e volta quase dois anos depois para me dizer que sou eu que estou arruinando o seu casamento?! Ora, vá para o inferno! Eu estava aqui tranquila, José! Tentando superar toda a dor que você me causou. Dias mais fáceis. Dias mais difíceis. Mas superando. Aos pouquinhos. E agora você me vem com essa?! Está pretendendo o quê?! Abrir a ferida de novo?!

— Calma, Gabi, as coisas não são tão simples assim. Eu vim conversar com você completamente desarmado. Primeiro, ouve o que tenho para lhe dizer. Aí você avalia, está bem?

Sento na cama e começo a chorar. A mulher não consegue controlar a confusão de sentimentos da menina. Mas ainda tem força suficiente para impedir que José Aureliano se aproveite da sua aparente fragilidade e se aproxime.

— Não toca em mim, não chega perto. Fala o que você tem para falar daí mesmo.

José Aureliano senta-se no chão, bem na minha frente. Me olha de baixo para cima. Estratégia ou o quê? Começa por me pedir desculpas pelos erros todos. Desde o início, quando decidiu me comprar. E depois, com sua partida intempestiva. Até hoje se pergunta o que teria sido de nossas vidas se não nos tivéssemos conhecido. Não se arrepende de ter tomado a iniciativa. Ao contrário. Abençoado o momento em que propôs o negócio à minha tia! Diz que, comigo, se tornou outro homem. Bem melhor. Menos arrogante, mais sensível. E acredita que alguma coisa boa ele também tenha conseguido me transmitir. José Aureliano faz pausa demorada. Espera que eu reconheça essa alguma coisa boa. Diante do meu silêncio, meio que desapontado, ele continua. Fala então de sexo — nosso verdadeiro traço de união. Espera que eu seja honesta e admita pelo menos isso. Durante todo esse tempo de ausência, foi o mais difícil de esquecer: o sexo. Vício, obsessão, loucura, não faz ideia. Sabe é que suas fantasias combinadas com as minhas foram mistura explosiva e apaixonada que deu no que deu. Não pode ser responsabilizado por isso. Nem pretende me responsabilizar. Culpa de ninguém. Química de pele, de cheiro, de corpo, de alma! Destino, maldição, quem somos nós para querer compreender?! Angustiado, tira uma folha de papel do bolso e me mostra a letra da música do Chico Buarque, que copiei para ele. "O que será, que será/ que dá dentro da gente e que não devia/ Que desacata a gente, Que é revelia/ Que é feito uma aguardente que não sacia..."

— Você cantava isso pra mim, lembra? Este pedaço de papel vive comigo, Gabi!

Não acredito no que meus olhos veem. Ele ainda guarda a letra de "O que será (À flor da pele)". Por quê? Insanidade. Diz que não se envergonha de estar aqui se humilhando desse jeito. Nossa ligação é muito mais que cama. Transcende a paixão carnal. Nela, também existem sentimentos fortes, sinceros, que trazem conflitos e complicam tudo mais ainda. Não importa. Ele, José Aureliano Dias, vem aos meus pés para me fazer entender que precisa de mim tanto quanto precisa de oxigênio. E, para provar que fala sério, propõe que, de agora em diante, passemos a construir uma vida juntos. Amor de graça. Amor a descoberto.

— José, por favor, para. Não promete o que você não pode cumprir.

Claro que ele pode cumprir. Duvida? Pois bem: para selar esse mágico recomeço, viajaremos para a cidade dos meus sonhos! Paris, Nova York, Roma, Tóquio, Veneza, qual? É só dizer! Um mês! Longe de tudo e de todos! Só nós dois! Passeando de mãos dadas. Amor visível como sempre desejei. Um simples "sim" fará com que ele saia daqui agora e já vá comprar as passagens e reservar o hotel.

— Então? O que é que você me diz?

O que eu digo? Um simples "sim" e lá vou eu novamente me meter em apuros e aflições. Em dores, em temores. Embarcar na conhecida montanha-russa. Sim. José Aureliano é a própria montanha-russa. A mais perigosa de todas. A mais radical. A que apavora e tira o fôlego. É assim. Casado, viúvo ou divorciado. Será sempre assim. O que eu digo? Um simples "sim" e ele, já separado de Úrsula, assumirá de vez a loucura da nossa relação. Quem sabe me pedirá filhos? Muitos filhos.

Ele tem pressa. Um simples "sim" e partimos em viagem de lua de mel antecipada antes mesmo de casamento ou compromisso oficial. Mas já não estamos casados? Não fui eu a única virgem de sua vida? A que honrou o vestido branco e as flores de laranjeira? O que eu digo?

José Aureliano permanece sentado no chão, bem na minha frente. Não tira os olhos de mim. Olhar de cão que espera o comando da dona. Bandido. Por que faz isso comigo? Canalha. Sabe perfeitamente convencer a mulher e encantar a menina. As duas se abraçam apertado. Mais que nunca precisam estar juntas. E tão juntas ficam que se misturam e se tornam uma. E é assim, inteira, que eu o chamo com convicção. Vem, deita aqui comigo. E ele obedece. De manso, de mansinho, vai ocupando o lugar que lhe pertence. Suas mãos conhecem bem onde o meu prazer se esconde. Resistir para quê? A saudade, novamente acesa, bate forte, sem controle. O tato é que dá as cartas, é que determina quem faz o quê no jogo amoroso. O tato é que estabelece as regras. O tato é que permite a trapaça, a safadeza por debaixo do pano. Eu vejo e deixo. Aceito tudo e mais aceitaria.

Quando exibe seu peso sobre mim, José já domina a partida. Faz comigo o que quer. Rege meu corpo com maestria. Do primeiro ao último movimento. Nosso gozo. Nosso êxtase. Nosso sublime castigo. "Que nem dez mandamentos vão conciliar/ Nem todos os unguentos vão aliviar/ Nem todos os quebrantos, toda alquimia/ Que nem todos os santos, será que será/ O que não tem descanso, nem nunca terá/ O que não tem cansaço, nem nunca terá/ O que não tem limite..." — a folha de papel, amarfanhada e embolada conosco em algum canto da cama. O que eu digo? Digo que vai ser a viagem mais linda de nossas vidas. E José volta a me beijar com fúria agradecida. Ninguém com o meu talento para desencadeá-la dessa forma. Ninguém com o meu talento para domesticá-la com tamanha facilidade — destemor de domadora. O tato decide que é o momento de eu assumir o comando. José aceita tudo e mais aceitaria. Nosso gozo. Nosso êxtase. Nosso sublime castigo. O que ele diz? Diz que vai ser a viagem mais linda de nossas vidas.

Tocando o barco

Rebuliço no casarão. Ninguém acredita no que acaba de acontecer. Gabriela e José Aureliano juntos novamente?! Por tudo o que há de mais sagrado no mundo. Ficaram horas trancados naquela suíte. Acerto de contas. E dos bons, porque saíram aos beijos lá de dentro. Esses dois não tomam jeito. Eu já desisti de entender faz tempo. Gente mais doida. É carma, só pode ser. O desinfeliz some que nem assombração e quando aparece toma posse no ato. O bicho é tinhoso. Não sei não, mas acho que a Gabi fez uma grande besteira aceitando ele de volta. Ela não é boba, menina. Aceitou, mas botou no cabresto. Verônica disse que agora é diferente, ele está se separando da mulher. Ela disse isso? Disse, sim, que eu ouvi. O homem vai assumir a relação. Casamento, ali, de papel passado, bonitinho. Estão de viagem marcada para o exterior e tudo. É, minha filha, a coisa é séria. Semana que vem já estão voando. A Letícia é que deve estar bem satisfeita. Claro! Ela nunca escondeu que gosta de José Aureliano nem nunca admitiu que alguém falasse mal dele na frente dela. É o genro dos sonhos! Enfim, tomara que dê certo. Eu também torço para que eles se entendam. Acho difícil. Para mim, ele é o mesmo peixe ensaboado, vai continuar enganando ela sempre. Eu bem que fiz promessa para ela ficar com aquele moço de Copacabana, professor universitário, solteiro, uma carinha boa — eu vi o retrato, mas o quê? Quem prevê reviravoltas? Quem manda no destino?

Achei graça quando a Verônica me contou. As meninas é que estão certas. Quem prevê reviravoltas? Quem manda no destino? A gente vai por essa vida conforme sopra o vento. Pretensão achar que é diferente. O máximo que podemos fazer é manusear a vela e ir tocando o barco. Júlio concorda comigo. Nossa conversa é bastante tranquila. Nenhuma surpresa para ele. A raiva e o desprezo que eu dizia sentir por José Aureliano eram prova mais que eloquente de paixão mal resolvida. Paixão que, mais cedo ou mais tarde, viria cobrar seu preço, com juros e correção monetária.

— Você acreditava nisso?

— Sempre acreditei. Por isso, não me opus a que você voltasse a morar com sua tia. Pelo contrário, até dei força.

— É verdade.

— Sempre soube que não levava muita chance com você.

— Sério?

— Sério. Mas valeu a pena ter arriscado. Nossa amizade de cama, como você diz, me fez imenso bem.

— A mim também, Júlio. Nossa cama me libertou, me deu vida. Recuperou minha autoestima. Você chegou no momento certo.

— E estou saindo no momento certo.

— Não faz drama, vai.

Júlio sorri. Não está fazendo drama, garante. O que houve entre nós foi bonito, foi gostoso. Estávamos carentes. Dois bichos abandonados, que precisavam de colo. Perfeito. É exatamente assim que eu sinto. Nos demos força um ao outro. Nos demos colo. Vamos sentir saudades desse cafuné. Será?

— Vem cá, me dá um abraço.

E eu vou. E lhe dou um daqueles bem apertados, que não acabam nunca. São Júlio.

— Fico puto quando você me chama assim.

— Brincadeira, bobo. É que você é muito especial, sabia? Muito. Só não gosto quando você cisma de posar de professor erudito e vem com aquele tom de palestrante. Aí, é um saco.

— Ninguém é perfeito.

— Tem razão.

— Vê se não some.

— Você também, seu moço. Me liga sempre, tá?

— Pode deixar que eu ligo.

— Beijo.

Entro no elevador. Aperto o térreo. A grade fecha. Júlio ainda me dá um adeus pela janelinha da porta. Vantagem de prédio antigo que romantiza a despedida. "A Prédia" e seus moradores. O 1866 da avenida Atlântica. Meu coração aperta. Saudade antecipada. Fazer o quê? Manuseio a vela e toco o barco.

Até mais

Nem acredito. Bom demais para ser verdade. Passaporte na mão. Passagens compradas. Voamos para Buenos Aires em 7 de outubro e só voltamos no dia 6 de novembro. Ninguém entende minha preferência pela capital portenha. Esnobar Europa e Estados Unidos? Não escolher Paris — a cidade dos grandes amores? Ou a badalada Nova York, ou a romântica Veneza? Buenos Aires é aqui do lado! Nem ao menos haverá o desafio de atravessar oceanos. Qual a graça?

A América Latina sempre me fascinou. Influência, talvez, dos diários de Xambioá. Na concepção de papai e mamãe, aqui, neste continente — da Terra do Fogo ao Norte do México —, é que vivenciamos as grandes paixões e infinitas contradições do ser humano. Aqui, mais que em qualquer outra parte do mundo, instinto, razão e emoção interagem com maior liberdade. Sem os tantos freios e a eterna vigilância da civilização. Aqui, não nos sentimos tão envergonhados por sermos bichos e santos, além de humanos. Por isso, usamos nossa inteligência com garras e devoções. Por isso, a animosidade serena de Guevara e a beatitude turbulenta de Borges. Meu sonho era viajar por todo esse vasto território — chão de Márquez, Paz, Sabato, Drummond, Cortázar, Neruda, Rosa, Amado, Llosa, Galeano e tantos outros. Quem sabe, um dia, me atrevo? Escolhi Buenos Aires porque, pelo que dizem, os portenhos são superlativos e passionais como eu. Como os tangos e milongas de Piazzolla. Morro de curiosidade.

José Aureliano leva um susto quando sabe da minha escolha. Fala com frieza e objetividade de empresário. Explica que a Argentina está um caos. Raul Alfonsin renunciou, Carlos Menem tomou posse em julho, às pressas, seis meses antes do previsto. Há manifestações, arruaças, saques a supermercados, hiperinflação. Não é o momento para se visitar o país. Ainda mais se planejamos uma viagem romântica — a viagem dos sonhos!

— Pensa bem, Gabriela. É isso mesmo que você quer?

— É. Exatamente isso.

— Então, está bem. Que seja feita a sua vontade. Buenos Aires.

Tudo rápido demais. Os dias disparam. Quando vejo, já estou de malas prontas. Ansiedade, coração acelerado. Hora de partir. Tia Letícia me chama um instante no quarto dela. Quer ter uma palavrinha comigo. Coisa rápida.

— Apenas um conselho de quem tem experiência. Não crie muitas ilusões, Gabriela.

— Poxa, tia. Você me dizer isso justo agora? Por quê?

— Porque, pela primeira vez na vida, meu coração está pedindo e eu estou dando ouvidos a ele. E o que ele me diz é que você vá, aproveite bem o passeio, veja coisas bonitas por lá e, é claro, aproveite a companhia de José Aureliano. Mas não pense que essa viagem será uma lua de mel antecipada. Não quero que você se decepcione novamente, minha querida.

— Não vou me decepcionar, minha tia, não vou! As coisas agora mudaram de verdade!

— Então por que é que ele não quis vir buscá-la e ir junto com você para o aeroporto?

— Porque ele tinha que resolver uns assuntos de última hora no escritório. Ficamos de nos encontrar no balcão de atendimento das Aerolíneas Argentinas às 11 em ponto. José Aureliano é extremamente pontual, você sabe disso.

— Seja como for, não mergulhe de cabeça, Gabriela. Não vá com tanta sede ao pote. Você sabe que, mais do que ninguém, eu torço por vocês. Gosto do José Aureliano, mas tenho dúvidas se ele é o homem indicado para ser seu companheiro de estrada. Prometa-me, pelo menos, que vai se resguardar um pouco. Se proteger para uma eventual reversão de expectativa.

— Pode deixar, tia. Vou me cuidar como você está pedindo. Prometo.

Tia Letícia diz que não quer me ver sair. Prefere que a gente se despeça agora. Diz que estou muito bonita. Vou virar a cabeça de muito argentino.

— Pensando bem, o José Aureliano é que se cuide! Os portenhos são homens belíssimos e sedutores!

— Vou conferir e, na volta, lhe dou minha opinião.

— E não se esqueça daquele meu pedido.

— Claro. Dar uma entradinha na igreja de Nossa Senhora do Pilar, na Recoleta, e acender uma vela por todas nós aqui do casarão. Não vou me esquecer mesmo.

— Obrigada, querida.

Olho o relógio. Melhor eu ir senão me atraso. Boa viagem me é desejada, bons ventos a levem e a tragam de volta me são soprados — abraço que não termina nunca. O sentirei saudade dito em voz baixa me comove. Um mês passa rapidinho, tia. Se puder, dá uma ligada de lá, só para me dizer se chegaram bem. Mais abraços, mais beijos de divirta-se e de venha cheia de novidades. Até mais. Até.

Buenos Aires

Verônica faz questão de tomar o táxi comigo até o aeroporto. Minha primeira viagem — não ia me deixar sozinha em momento tão importante. Ainda bem. Onze e meia, meio-dia e nada de José Aureliano chegar. Alguma coisa séria aconteceu, só pode. Verônica é da mesma opinião. O cara não iria fazer a molecagem de marcar uma viagem comigo e não aparecer. Comprou as passagens, reservou hotel e tudo. Será que ele teria a coragem de me deixar plantada aqui? Pelo amor de Deus, Gabriela! Verônica não acredita em arrependimento de última hora. De jeito nenhum. Não teria o menor cabimento. José Aureliano é um homem sério. E superpontual. Algo muito sério deve ter havido.

Quando ouvimos a primeira chamada do voo e já estamos a ponto de tomar um táxi de volta, vemos José Aureliano vir esbaforido em nossa direção. Larga a mala, me abraça, me beija, pede mil desculpas. Caio em prantos de tão nervosa. O que houve?! Um imprevisto, reunião urgente de negócios. Se for mesmo o que ficou sabendo, vai ganhar rios de dinheiro. Depois, no avião, me explica com calma. Fazemos o *check-in*, mal nos despedimos da Verônica e enveredamos feito dois loucos pelo portão de embarque — o tempo justo de chegarmos às nossas poltronas, acomodarmos a bagagem de mão, sentarmos e apertarmos os cintos. As portas se fecham. Ouço a voz do comandante. Boa tarde, senhores passageiros. Bem-vindos a bordo. Não presto atenção em mais nada. Sinto-me um verdadeiro bagaço. A cabeça parece que vai explodir. José Aureliano tenta me acalmar, brinca, pergunta qual a sensação de estar dentro de um avião pela primeira vez.

— A sensação? Péssima! Queria o quê?! Depois do susto que tomei?!

— Relaxa, Gabi. Já passou.

— Passou coisa nenhuma! Você não faz ideia da minha angústia! Imaginei mil tragédias, você esmagado por um caminhão ou um ônibus na avenida Brasil, sei lá!

José Aureliano ainda acha graça. Que ódio! E a idiota da aeromoça continua lá na frente, mostrando as saídas de emergência e ensinando como usar o colete salva-vidas em caso de acidente! Parece uma maluca fazendo mímica e falando sozinha, porque ninguém está prestando a mínima atenção. O barulho dos motores aumenta. A infeliz acaba a representação baixo-astral e vai se acomodar em algum canto, provavelmente para rezar. Seguimos sacolejando em direção à cabeceira da pista. Até agora não achei a menor graça em estar trancafiada aqui dentro desta geringonça. O comandante acelera. Parece que agora vamos. Olho pela janela, vejo o solo correr. Um solavanco abrupto nos põe no ar. A subida radical, seguida de uma caída de asa para a esquerda, já me agrada — pelo menos, alguma sensação nova, diferente. A cidade fica para trás. Rapidamente ganhamos altura e, em pouco tempo, a paisagem se distancia, desaparece. Céu azul. Mar de nuvens brancas logo abaixo. Beleza monótona. A impressão que tenho agora é que estamos parados no vazio. Nem um mínimo movimento. Estranhíssimo. José Aureliano diz que pegaremos bom tempo, será uma viagem tranquila. Chatice, isso sim. Pior é não poder abrir as janelas. Nem um pouquinho. Meio aflitivo, não é não?

Finalmente, alguma emoção. Estamos em procedimento de pouso. Bonito furar as nuvens e ver Buenos Aires aparecer de repente feito passe de mágica! Gosto da sensação da descida, do barulho do trem de aterrissagem que se abre, do atrito ao tocar o solo, do frear, do ronco do motor em terra firme — sinais de vida! Sinto um aperto bom no coração. Será indício de felicidade? José Aureliano percebe meu sorriso, pergunta na certeza.

— E então, mocinha? Já está melhor?

Feito criança mimada, cara de sapeca, faço que sim com a cabeça. Ele não resiste. Me puxa, me morde o pescoço, me beija na boca e diz que sou a menina mais linda do mundo e que esta viagem será inesquecível, eu vou ver só. Devolvo na hora.

— Já está sendo! Desde lá, no Galeão!

Agora, chega de conversa, que, mal o avião para, o povo já se levanta feito gado que quer sair do caminhão. É um tal de abre bagageiro, pega mochila, sacola, mala, maleta, dá licença, essa aí é minha, nossa! Por fim, todos se aquietam como podem e se perfilam com suas tralhas nas mãos, prontos para o momento de a porta se abrir. A voz do comissário de bordo avisa que, excepcionalmente, o desembarque será feito pela porta traseira. Feito batalhão bem-treinado, todos que estávamos virados para a saída da frente damos meia-volta à espera de novo comando. Alívio: abre-se a comporta de trás e desaguamos em "Mi Buenos Aires querido"!

A primeira impressão não pode ser melhor. Avenidas largas, edifícios imponentes. A cidade se mostra realmente linda. Só me incomoda o motorista do táxi reclamando o tempo inteiro da situação econômica e política do país. E o José Aureliano ainda acha de dar corda, fazendo comparações com o Brasil, afirmando entusiasmado que, agora em novembro, teremos nossa primeira eleição livre para presidente da República. O argentino está a par. Já ouviu falar de Lula, Collor e Brizola. Pessimista por natureza, diz que é melhor não nos animarmos muito não. Político é tudo igual. Aborrecida com a falação, corto o assunto e aponto para o Obelisco da avenida 9 de Julho que surge à minha esquerda. José Aureliano aproveita e me localiza o famoso Teatro Colón, monumento belíssimo. Diz que por dentro é ainda mais impressionante. Viremos ver algum espetáculo, promete. Seguimos adiante e entramos na Recoleta — bairro que, segundo dizem, lembra muito Paris. Vamos para o Hotel Alvear, na avenida de mesmo nome, entre Ayacucho e Callao. O quarto é luxuoso. Um pouco menor que a nossa suíte lá no casarão, mas em compensação possui duas amplas janelas, que eu vou tratando logo de abrir. Estamos em plena primavera. A temperatura está agradabilíssima. José Aureliano me pergunta quais são os meus planos. Tudo o que eu quero agora é uma boa chuveirada, molhar bem a cabeça e refrescar as ideias. Perfeito. Enquanto isso, ele fará umas ligações. Ligações? É. Para amigos, empresários argentinos. Tem a ver com a longa conversa que tivemos no avião sobre o atraso dele. Vai aproveitar a vinda e marcar alguns encontros. Torço o nariz. Mas não quero começar a fazer o papel de chata. Pensando bem, é até bom, porque me dará momentos livres para perambular sozinha por aí. Descobrir lugares e, sem ser vigiada, prestar atenção nos homens argentinos, conferir se tia Letícia tem razão. Começo a rir sozinha.

— Está rindo de quê?

— Nada, não. Besteira minha. Deixa eu ir lá tomar meu banho.

Buenos Aires me abre horizontes, me faz repensar a vida. Acompanhada ou sozinha, andando por essas ruas e avenidas, me felicito por ter apenas 22 anos. Ainda muita estrada pela frente. Muita gente para conhecer e uma infinidade de experiên cias a serem vividas. O atraso de José Aureliano me acendeu a luz amarela. Por incrível que pareça, é a partir daí que passo a considerar seriamente os conselhos de tia Letícia. Nada de criar grandes ilusões. Aproveitar, sim, os momentos bons do presente e deixar o resto nas mãos da sorte, que a mim nunca me falta.

As férias na capital portenha estão sendo magníficas. Entrosamento total com o "maridão". Até quando ele vai tratar lá dos negócios dele, enquanto faço minha programação pela cidade. A maioria das dicas de passeios foi ele que me deu. Já veio a Buenos Aires várias vezes. Conhece praticamente tudo. José Aureliano não é fácil. Ontem, chegou ao hotel no finalzinho da tarde. Eufórico. A informação que obteve há tempos no Rio de Janeiro procede. Está para ser oficializada a criação da Corporación Antiguo Puerto Madero S.A., que prevê um plano estratégico para a reurbanização de toda a área do antigo porto, hoje um espaço completamente decadente e abandonado. Com seu faro apurado para fazer dinheiro, José Aureliano está firme na decisão de investir na compra de terrenos e imóveis naquela região. Está interessado, principalmente, na compra de galpões — expressão do que há de melhor na arquitetura industrial inglesa no país.

— O futuro de Buenos Aires está em Puerto Madero, Gabi! Quem quiser ficar rico que faça como eu e invista naquela região!

Para comemorar, vamos ao Café Tortoni, assistir a uma noite de tangos. Quanta emoção! O café por si só já é um deslumbramento. A atmosfera é pura mágica. Causa arrepio pensar que aquelas mesas foram frequentadas pelos poetas García Lorca, Jorge Luis Borges, Alfonsina Storni e outros tantos. Privilégio. Os números de tango são fantásticos e se sucedem apaixonada e ininterruptamente. De lá, tomamos um táxi para a movimentada e festiva avenida Corrientes. Passeamos de mãos dadas, como eu sempre quis. Passamos por teatros e cafés lotados. Comento com José Aureliano que a crise não deve ser tão séria como se apregoa. Quando chegamos ao hotel, a cama nos espera. Para dormir é que não é.

Y así pasan los dias, que — ao contrário da desesperançosa letra do bolero — só me trazem prazer e diversão. Ao final da temporada, já estou íntima da cidade. La Boca, San Telmo, Palermo, Retiro. De cada bairro, temos histórias para contar. E, é claro, a Recoleta, meu grande xodó! Com suas joias arquitetônicas, seus bons restaurantes, suas charmosas livrarias e seus requintados cafés.

Hoje, 2 de novembro, sinto-me inexplicavelmente triste. Talvez porque a temporada esteja para terminar. Talvez porque seja dia de Finados. Talvez porque, há pouco, passei em frente à sede da embaixada brasileira, na praça Carlos Pellegrini, e vi nossa bandeira verde e amarela tremular. Bateu saudade do Brasil. Vontade de estar com tia Letícia, Verônica e as meninas. Tão bom se estivessem todas aqui comigo, vendo essas belezas! Terei de passar o dia inteiro sozinha. José Aureliano preferiu ficar no hotel, preparando uns papéis para apresentar aos colegas argentinos na reunião de trabalho que terá amanhã cedo. Continua entusiasmadíssimo com as perspectivas de lucro em Puerto Madero. Vou a pé pela avenida Quintana até a basílica de Nossa Senhora do Pilar. Já estive lá várias vezes, portanto o pedido de tia Letícia está mais que atendido. A austera construção fica em uma grande praça bem perto do nosso hotel, e andar por aqueles jardins é sempre agradável. Súbito, ouço os sons de um saxofone e de um *bandonéon* em duo. Não é possível! "Años de soledad"! Amo! Vou ao encontro dos rapazes que tocam Piazzolla apaixonadamente. Os dois se tornam ainda mais arrebatados ao notarem minha presença. Sorriem para mim e me seduzem com sua masculinidade desleixada. Tia Letícia me vem logo à lembrança, claro! *Touché!* Sento-me ostensivamente no banco em frente a eles e ganho de presente uma apresentação particular, com direito a "Adiós Noniño", "Milonga del angel", "Balada para un loco" e por aí afora! Sou generosa na contribuição. Eles agradecem, puxam conversa. Alegram-se ao saber que sou brasileira. São estudantes, perguntam se estou morando ou de passagem. Ficam desapontados quando digo que sou casada. Mas tão nova?! — um lamenta. E onde está a aliança? — o outro brinca. Digo que, por mim, ficaria ali para sempre, mas devo mesmo ir. Nos despedimos, latinamente, com informalidade e afetuosos beijos no rosto. Peço que na minha saída toquem de novo "Años de soledad". Alegram-se com o pedido da admiradora, fazem uma reverência encenada e recomeçam sua arte. Volto à trilha que me cabe. Piazzolla fica lá com eles. No caminho para o hotel, me pergunto por que razão terei afirmado que sou casada. Foi resposta sincera, vinda do fundo de mim. E, se casada, por que este sentimento de solidão tão frequente? Por que pedir para que bisassem "Años de soledad"? Talvez por associação inconsciente com o *Cien años de soledad*, do meu querido Gabito. Pensei que, aqui, ele surpreendesse e me viesse ver. Mas não. Nenhum sonho, nenhum sinal de presença, nenhuma inspiração que venha dele. Queixo-me. Por que faz assim comigo? Amigo que é, poderia ao menos me mandar notícias. Neste exato momento, dobra a esquina da *calle* Guido uma menina de seus 8, 9 anos. Dirige-se a mim com alegria de encontro há muito esperado. Vende rosas amarelas por unidade. Me oferece uma.

— Como você se chama?

— Alfonsina.

— Ah! O mesmo nome da grande poeta!

— Sim.

— Quantas rosas você tem aí?

— Uma, duas, três, quatro, cinco, seis, sete, oito, nove, dez, 11, 12, 13, 14, 15, 16!

— Com esta que está na minha mão são 17.

— Certo.

— São muito lindas as suas flores. Vou ficar com todas.

Alfonsina arregala o olho e abre a boca ao mesmo tempo, como quem ganha na loteria. Recebe a quantia de sua bela venda e voa pela rua, feliz da vida. Eu mais ainda, pela aparição desse anjo, por essa imagem de sonho, por esse presente inesperado. Gabito, Gabito, só você mesmo! O que significa essa criança-poema? Provocação para me aumentar a saudade?

Quando entro no quarto, meu ânimo é outro. José Aureliano acha que as rosas amarelas são para ele. Minto, confirmo a ilusão. Na realidade, as rosas são minhas! Ganhei de presente. De um amigo importante. Prêmio Nobel de Literatura. Mas fico bem calada. Causar ciúmes para quê? A mentira venial compensa. O "maridão" diz que, como passei o dia inteiro sozinha e ainda me lembrei dele, me levará para jantar em lugar muito especial. Surpresa. Depois, iremos dançar, noite adentro, madrugada afora. Bom aproveitar, porque, em poucos dias, já estaremos no Brasil. O sonho acabará.

Apago

O voo de volta é tão sem graça quanto o de ida — fechada dentro daquela coisa tediosa, esperando o tempo passar. Ainda bem que viemos com vento de cauda e chegamos quase 15 minutos adiantados. Alívio ao pegar a mala na esteira e sair do aeroporto. O chofer de José Aureliano já o espera com o carro estacionado do lado de fora. E aí vem a primeira decepção em solo brasileiro.

— Gabi, meu amor, acho melhor nos despedirmos aqui.

— Como assim "nos despedirmos aqui"? Você não vai me deixar em casa?

— Claro. Mas vamos em carros separados. Pedi ao Ovídio que alugasse esse que está aqui atrás para levá-la até a Glória. O motorista já tem seu endereço e está instruído sobre como chegar lá.

— Mas José, isso não tem o menor cabimento!

— Gabi, por favor, não vamos estragar uma viagem que foi tão bonita. Eu tenho uma reunião agora importantíssima com um grupo de empresários da construção civil que quer investir comigo em Puerto Madero. Já estou em cima da hora.

— Tudo bem.

— Eu ligo para você.

— Não é sempre assim?

José Aureliano não dá a mínima importância à minha resposta mal-humorada nem ao fato de eu ter entrado em meu carro sem ao menos lhe dar um beijo para me despedir. Acho que, no fundo, deve ter gostado. Preservou a imagem de seriedade diante do subordinado. Burra! Eu devia era lhe ter lascado um baita beijo na boca, bem na frente do Ovídio. Só queria ver a cara de espanto dos dois. Mas ele não perde por esperar. O jogo mal está começando.

O trânsito na avenida Brasil está insuportável. Vamos a passo de cágado. Essa miraculosa Linha Vermelha, de que falam tanto, deve ser projeto para os nossos netos. Quase faço o comentário com o chofer, mas seguro a língua. Não estou a fim de muita conversa. Vai que ele liga a matraca e dispara a fazer discurso. Já basta aquele que eu tive de aturar lá em Buenos Aires. Se José Aureliano está em cima da hora para a reunião, vai chegar bem atrasadinho. Reunião coisa nenhuma. Aí tem coisa, com certeza. Tia Letícia é sábia. A Úrsula não vai largar o osso assim tão fácil. É muito rica, muito independente, mas quer é continuar posando com o empresário bacana do lado dela. Fruta fácil. Oferecida. Apanhada no galho de baixo. Já chegou manga chupada. Como estarão a Verônica, tia Letícia e as meninas? Saudade da turma. Nossa! Não vejo a hora de falar com elas. Viajar pode ser muito bom, mas voltar para casa é melhor ainda! Que bênção, meu Deus!

O carro para. O chofer me ajuda com a mala mais pesada. Toco a campainha várias vezes e meto a chave na porta ao mesmo tempo. Quero festa, recepção logo na entrada! Verônica — quem mais poderia ser? — vem atender. Antes que fale ou diga alguma coisa, me atiro nos braços dela, quase sufoco de tanto beijar e apertar.

— Saudade, saudade, saudade, nossa!!!

Verônica desaba de chorar. É choro diferente. Desconfio. Logo atrás, as meninas. Todas. O álbum completo. As caras não são das melhores. Clarice, Frida e Virginia choram copiosamente. Espera lá! O que é que está acontecendo aqui? Onde está tia Letícia? A Letícia não está mais com a gente. O que é que você está dizendo, Verônica?! A Letícia faleceu, Gabi. Como?! Quando?! E nenhuma de vocês me disse nada?! Por que não me telefonaram?! Vocês sabiam o nome do hotel, o número do quarto! Foi tudo muito rápido, Gabi! E sua tia nos fez jurar que ninguém contaria a você! Que loucura é essa, gente?! Ela não quis estragar sua viagem! Ela pediu muito, Gabi! Não tinha como a gente negar! Entenda! Por favor, entenda!

A dor, que não cabe em mim, transborda. Acesso incontido de fúria. Toda a louça que está sobre o aparador da entrada vai ao chão. Estardalhaço. O jarrão da Companhia das Índias — tão caro à tia Letícia e que enfeitou a festa da minha maioridade — quebra-se em mil pedaços. É lixo! Tudo lixo! Por que isso agora?! Por quê?! Verônica e as meninas mal conseguem me segurar. Minha raiva se transforma em choro convulsivo de revolta. Olho para o alto, porque me sinto pequena, diminuída, um nada.

— Dona Letícia Garcia! A "senhora" deve estar bem satisfeita, não é?! A toda-poderosa! A que tem o comando de tudo! A que faz e acontece até depois de morta!

— Calma, Gabi! Não diga uma coisa dessas!

— Digo, digo, digo e repito quantas vezes eu quiser! Ela não podia ter feito isso comigo, não podia! E vocês foram cúmplices dessa covardia! Odeio vocês todas! Odeio, odeio, odeio!

Virginia chega logo com um copo d'água e o entrega a Verônica.

— Gabi, querida, toma esse comprimido, você vai se sentir melhor.

— Comprimido, Verônica? Comprimido?!

— Você não pode ficar desse jeito, Gabi! Não pode! O remédio vai lhe fazer bem, vai permitir que você converse com mais calma e possa saber o que aconteceu de fato.

Impressionante o poder das palavras. O efeito que causam na cabeça e, principalmente, no coração da gente. Quando ouço o "vai permitir que você converse com mais calma e possa saber o que aconteceu de fato", uma força impressionante brota do mais fundo e escuro dentro de mim.

— Podem me soltar. Eu vou ficar bem.

Embora não saiam de perto, as meninas que estão me contendo me deixam mais à vontade. Já pelo tom da fala, devem ter percebido alguma transformação em mim. Equilíbrio precário, porque coração e cabeça falam línguas diferentes, não se entendem. Sou excessos e racionalidades. Passo da perplexidade à cólera, da prostração à arrogância. Por fim, o ressentimento me ampara e fortalece.

— Ela conseguiu o que sempre quis: ter a última palavra.

— Você está sendo injusta, Gabi. A Letícia não quis lhe causar sofrimento. Só isso. Pensou em você até o final.

— Os últimos momentos e ela não me permitiu ficar do lado dela.

— Os últimos momentos foram terríveis, Gabriela. Foram feios, foram de dor, de muita dor. E tristeza.

Sem anestesia, vou ouvindo o que Verônica tem a me dizer. Pois bem. Tia Letícia morreu de câncer. Três dias depois do meu embarque, ela acordou passando muito mal. Enjoos seguidos, evacuando e vomitando muito sangue. Foi levada direto para o hospital, já saiu daqui de ambulância. Não voltou mais para casa. A doença, em estágio bastante avançado, se desenvolveu com rapidez impressionante. Foi luta insana. E inútil. Os médicos não conseguiram estancar os sangramentos.

— O martírio durou 22 dias. Foi nesse período que ela pediu... Pediu, não. Implorou para que não contássemos nada a você. Ela não parava de chorar, Gabi. Nenhuma de nós nunca viu a Letícia daquele jeito. Dizia que tinha muitos planos para vocês duas, que queria te ver realizada e feliz, que você era a filha com que ela sempre sonhou. Deu de contar todos os detalhes da sua infância. Sabia até a roupa que você estava usando quando fomos te buscar lá na favela: um short verde-claro e uma camiseta branca com listras amarelas bem fininhas. Confesso que nem me lembro mais. Não contestei, mas, para mim, você estava de saia e blusa.

— Não, não estava. Eu vestia um short verde-claro e uma camiseta branca com listras amarelas bem fininhas.

Verônica não consegue continuar. Virginia ajuda.

— No início, ela também se revoltou. E muito. Vocês duas têm o gênio bem parecido. Depois, foi se conformando. Uma semana antes de morrer, ela disse que sonhou com seus pais. Que os dois estavam precisando dela, que ela podia ficar tranquila e não se preocupar com você, porque, no final, tudo estaria bem.

— Quando ela morreu?

— Quinta-feira passada, 2 de novembro. Dia das almas. Não é impressionante?

Imediatamente me transporto para Buenos Aires. O feriado de Finados. O dia em que me senti inexplicavelmente triste. O dia em que a bandeira do Brasil me deu nó na garganta. O dia em que fui mais uma vez à igreja de Nossa Senhora do Pilar acender uma vela para tia Letícia e todas aqui do casarão. O dia em que dois "portenhos sedutores" tocavam Piazzolla apaixonadamente — "Años de soledad" — e, por causa deles, ela me veio à lembrança. O dia em que a pequena Alfonsina me ofereceu rosas amarelas. *Touché*, minha tia. *Touché*.

— Vocês me desculpem, eu vou subir para o meu quarto. Estou muito cansada, preciso me deitar um pouco.

— Quer que eu vá com você?

— Não, obrigada, Verônica. Se precisar eu chamo.

— Tem certeza de que você não quer o comprimido, Gabi? Toma. Vai te fazer bem, você vai ver.

— Agora, não. Mais tarde, talvez.

— Está bem, então. Vamos ficar atentas. Qualquer coisa, é só nos chamar, o.k.?

Enquanto subo as escadas e sigo em direção à suíte, mesmo sem efeito de medicamento me pergunto: o agora lá embaixo aconteceu de verdade? Ou foi tudo imaginação minha? Realidade? Sonho ruim? Vou acordar e saber? Preciso de um banho. Preciso molhar a cabeça. Preciso de água correndo sobre mim. Quando entro no quarto, Galileu está à minha espera. Olha para mim por cima dos óculos. Diz que sentiu muito a minha falta. Está feliz por me ver de volta. Corro para ele.

— Eu, também, Galileu! Você não calcula o quanto é bom entrar aqui e te encontrar! Poder te sentir, te abraçar e te beijar! Saber que você nunca vai ficar doente! Nem morrer! Nossa amizade é eterna! Eterna!

O banho fica para depois. Mal consigo forças para chegar com Galileu até a cama. O corpo todo dói. Surra das boas a que acabo de levar. Deito com roupa e tudo. Fujo daqui. Apago.

A última fala

Se na hora extrema do vamos ver nem pessoas centradas demonstram tanta firmeza, que dizer de mim, que já nasci sob o signo do devaneio e do desvio? Desde menina, vivo em planos paralelos — por alienação, mecanismo de defesa, sei lá. É assim que sobrevivo. Religiões, aceito, mas não as tenho. Monges, sacerdotes, rabinos, pastores, médiuns e mães de santo. Oráculos, videntes e cartomantes. Respeito todos os que, pela erudição ou intuição, ousam trabalhar como intermediários do Desconhecido. Mas meu caminho é bem outro. Falo como sonhadora incurável que, bênção ou maldição, perambula entre o Olimpo e o Hades, bebe de todas as fontes e prova todas as águas que correm por aí, turvas ou cristalinas. Todas em movimento. Água parada, nunca. E desse modo deverá ser até o fim. Fim? Que fim? O "morreu, acabou" dos ateus é bastante cômodo. A verdadeira paz eterna. Quem será capaz de inventar descanso maior? O *relax* definitivo! O meu medo é que, diante da complexidade da vida, a morte não seja desfecho tão primário e elementar assim.

Estou perdida em minhas elucubrações quando dou com Gabito sentado na ponta da cama. Chega, como sempre, sem avisar. Nessas horas de perda e de vazio só a presença amiga nos vale e nos conforta. A presença amiga que não traz explicações, traz amor — que bem mais precioso nos poderia ser ofertado?

Gabito compreende minha aflição. Mas acha sofrimento inútil querer entender o que não está ao nosso alcance. Se, no estágio em que nos encontramos, o mistério faz parte da equação, usemos dos fantásticos recursos da poesia para lidar com ele. E formulemos criativas hipóteses para as nossas soluções finais. Com o tanto que sabemos, tudo vale. Do perpétuo nada às festivas bem-aventuranças! Democraticamente. Cada um com direito à sua explicação, à sua inspiração, à sua invencionice!

Só mesmo Gabito para trazer humor numa hora dessas. A última vez que nos vimos foi ano passado, no dia do nosso aniversário. Depois? Agradeço o sinal de presença que me deu, lá em Buenos Aires, com as flores que me chegaram pelas mãos de Alfonsina. Houve muitos outros sinais, ele garante. Aqui no Rio, também. Eu é que não estive atenta. Mas não me culpa, de modo algum. Os compromissos cotidianos nos desviam a atenção. E muita poesia se perde pelo caminho.

Gabito precisa ir. Antes, me entrega um envelope com carta dirigida a mim. Na realidade, um bilhete sem data, que começa e termina com travessão.

> — *Querida Gabriela, fico triste por você interpretar meu recente gesto de carinho como uma tentativa de ter a palavra final. Para lhe provar que não foi assim, imaginei um diálogo entre nós. Nesse diálogo, o último travessão é seu. Desabafe, escreva nele o que quiser. Dê o fecho, alegre ou triste, à nossa conversa. A última palavra será sua. Beijos já saudosos, Letícia.*
>
> — ...

Dobro o papel e guardo. Não escrevo nada. Travessão é recurso de voz, eu sei. Mas prefiro terminar assim. A outra dama do tabuleiro, vitoriosa. Tendo e me oferecendo com generosidade a última fala.

O que farei

A visita de Gabito me trouxe conforto. Quando me levanto da cama meu ânimo é outro. Estar de pé já é alguma coisa. Lá fora, uma nova realidade me espera. Devo encarar — que jeito? Tenho bravas guerreiras ao meu lado. E os meus queridos, que estão Lá em Cima, também hão de me ajudar. Gabito disse, lembro direitinho, que, democraticamente, como qualquer um, tenho direito às minhas explicações, às minhas inspirações, às minhas invencionices.

Dois dias depois, foi celebrada, na igreja de Nossa Senhora do Outeiro da Glória, a missa de sétimo dia pela alma de Letícia Garcia. Além do nosso, saíram vários anúncios nos obituários dos jornais. Ficamos surpresas com a quantidade de convites publicados. Alguns, em tamanho colossal e com dizeres comoventes. A emoção foi grande. A igreja estava lotada. Muita gente acompanhou a missa do lado de fora. Cerimônia belíssima, com luzes e coral. Jeremias havia sido avisado com antecedência e compareceu com dona Laura — já estavam lá quando chegamos. Júlio, que soube pelo jornal, também esteve presente. José Aureliano enviou telegrama de pêsames. Importante compromisso profissional impedia seu comparecimento, mas estava solidário nesse momento de luto e dor. A fila de cumprimentos não tinha fim. Comoção sincera de pessoas que eu nem conhecia. Nunca imaginei que tia Letícia fosse tão querida.

Semana seguinte. O casarão permanece fechado, embora Verônica acredite que já é tempo de termos conversa séria sobre nosso futuro e o das meninas. Tia Letícia foi bastante clara em todas as decisões que tomou. Em escritura declaratória de manifestação de vontade, optou por ser cremada. Que suas cinzas fossem lançadas em espaço verde e arborizado. O testamento também não deixa dúvidas. O casarão, comprado recentemente, passa a ser meu, incluindo tudo o que nele existe. As duas lojas da avenida Gomes Freire ficam para a Verônica. O sobrado da rua Gonçalves Dias deverá ser posto à venda para que o valor seja repartido entre as dez meninas que estão na ativa. Todo o dinheiro — em banco, em investimentos e em aplicações financeiras — será dividido entre mim e a Verônica em partes iguais. Simples assim.

O resto de 1989 passa em um piscar de olhos. O ano, que começou de forma trágica, termina com mudanças radicais. Para mim, com a morte de tia Letícia. Para o Brasil, com as eleições diretas para a presidência da República. Para o mundo, com a queda do muro de Berlim. Incrível é que os três fatos ocorrem nos primeiros 15 dias do mês de novembro. O Brasil e o mundo, por se sentirem mais livres, enchem-se de esperança e vão à luta. Eu, por ainda não conseguir definir o que sinto, poderia ao menos tentar imitá-los. Acho que é o que farei.

Cinzas

A pedido de tia Letícia, somente Verônica e as meninas compareceram ao velório e à cremação — o falecimento foi noticiado após esses rituais. Que seus amigos e clientes lembrassem dela alegre e com vida. A mim, não me foi dada a mesma sorte. De modo surreal, fui obrigada a revê-la depois de morta. Nosso reencontro foi lúgubre, para dizer o mínimo. No dia seguinte à minha chegada de Buenos Aires, a urna com suas cinzas já estava em seu quarto à minha espera.

— Foi o lugar mais adequado que encontrei para abrigá-la até você decidir onde lançaremos as cinzas. Pensei no Jardim Botânico.

— Fez muito bem, Verônica. Vou até o quarto.

Verônica faz menção de me acompanhar.

— Prefiro ir sozinha, se você não se incomoda.

— Claro que não, Gabi. Imagina. Pus a urna sobre a cama. No lado em que ela costumava se deitar.

Abro a porta. O quarto é a própria urna — urna em tamanho natural, com interruptor ao alcance da mão. Acendo a luz e lá está ela. Minha tia é uma caixa de madeira laqueada de branco. Esse, o seu novo corpo, a sua nova forma de estar no mundo. Chego perto. Sento-me no chão ao seu lado. Olho para ela, tentando encontrar algo que nos conecte. "A enseada" é o que me vem à mente. O segredo que não foi alterado. 27-08-36. A partir daí, as cenas se sucedem com nitidez que impressiona. Nossos embates e nossas conversas neste mesmo quarto. "Tudo nasce do escuro, tudo floresce na luz. A árvore, Gabriela, cresce igual para baixo e para cima." Já não me recordo de onde ela tirou isso. Que importa a assinatura? Importa que assimilei o sábio ensinamento, que, em instante de fraqueza, me aliviou a culpa.

Tia Letícia, agora, tem fechadura e a pequenina chave está no local à disposição de quem chegue. Não há segredos. Um simples girar de dedos nos dá acesso ao que está dentro. Sei que são cinzas. E, muito mais que cinzas, são a história de uma vida inteira. A alma indômita de uma mulher. Continuo a olhar para ela. Não pretendo abrir a caixa. Não, agora. Nem ao menos lhe tocar, pretendo. Esse tato não é o que eu quero. Não agora. O tato. Sempre a me aconselhar. Sinto que, neste momento, a imaterialidade da visão me basta. Mais até. Me deixa solto o pensamento que, ligeiro, me conduz a outra conversa que tivemos.

A gente vem a esta vida aos poucos, tia. A gente balbucia, aprende a falar. Vai reconhecendo um e outro. É bonito isso. Vir aos poucos. E a gente se vai desta vida também aos poucos. Envelhece, perde um e outro, a memória se vai apagando. E é bonito quando é assim. Ir aos poucos. Meus pais e meu avô não foram aos poucos. Tia Letícia rebate, me corta as asas. Diz que estou fora da realidade, que tudo isso é poetice minha. Pura besteira. A morte é mais fácil de transcender que a doença, Gabi. Mais confortável se convencer de que as pessoas queridas estão vagando por aí, sempre a postos para nos amparar. Respeitamos as segundas-feiras, acendemos velas e pronto. Vida que segue. A doença, não. A doença é a prova concreta de nossa fragilidade e de todos os males que nos afligem. Toda doença é egoísta, exige atenções em tempo integral. Doença prolongada então nem se fala. É prova difícil que nos é imposta. Deus que me livre, ela se benze. Que meu final seja rápido, ela pede aos Céus.

De certa forma, para mim, tia Letícia também não foi aos poucos. Há um mês, quando nos despedimos neste mesmo quarto, ela ainda não era caixa. Era de carne e osso. Estava aparentemente saudável. Falava. Se emocionava e tudo. Não tive a oportunidade de saber se isso que ela afirmava é verdade. Nunca vivi a experiência de acompanhar a doença de alguém próximo. Enfim. Cada um faz o seu próprio dever de casa. Eu faço o meu do jeito que sei.

Levanto-me, ando pelo quarto. Sensação estranha. Não de morte, mas de ausência temporária. Talvez ainda não tenha me dado conta do que aconteceu. Muito louco imaginar que tia Letícia foi parar ali dentro daquela caixa, à espera de que eu decida o que fazer com ela. Não sei o que me dá. Várias ideias me ocorrem ao mesmo tempo. A primeira delas: arejar o quarto. Corro bem as cortinas, abro todas as janelas. Visto daqui, o pátio interno é ainda mais bonito. Me felicita. Os canteiros com antúrios estão repletos de flores — corações que fazem careta para as tristezas do mundo. Uma brisa entra sem pedir licença. Será ela? A morte é mais fácil de transcender que a doença, Gabi. Imaginamos nossos entes queridos vagando por aí e pronto. Vida que segue. Seja bem-vinda, tia. A casa é sua. Segunda ideia: vou buscar "A enseada" para lhe fazer companhia, é claro! Um pouco de papai, mamãe e de meus avós está dentro dela. Um pouco de mim, também — acho significativo. Além do mais, as duas são caixas de madeira. Hão de saber se comunicar, hão de se entender. Terceira ideia: irei visitar o

Jeremias. Quero que ele me leve lá em cima no alto do morro, onde era o meu jardim secreto com o vovô. Talvez seja o lugar ideal para receber tia Letícia.

Logo depois da missa de sétimo dia, Verônica e eu vamos juntas à favela Santa Marta. Ficamos desoladas com o que vemos. A violência parece ter chegado ao limite do insuportável. Moradores acuados, traficantes vendendo drogas e exibindo ostensivamente suas armas. Subimos de um só fôlego até a casa de Jeremias. A porta fechada. Primeira vez que vejo isso. Será que aconteceu alguma coisa? Bato à porta e chamo pelo nome. Alívio. Meu amigo vem atender. Explica que os tempos definitivamente mudaram. Ele passa a maior parte do dia dentro de casa. Prefere, porque dá desgosto presenciar tanta injustiça, tanta covardia com aquela gente honesta e trabalhadora. A comunidade tem passado por provações terríveis. A enxurrada do ano anterior que matou e feriu vários moradores e deixou centenas de desabrigados, o descaso e a ausência do poder público, as guerras do tráfico — de traficante com a polícia e entre quadrilhas rivais, crianças se drogando em plena luz do dia, uma tristeza. O pior é a sensação de impotência diante de todo esse quadro de hostilidade. Quando lhe pergunto sobre o antigo jardim secreto e lhe conto minha ideia, Jeremias se comove. Lamenta dizer que a favela Santa Marta da minha infância já não existe faz tempo. Que ninguém se atreva a se aproximar daquela área. Não precisa dar maiores explicações, precisa?

Nossa visita é rápida. Damos um pulinho ali ao lado para dar um beijo em dona Laura e é só. Não aceitamos o convite para almoçar. Fica para uma próxima vez. Eles, agora, é que têm de ir lá ao casarão nos visitar. Sabem o telefone e o endereço, não sabem? Então? Nem precisa avisar. Basta chegar e tocar a campainha. São de casa. São família.

No táxi de volta para a Glória, digo a Verônica que, diante do que ouvimos, não vou me precipitar. Por enquanto, a caixa com as cinzas de tia Letícia permanece em sua cama, ao lado da amiga, "A enseada". Manteremos o quarto com a porta fechada e as janelas sempre abertas. Continuaremos a fazer a limpeza habitual aos sábados. Insisto que o jardim secreto é o lugar devido. Não sei como chegaremos lá. Não sei quando chegaremos lá. Mas chegaremos. Sou joão-teimoso.

La Trattoria

Nos anos seguintes sou eu no comando, eu abancada à mesa de trabalho decidindo os rumos do casarão e os meus próprios. Não modifico absolutamente nada no escritório que era de tia Letícia. Os móveis são os mesmos, a arrumação continua igual. A diferença está em quem senta na cadeira e, portanto, em quem determina o que deve ser feito. Apelo para o meu bom-senso. Sigo minhas convicções, meus instintos, meus pressentimentos. Nada muito confiável, concordo. Mas é o que tenho à minha disposição para poder decidir entre isto ou aquilo.

Verônica está satisfeita com minha administração. Discordamos em um detalhe ou outro. Nada que atrapalhe o bom funcionamento dos negócios. As meninas não reclamam. Pelo contrário. Alardeiam que nunca estiveram tão bem de vida. Mesmo porque, com a venda do sobrado da rua Gonçalves Dias, puderam embolsar um bom dinheiro — graças à generosidade da "santa mulher". Comentam que, em alguns aspectos, sou mais rígida que tia Letícia, mas, ao fim das contas, somando e subtraindo, acham-me bem mais liberal. Preferem a atual gestão, embora me tenha tornado mais autoritária no meu relacionamento com elas. Sentem saudades daquela Gabriela que não se importava com provocações, a quem podiam chamar de "dama do lotação", "sinhazinha dos pobres", "sobrinhazinha da titia" e tudo bem. Hoje é diferente, reconhecem. Devo assumir responsabilidades, arcar com consequências. Portanto, é natural que minha postura com elas seja outra. Mas, no cotidiano, o trato nunca é vertical. Ainda bem, elas brincam. Porque a especialidade de todas aqui é se posicionar horizontalmente. Com quem quer que seja.

Outro dia, sonhei com tia Letícia agradecendo o carinho e a consideração que tive com ela ao permitir que "A enseada" ficasse a lhe fazer companhia na cama. Sonho muito louco. Tia Letícia era a caixa de madeira laqueada de branco. Só que a caixa falava. Tinha olhos, boca e tudo. E eu achando o absurdo perfeitamente normal. Durante a conversa, a tia Letícia-caixa me aconselhava a mudá-la de lugar. "A enseada" deu o maior apoio. As duas estavam precisando de novos ares e sugeriram que eu as levasse para o pátio interno. De preferência, perto dos antúrios. Por mim, tudo bem. Só teria de arrumar um jeito de protegê-las da chuva. Tia Letícia-caixa ficou radiante. Com o quarto dela liberado, eu poderia faturar mais dinheiro. Confessou que se sentiria realizadíssima se sua cama passasse a dar lucro para o casarão. E assim foi feito. Já na manhã seguinte, pedi a Verônica que providenciasse a mudança. Que decidíssemos quem iria ocupar o quarto, pensássemos, é claro, em como selecionar a décima primeira menina para o casarão e que nome lhe dar. A ideia foi recebida com aplausos. Mudanças sempre são bem-vindas aqui.

Na minha vida pessoal também há mudanças consideráveis. José Aureliano vai perdendo importância a cada dia. Já não tenho muita paciência para suas desculpas esfarrapadas com relação ao casamento. Estou mais que convencida de que ele e Úrsula seguirão juntos naquele inferno particular. Ele sempre se queixando dela e dos filhos, do tédio, das brigas e discussões intermináveis. Pensando bem, o que é que eu tenho a ver com isso? Que se entendam, sejam felizes e me deixem em paz. Por outro lado, minha nova rotina de trabalho me preenche, me realiza e ocupa a mente. Tenho a impressão de que tia Letícia está sempre a me inspirar e a me orientar para que eu vá por aqui ou por ali, faça assim ou assado.

É exatamente assim, sentindo-me inspirada por ela, que, no dia 25 de junho de 1993, numa movimentada sexta-feira, deixo o casarão por conta da Verônica, ligo para o Júlio e o convido para almoçarmos juntos no velho La Trattoria. Quem sabe depois pegamos um cineminha ou saímos a passear por algum lugar? Dou sorte. Meu amigo atende no primeiro toque.

— Nossa! Estava de plantão ao lado do telefone?!

Júlio acha graça. Diz que, para mim, dá plantão 24 horas.

— Sei. Me engana que eu gosto.

— E aí, mulher? Que milagre é esse? Faz tempo que a gente não se fala.

— Nem vem com esse papo não, porque, se eu não ligo, você também não me procura.

— Tudo bem, tudo bem. Sem cobranças.

— Estou indo para esses lados. Topa almoçar no La Trattoria para pormos a agenda em dia?

— Maravilha. A que horas?

— Só o tempo de me arrumar. Uma e meia na porta. Pode ser?

— Combinado. Vai ser muito bom a gente se ver de novo. Às vezes, me bate saudade daquele período que você morou aqui comigo.

— É. Em mim, também, cara. Foi um tempo muito bacana.

Júlio suspira e se conforma.

— Melhor deixar pra lá. Nos vemos daqui a pouco, então.

— Beijo.

— Outro.

Júlio se apurou para me ver. Lindo! Eu fiz o mesmo. Sintonia. Estamos bonitos e dispostos. Nos abraçamos com saudade sincera. A amizade é o nosso grude. Bom demais. Entramos. Dom Mario vem nos receber com o entusiasmo costumeiro.

— Júlio! Há quanto tempo, rapaz!

É brincadeira. Júlio jantou com eles ontem. Dom Mario não dá trégua.

— E aí, moça? Você, sim, anda sumida! Seja bem-vinda! Querem ocupar a minha mesa? Regina e eu já almoçamos e estamos de saída.

A "mesa da diretoria", que é como afetivamente a chamamos. Uma honra sentar ali. Fica colada ao balcão. Visão privilegiada de todo o restaurante. Por isso, quando nos sentamos, descubro José Aureliano em uma mesa afastada. Está acompanhado de Úrsula e dos dois filhos com as respectivas namoradas, imagino — almoço em família. Que cena encantadora! A mesa de seis parece festiva. Alguma data importante, com certeza. Por sorte, Júlio e eu não fomos vistos. Tenho tempo para armar o bote. Ataque surpresa. Júlio será meu cúmplice, lógico!

— Não vira agora, não. Você não sabe quem é que está sentadinho lá do outro lado com toda a família.

— Quem?

— José Aureliano Dias.

— Ahn?

— O próprio. Filho da mãe. Vive dizendo que está se separando da mulher e está lá todo cheio de chamego com ela. Cretino!

— Calma, Gabi. Não vai estragar nosso almoço, vai?

— Claro que não! Vai ser divertidíssimo. Só que, agora, com uma atração a mais.

— Esse seu bom humor me assusta.

Cleber chega à nossa mesa. É garçom antigo — seu pai, Nonato, também trabalhou na casa. Cleber é profissional sério, competente, de finíssimo trato. Nos traz os cardápios com a saudação afetuosa de sempre. Júlio está com fome e eu tenho sede.

— Oi, Cleber, tudo bem? Um chope para a moça aqui, uma caipirinha para mim e duas porções de pão de alho, enquanto a gente escolhe.

— Fiquem à vontade. Já estou trazendo o pãozinho e a bebida.

Júlio está preocupado, eu vejo. Pego suas mãos, trato de tranquilizá-lo. José Aureliano já não tem o tamanho de antes. É toco de vela que está no fim. Nem será preciso apagá-lo. Ele mesmo acabará por se consumir. Sem ajuda de ninguém.

— Ótimo que seja assim.

— Será assim, pode acreditar. Mas esse encontro de hoje não está acontecendo por acaso. Aposto que é armação de tia Letícia.

— Gabi, lá vem você com suas histórias.

— Claro que foi ela que me trouxe até aqui, Júlio! Algum motivo há. E vou tirar proveito. Ah, vou!

A ideia é simples. Iremos até lá cumprimentá-los gentilmente. José Aureliano me apresentará à sua esposa e a seus filhos e eu o apresentarei ao meu marido. Tudo muito civilizado e educado. Vai ser uma delícia. Melhor irmos agora que ele já pediu a conta e nossos pratos ainda não chegaram. Júlio pede que eu não apronte nenhuma bobagem, pelo amor de Deus — ali é sua segunda casa, não quer escândalo ou bate-boca, ainda mais na ausência de dom Mario. Preocupação boba, garanto que ele se orgulhará de mim. Será meu momento máximo de elegância e etiqueta. Serei a própria Maria Augusta Nielsen dando aulas na Socila! E eis que, passe de mágica, apareço diante deles!

— Gabriela?! Que surpresa!

Estendo a mão com delicada cerimônia.

— Como está, José Aureliano? Que prazer encontrá-lo aqui com a família!

José Aureliano levanta-se feito mola que se solta. Quase derruba a cadeira. Sua expressão é de espanto maldisfarçado.

— Estou bem. Estávamos aqui comemorando uma data especial.

Com sorriso e pose de matriarca, Úrsula se apressa a me passar a informação.

— Hoje é nosso aniversário de casamento.

Demonstro alegria ao saber.

— Não me diga! Meus parabéns! E esses são seus filhos.

— Sim. Roberto e Ricardo. Vieram com as namoradas.

Os rapazes e as moças apenas sorriem com amabilidade.

— Que beleza de família!

O desconforto de José Aureliano é de dar pena.

— Obrigado. É realmente uma família muito bonita. Meu amor, essa é Gabriela Garcia. Acho que já lhe falei sobre ela.

— Desculpe, mas não me lembro.

José Aureliano está perdido. Decido ajudá-lo. Mentira caridosa.

— Seu marido tem muitos negócios com meu pai. Em 89, os dois começaram a investir em Buenos Aires, na área de Puerto Madero. Tiveram sorte.

Úrsula compra o peixe e manda embrulhar.

— Ah, sim, claro! Puerto Madero vem se tornando uma verdadeira mina. Incentivada por José Aureliano, comprei lotes fantásticos naquela região.

— Papai também está radiante com a valorização dos terrenos que adquiriu.

— E esse belo rapaz ao seu lado? Não vai nos apresentar?

— É meu marido. Júlio Tavares. Professor de Literatura na PUC.

Úrsula estende a mão de forma bastante simpática, quase informal — provavelmente, pelo fato de meu pai ter adquirido terrenos em Puerto Madero antes dela.

— Muito prazer, Júlio. Maria Cristina Dias.

O quê?! Maria Cristina Dias?! Agora, sou eu que quase caio para trás. José Aureliano não sabe mais onde enfiar a cara. Não, eu não acredito! Maria Cristina Dias?! Que maluquice é essa?! Vontade de rir. Fico momentaneamente confusa. Será que é uma terceira mulher? Não, não pode ser. Estão fazendo anos de casados, os dois galalaus estão aqui bem diante de mim. São filhos dela. Ouvi muito bem, uma beleza de família. Então que história é essa?! De onde saiu esse nome, minha Nossa Senhora?! Em segundos, tudo isso me passa pela cabeça até que cai a ficha. O idiota inventou o nome Úrsula, é lógico. E vem mantendo essa mentira ridícula esses anos todos, desde que nos conhecemos. Patético! Olho para Maria Cristina tentando encontrar alguma semelhança com a tal Úrsula que me foi vendida. Certamente, terei comprado gato por lebre!

— O que foi, Gabriela?

— Desculpe, Maria Cristina, é que você lembra demais uma grande amiga minha: Úrsula.

— Úrsula?

— Impressionante como vocês são parecidas.

— Não me diga.

— Infelizmente, ela e o marido acabam de morrer num acidente de trem. Uma tragédia.

— Meu Deus! Onde isso?! No Brasil não pode ter sido!

— Não. Nem saiu nos jornais, aqui. Foi no interior da Colômbia. Eles estavam indo de Macondo para Aracataca. Uma viagem de romance e de sonho que acabou desse jeito estúpido. Muito triste.

— Que horror! Sinto muito, minha querida.

— Obrigada e me desculpe por tocar em assunto tão desagradável justo em momento de festa.

— Não se preocupe. Vi que você foi espontânea. Pela sua expressão de pesar, ela devia ser uma boa amiga.

— Era, sim. Uma amiga e tanto. Bem, vou voltar à minha mesa. Nossos pratos estão chegando. Vim apenas cumprimentá-los. Papai e todos lá em casa temos grande admiração pelo José Aureliano. Até gratidão, eu diria. Nossa família já ganhou muito dinheiro com ele.

Maria Cristina parece ter gostado dos elogios ao marido. Despedimo-nos todos com sorrisos de muito prazer e com José Aureliano mandando lembranças para o meu pai. Diz que qualquer hora telefona para ele. Está em falta.

De volta à mesa da diretoria

Júlio respira com alívio. O pesadelo acabou. Felizmente, entre mortos e feridos, salvaram-se todos. Não tenho tanta certeza assim, mas isso já não é problema meu. José Aureliano que trate de explicar direitinho à mulher o *pedigree* e o *curriculum vitae* do meu pai. Se fizeram tantos negócios em Puerto Madero, ele deve saber o histórico do sócio, não deve?

— Gabriela, quero morrer seu amigo.

— Danço conforme a música, Júlio. Tango, gafieira ou o "Lago dos Cisnes". Comigo é assim. Estou sempre preparada para o número que vier. E acho até que me saí bem no papel de madame. Não errei passo nem pisei no pé de ninguém.

Olho em direção à mesa onde José Aureliano almoçou com a família. Está vazia. Ficaram os fantasmas da lembrança recente. Foi real o que aconteceu? Alucinação ou o quê? Maria Cristina Dias, a verdadeira identidade de quem lhe causa tantos dissabores. Se é que causa. Vai ver, ela é outra vítima. Palhaço! Inventar essa mentirada só para me iludir. Personagens saídos de livro! Impostor barato! Por isso nunca soube explicar a razão de *Cem anos de solidão* ter sido tão marcante em sua vida. Que raiva. E a mesa, vazia — só para me pôr em dúvida se a cena constrangedora terá acontecido de verdade. Ainda bem que Júlio está aqui comigo e é prova concreta de que, há alguns minutos, havia, sim, seis pessoas sentadas ali celebrando um aniversário de casamento. Passo da raiva ao aperto no coração. A mesa vazia é ausência. Enquanto José Aureliano, Maria Cristina e os filhos estarão por aí, marcando presença em outros lugares. Indiferentes a mim. Tento me concentrar em Júlio. Me esforço. Meu amigo. Meu cúmplice. Maria Cristina o achou um belo rapaz. E é mesmo. Por dentro e por fora. Nada a ver com o traste do marido dela. Marido de faz de conta, marido das horas vagas. Só quero ver o que ele irá me dizer em nosso próximo encontro. Isso se eu permitir que haja diálogo. Se eu lhe der a chance de nova fala. Se achar de lhe conceder a palavra em algum travessão mais adiante.

Júlio e eu não queremos sobremesa. Pedimos ao Cleber que nos traga mais um chope e outra caipirinha — precisamos de combustível para seguir em frente. Ainda temos um bocado de assunto. Meu amigo ficou intrigado com a história doida da tal Úrsula que morreu com o marido num acidente de trem na Colômbia! Não entendeu absolutamente nada. Disponho-me não só a explicar, como também a contar, tim-tim por tim-tim, meu envolvimento com Gabriel García Márquez. Desde que ele também me tire uma dúvida sobre algo que sempre me despertou curiosidade.

— Vai, pergunta.

— Você, que logo me presenteou com rosas amarelas e que me ouvia falar o tempo todo em Gabriel García Márquez, nunca comentou o fato de eu e ele termos o mesmo nome. Por quê?

— Seria óbvio demais, não acha? Quantas pessoas já teriam feito a mesma observação antes de mim?

Júlio é assim. Didático, objetivo. E irritantemente convincente. Sim, ele sabe que meu aniversário é no dia 6 de março, mas como poderia adivinhar que Gabriel García Márquez é pisciano do mesmo dia? Seus estudos sobre o escritor colombiano não chegam a esses detalhes. Só me mandou flores amarelas porque antes eu havia comentado que eram as minhas preferidas. Não lhe passava pela cabeça que García Márquez só escrevia com elas por perto. Vou lhe desfiando todas as coincidências que me ligam a Gabito.

— Gabito?! Assim tão íntimo?!

Pronto. Dito e feito. Júlio, que não queria, se torna óbvio demais. A mesma reação de Verônica e tia Letícia. Que burra que sou! Por que fui entrar nesse assunto que só diz respeito a mim e que ninguém leva a sério? Antes tivesse mantido o mistério de seu silêncio. Não teria tido mais essa decepção. Será que só eu sou capaz de ver encantamento em minha história com Gabito?

Dois cafés e a conta. Estamos aqui há quase três horas. Júlio me pergunta se não quero dar um pulo com ele na praia. Um biquíni meu ficou esquecido no fundo da gaveta.

— Um verde clarinho?!

— Esse mesmo.

— Sério? Adoro esse biquíni! Achei que tinha perdido.

Dou um tapa no braço de Júlio.

— Seu ladrão de biquínis! Por que você nunca me falou?

— Fetiche.

Cleber nos abre a porta — a gentileza e amabilidade de sempre. Saímos agarradinhos do La Trattoria. Efeito das caipirinhas e chopes ou o quê? Júlio ficou animado por eu ter aceitado pegar uma praia. Claro! Saudade do meu biquíni. Saudade de pisar nessa areia e mergulhar nesse mar. Praia à tarde é uma delícia. Júlio quer saber mais sobre como andam as coisas no casarão depois que eu assumi o comando. E me surpreende quando diz que está com planos de ir morar em Paris. Dois anos, pelo menos. A culpa é da Sorbonne, que sempre o seduziu.

— Me leva junto?

— E você vai?

— Quem sabe?

Nem eu mesma sei. Dentro de mim há várias. Sou formiga tibetana, sou cigarra punk. Sou cobra que voa, passarinho que rasteja.

Virando a página

Dia seguinte. José Aureliano vem me procurar logo cedo. Precisa falar. Muita coisa para ser esclarecida. Da minha parte e da dele. Falar o quê? Não tem mais nada para falar. Chega. Onze anos me enrolando. Não é bem assim? Como não é bem assim? De cara, dá nome fictício à mulher, inventa que *Cem anos de solidão* o marcou profundamente, que se sentia personagem saído do livro e tudo! E vem me dizer agora, com a maior cara de pau, que foi para criar clima de mágica?! Nem adianta culpar tia Letícia, porque a emenda fica pior que o soneto. Acredito que, ao assinar o contrato e saber que meu nome completo era Gabriela Garcia Marques, tenha mesmo feito a associação com o escritor colombiano. É óbvio demais! Acredito também que tia Letícia lhe tenha contado sobre minha fixação "no tal amigo bigodudo" e que lhe tenha dado todos os detalhes das "coincidências" que me ligam a ele. Não vejo nada de mau nisso. É evidente que ela tinha interesse no negócio e queria criar mais vínculos entre nós — eu era uma menina de 15 anos! Tia Letícia era mulher instruída, já tinha lido *Cem anos de solidão*, sabia também que José Aureliano é uma fusão de nomes dos principais protagonistas do romance de García Márquez. Sabia, portanto, do impacto que isso causaria na minha "cabecinha sonhadora", como você diz. "Úrsula" seria a cereja do bolo, é claro. A farsa foi muito bem-montada. Covardia. Golpe baixo. Mas quer saber de uma coisa? Aprendi muito nesses 11 anos de fantasias e mentiras. Fantasias e mentiras, sim! Até aquela sua volta sinistra, depois de ter sumido por quase dois anos. Todo aquele blá-blá-blá de que estava se separando de Úrsula, ou de Maria Cristina, ou do diabo que a carregue! Que era para valer, que era "um homem em busca de si mesmo"! E a infeliz aqui, mais uma vez, caindo feito um patinho. Vamos para Buenos Aires! Vamos passear de mãos dadas pelos parques de Palermo! Palerma fui eu que acreditei que você havia mudado. E, se a nossa relação veio capengando e resistindo por esses últimos quatro anos, deve-se única e exclusivamente à morte de tia Letícia, que me obrigou a ocupar a mente com os negócios do casarão, que me levou a assumir responsabilidades com as meninas, que me tornou realmente adulta. Hoje, conheço o peso de ser minha última instância. Não estou me fazendo de vítima, não senhor. Pelo contrário. Estou lhe provando que esta Gabriela que você está vendo mudou, e muito. Não que, aos 26 anos, eu tenha desistido dos meus sonhos. Não mesmo. As decepções que você me causou me ensinaram a separar o joio do trigo. A não confundir fantasia com amor. Nem paixão cega com admiração verdadeira. Nem dependência com companheirismo. Chega. Hoje, me considero formada e pós-graduada em José Aureliano Dias. Não tenho mais nada a aprender com você. O Júlio? Ah, o Júlio, é verdade! Você quer saber quem é Júlio Tavares! Como foi mesmo que você se referiu a ele? "O tipo que se prontificou a representar aquela palhaçada", não foi assim? Pois bem, Júlio foi o homem com quem me deitei durante o período em que você me deixou. Cheguei a me mudar para o apartamento dele por alguns meses. Cama deliciosa! Por que esse espanto? Você acha que eu ia ficar desfiando terço à sua espera? Me poupe, por favor. Dor de corno em *flashback* é triste, não dá para aturar. Não contei na ocasião porque não quis contar, ora! E também porque não lhe devo satisfações do que fiz ou deixei de fazer numa época em que você estava sumido e nem dava sinal de vida! Júlio representou essencial ponto de mudança em minha vida. Foi ele que me fez acreditar mais em mim. Foi ele que me mostrou que há outras opções no mundo além de José Aureliano Dias. Hoje, somos grandes amigos. Um grude que me faz bem à saúde. Lamento dizer que esse não será o nosso destino. De você, quero distância. O que eu disse no La Trattoria para sua mulher é a mais pura verdade: para mim, Úrsula e seu marido morreram em um trágico acidente de trem na Colômbia, quando estavam indo de Macondo para Aracataca. O máximo que posso fazer é rezar por suas almas. Que descansem em paz.

Recebi José Aureliano não na suíte, mas no escritório. O tempo quase todo, abancada à mesa que era de tia Letícia. Fiz de propósito. Para que ele soubesse que estávamos, finalmente, encerrando o nosso contrato. Inclusive, de forma simbólica, deixei sobre a mesa, bem visível, o documento que ele e tia Letícia haviam assinado. Ao fim do encontro, serenidade de formiga tibetana, rasguei o papel em quatro partes. A justa medida. Nem menos — que poderia passar a ideia de hesitação. Nem mais — que poderia transmitir raiva ou arrogância. José Aureliano se convenceu de que não havia mais sentido levar a conversa adiante, tentar o impossível entendimento. *Game over.* Quando ele saiu, em silêncio e sem a costumeira pose de dono do mundo, não senti pena. Senti alívio. Por mim e por ele, que poderia tentar ser inteiro com a mulher e os filhos. Na realidade, não dispensei um homem. Dispensei a metade que me coube — a metade da cintura para baixo.

Norma

Depois de virar a página, decido virar a mesa. Chego à conclusão de que soa falso querer ocupar o lugar de minha tia e posar de dona de bordel. Tenho a energia, mas não tenho a vocação. Desabafo com Verônica — minha eterna confidente.

— Por mim, a gente largava tudo aí e ia dar uma de *Thelma e Louise*!

— Lá vem você e essas suas ideias malucas. Nossa realidade é outra, Gabi.

— Outra, coisíssima nenhuma. Nós também sonhamos fugir desse mundo de Belarmindos e Josés Aurelianos!

— Você deve se lembrar muito bem de como termina o sonho das duas, não lembra?

Lógico que lembro. Amei o filme de Ridley Scott. Geena Davis, como Thelma, e Susan Sarandon, como Louise, estão ótimas. O final, na minha opinião, é libertador. Se bem que eu preferia que as amigas tivessem cruzado a fronteira para o México e se aventurado pelo mundo fantástico da latinidade. Verônica me chama de volta ao plano terreno. Tem boa notícia.

— Acho que encontrei a moça ideal para ocupar o quarto de Letícia.

— Que ótimo!

— Uma graça. Inteligente, bonita, história familiar incrível e, detalhe: é virgem.

— O quê?! Nem pensar, Verônica! Não tenho o estômago de minha tia nem os conhecimentos dela na polícia para embarcar numa aventura dessas!

— Calma, Gabi! A menina é maior de idade, tem 25 anos.

— Vinte e cinco anos e ainda é virgem?!

— E o que é que tem isso?!

— Foi modo de falar, não amola. Não dá para arrumar algo mais normal, não?

— E desde quando o casarão se interessa por "algo mais normal"?

Nunca. Verônica está coberta de razão. *Touché!* Sem ao menos ver a candidata ou conhecer sua "incrível história", digo que está certo, que ela vá em frente e contrate a menina. Me ocorre, de imediato, qual será seu nome de guerra: Norma.

— Norma?

— Claro! A esfogueada sacerdotisa Norma da ópera de Bellini! Já estou imaginando nossa amiga perdendo sua recalcitrante virgindade ao som de "Casta Diva"!

Logo em seguida, venho a saber que Norma — Maria Auxiliadora de Souza, na carteira de identidade — é filha única. Seus pais são religiosos fanáticos. Sempre a forçaram a usar blusas de mangas compridas e colarinho alto, saião pelas canelas e sapatos baixos. Pior. O casal tem o hábito de pregar em praças públicas. A coitada sendo obrigada a bater o bumbo ao final de cada citação bíblica. Vergonha imposta, fora os estragos que lhe causaram aos ouvidos pelo som de péssima qualidade. Berros, maldições lançadas aos passantes, chiados e microfonia misturados. Até que — Deus é Pai! — chegou o dia do Juízo Inicial! Aleluia! Aleluia! Norma decidiu dar um basta naquela insanidade. Leu a biografia completa da mulher adúltera e se apaixonou pela história. Que atire a primeira pedra quem não tem o rabo preso! — este, o seu grito de independência.

426

Maria Auxiliadora de Souza saiu então pelo mundo em busca do tempo perdido. Por indicação de uma amiga da amiga da amiga, foi apresentada a um escultor renomado, profundo conhecedor do corpo e, sobretudo, da alma feminina. Alberto dos Reis, segundo lhe disseram, seria capaz de iniciá-la com maestria na nova vida. Conheço o escultor de vista. Grande amigo de tia Letícia, vez ou outra vinha ao casarão para visitá-la e saber das novidades. Foi ele que, diante do imenso potencial de Maria Auxiliadora, aconselhou-a a nos procurar: 25 anos de castidade em corpo e alma tão exuberantes pediam iniciação em lugar especial. Que o rito de passagem se desse, portanto, no casarão da Glória. Riscos? Haveria, por certo. Liberar aquela força da natureza não seria tarefa para amadores. Afinal, foram anos e anos de repressão. Mas Alberto dos Reis não temia a responsabilidade e se dispôs, sinceramente, a nos ajudar. Maria Auxiliadora se entusiasmou. Encheu-se de coragem, bateu à nossa porta e, pelas mãos do escultor, começou a trabalhar já na terça-feira seguinte. Devido ao talento e ao profissionalismo de Alberto dos Reis, a iniciação da moça foi simplesmente perfeita. O amigo de minha tia — agora meu amigo também — saiu do quarto exausto, mas com altivez de dever cumprido. Mão no meu ombro, vaticinou: "Fique tranquila. Norma é mulher à altura de sua tia. Honrará a sua cama. E trará prosperidade."

Norma entra em nossas vidas como furacão. Ruiva, olhos verdes, pele branquíssima. Sensível, divertida e com uma inteligência fora do comum. Mesmo sendo novata, ganha, de imediato, o respeito e a admiração de todas as meninas. Sabe liderar sem ser espaçosa. É prestativa. Aos sábados, dá duro na faxina, não faz corpo mole nunca. Na cama? É máquina de fazer sexo. "Máquina" no sentido de produtividade, é claro, porque, ao lidar com os clientes, sabe individualizar o prazer como ninguém. As avaliações que recebe são prova inconteste de sua competência e dedicação à nossa causa. Orgulho do casarão, bela fonte de renda. Portanto, onde estiver, tia Letícia estará feliz e realizada. Conforme me havia pedido em sonho, seu quarto se transformou em fábrica de fazer dinheiro. Quanto a mim, bem ou mal, vou administrando meus negócios e minha solidão, sempre com a ideia de, um dia, tomar outro rumo. Só que não imagino em que direção nem com que objetivo. A rotina me acomoda. A vida me leva. Começo a me sentir frustrada. Questiono. Meu quarto e o de Verônica são os únicos que não dão lucro. Será que nos tornamos peças avulsas e inúteis? — este é o início da revolução que começa a se operar dentro de mim e que acaba me forçando a tomar decisão radical.

— Quero ser uma puta de verdade.

— Ah, não, Gabi. Tem dó. Que invenção é essa, agora?

— Verônica, estou falando sério. Você assumirá meu lugar no comando do casarão. Receberá, portanto, o pagamento correspondente às suas novas atribuições.

— Gostaria de saber o motivo da decisão intempestiva.

— O motivo? O mais nobre que há: aprendizado, minha querida!

— Aprendizado?! Tudo o que você poderia saber sobre sexo aprendeu com as nossas meninas faz tempo!

— Quero conhecer diferentes tatos! Descobrir outras consistências de carne, outros aromas de pele. Outros beijos! Com a seguinte vantagem, amiga: como não tenho expectativa alguma com relação a sentimentos, quem sabe assim, de repente, não encontre aquele que me faça voar e voe comigo...?

— Sei. Como os noivos de Chagall.

— Exatamente. Como os noivos de Chagall! Há uma infinidade deles voando por aí! Um poderá muito bem pousar em minha cama.

— Uma infinidade deles? Ah, Gabi! Seu otimismo é invejável, sabia? Se existe alguém neste planeta que merece ser feliz, esse alguém é você. Torço muito por isso.

Verônica faz pequena pausa. Parece avaliar prós e contras.

— Está certo. Conte comigo para o que der e vier. Estamos juntas em mais essa empreitada.

Assim começa minha vida pública. Mulher de todos. De qualquer um que chegue. Homens selecionados em minha suíte não me bastam. Quero realidade, realidade, realidade — repito até me convencer. Vou para as calçadas, para os motéis. Homens comuns, pais de família, que se contentam com qualquer mínima fantasia que lhes quebre a rotina, o marasmo de suas vidas. Homens da periferia. Sexo barato. Mudo a oferta, mudo o ponto. Avenida Atlântica, Lapa, Central do Brasil, Rodoviária. O prazer que ofereço não discrimina. É de quem me procura e acha. Sete anos de entrega sem reservas. Sete anos de solidão. Nenhum noivo pousa em minha cama. Quem sabe mulheres? Nenhuma noiva também. Por onde andará Gabito? Saudade. Perdi contato.

A sopa e o pássaro veloz

Maio de 1999. Cansaço. O corpo acende a luz amarela. Não obedeço, forço o ritmo. Ele não me dá outro aviso. Com violência, me leva para a cama sem me perguntar se quero ou não. É macho. Me obriga a ficar deitada, quieta. Agora, não adianta reclamar. O calor que recebo vem de mim mesma. Não é aconchego de noivo imaginário. É febre alta: 39,5. Defesa do organismo, dizem. Pelo menos, isso.

— Você não me ouve, Gabi. Tem que quebrar a cara para se convencer. O médico disse que agora é seguir a medicação e repouso. Re-pou-so, a senhora está ouvindo?

Verônica fala enquanto me põe o termômetro. Detesto essa coisa fininha de vidro debaixo do braço. Sempre detestei — cada minuto de espera é a eternidade. Reconheço que pisei fundo no acelerador. Radicalizei, é verdade. Mas o mal que me aflige vem de dentro. Minha dor maior ainda é na alma. Ela é que insuflou o corpo contra mim, tenho certeza. Sempre ela. Impossível de lidar. Nenhum tato que me dê uma pista, nenhum outro sentido que seja sinal de presença. Ela. A invisível que incomoda.

— A febre baixou: 37,8. O remédio já fez efeito, viu? Eu vou lá preparar sua sopa e já volto.

— Me alcança o Galileu?

Verônica entende a carência, olha para mim com ternura de mãe. Como se eu tivesse cinco anos ou menos, me põe Galileu nos braços, me passa a mão na cabeça, me beija a testa.

— Tenta descansar um pouco. Não pensa tanto. Desliga a tomada, promete?

Feito criança mimada, faço que sim. Verônica sai, deixa a porta cuidadosamente encostada. Amor que me alimenta e revigora. Ficarei boa.

Não foi só o não me cuidar que me adoeceu. Todas no casarão, Verônica inclusive, sabem o impacto que a notícia me causou: meus pais, que há muito se debatiam debaixo da terra, acabam sendo desenterrados e postos diante de mim. Triste reencontro.

Já era fato conhecido. Xambioá havia sido o palco principal da luta armada, que resultou em mortes bárbaras, em prisões e sessões de tortura. Por pressão da imprensa, das organizações de direitos humanos e dos parentes das vítimas, em 1995, o governo federal reconheceu a lista dos desaparecidos e emitiu, por decreto, os atestados de óbito. No ano seguinte, uma expedição à região do Araguaia localizou, no cemitério de Xambioá, restos mortais que poderiam pertencer a militantes envolvidos com a guerrilha na primeira metade da década de 1970. Outras expedições se seguiram, dando continuidade aos trabalhos de busca e de identificação.

No início deste ano, aconteceu o que eu já pressentia: segundo análise antropométrica feita pelo laboratório que acompanhou uma das expedições, os restos recentemente encontrados poderiam pertencer a alguém do sexo masculino, caucasiano, entre 25 e 33 anos de idade, com altura de 1,75 a 1,83 metro. E de uma pessoa do sexo feminino, caucasiana, na mesma faixa de idade, com 1,60 a 1,70 metro de altura. Em material recolhido adicionalmente, havia evidências de que os dois cuidariam da saúde de moradores daquelas terras. Expectativa. Noites sem dormir. Serão eles? Conforme recomendado pela equipe de cientistas e a meu pedido, foram realizadas análises de DNA. A comparação de nossos dados genéticos confirmou que os restos encontrados eram de Egídio Marques e Luzia Garcia Marques. Fiquei impassível. Reação alguma. Lágrima alguma. Palavra alguma. Dor seca e silenciosa, presa dentro de mim. Verônica e Norma são testemunhas. Estavam comigo.

Papai e mamãe, os que foram descobertos, descansam hoje ao lado de vovô Gregório e de vovó Teresa. Durante todo o processo — da identificação até o enterro no cemitério São João Batista — a secura e o silêncio sempre de mãos dadas. A mesma reação que tive quando perdi meu avô. Para mim, meus pais de verdade, os da minha infância, estariam bem longe em outro lugar. Negação, mecanismo de defesa ou o quê? Na caminhada até o túmulo, passei novamente por aqueles anjos que eu já conhecia. No cemitério, nenhum anjo é alegre, repito. Todos, chorosos, de cabeça baixa. A dúvida me surge com dose de ironia: por que tanta tristeza e desesperança, se eles estão do lado de lá? O lado que dá as boas-vindas a quem chega. Cismo. Muito estranha essa recepção.

Uma semana depois. Pátio interno. Meus olhos batem no canteiro dos antúrios vermelhos, com suas línguas amarelas, fazendo careta para o feio e o violento, para as tristezas do mundo. A imagem me provoca trovoada forte na cabeça e no coração. É a dor que virá, finalmente, em forma de água. E vem. E começo a chorar copiosamente. Choro papai e mamãe, choro tia Letícia e vovô Gregório juntos, choro o jardim secreto que desapareceu, choro o José Aureliano que imaginei e nunca existiu, choro o desencanto com o corpo e a decepção com a alma, choro as lembranças boas e todas as letras e músicas que me acompanham, choro todos os homens e mulheres com quem me deitei, choro anos e anos de solidão.

Depois do choro, é a febre que vem. Paciência é preciso. Repouso é preciso — a inação, às vezes, é forma de agir. Fôlego que se retoma. Estratégia que se revê. Outros sonhos virão. Xambioá, onde passei a primeira infância, significa "pássaro veloz". Minhas asas estão crescendo no lugar certinho. Quero distância de tesouras. Voar é minha sina.

Verônica chega com a sopa. Diz que é de batata-baroa. Perfume que fumega. Amo. Vou tomando aos poucos. Saboreando. Olho em direção ao armário. Terei visto Gabito ou foi impressão?

Vocações

2000 está para chegar. Nem acredito. O que antes parecia ficção científica, filme de Flash Gordon ou seriado dos Jetsons, torna-se realidade. Vou sentir falta dos 1900. O número redondo, com o dois na frente e cheio de zeros, me assusta: vejo o século 20 querendo se espichar ao máximo e dando o grito final em seu último ano de vida. Verônica diz que é loucura minha. Será?

Estamos todas felicíssimas, porque consegui que o Júlio nos emprestasse a cobertura para o réveillon. Ele estará em Paris, já tratando de sua ida definitiva para a França. Sentirei saudade do amigo. Consolo-me: se é para sua felicidade e realização pessoal, tudo bem. Tudo bem, uma ova. Mas a gente diz tudo bem, porque é mentirinha de autoajuda.

De 30 para 31 de dezembro, Verônica, Norma e eu dormimos na avenida Atlântica, o que facilita bastante a nossa vida. As demais meninas só virão no início da noite, já prontas. Combinamos assim. Melhor para todo mundo e para a organização da festa. Seremos só nós de casa, mas estamos com disposição suficiente para celebrar a virada inédita. Muito doido pensar que a última geração que passou por experiência semelhante foi a que viveu em 999! Fico imaginando como nossos antepassados terão festejado a passagem para o ano 1000!

— Gabi, chega de conversa e vê se vai logo comprar as flores, enquanto a Norma e eu adiantamos aqui.

— Calma, já estou indo!

— Aproveita, já passa no La Trattoria e confirma com seu amigo dom Mario se ele vai poder mesmo nos ceder os três sacos de gelo.

Verônica não brinca em serviço. Impressionante. Vai fazendo o que deve ser feito com rapidez e sem alarde. Quando a gente olha, está tudo pronto. Norma não fica atrás. Verdadeiro trator. As duas se entendem na divisão de tarefas. Sorte minha que, este ano, resolvi fazer corpo mole. Da última vez, arrumei a casa e preparei a ceia sem a ajuda de ninguém. Ela e tia Letícia vieram bem lampeiras, de convidadas. Está certo, trouxeram o champanhe e ela fez a *mousse* de chocolate. Mas o pesado ficou por minha conta. Verônica reclama de eu estar ali fazendo conta de padeiro. Não falo mais nada. Desço e vou fazer meu dever de casa... Quer dizer, de rua.

Serviço adiantado. Finalmente, podemos sentar e relaxar um pouco. O dia, lindo. O mar, tranquilo. Tão diferente de 1989! Há 11 anos, o tempo estava emburrado, cara de poucos amigos. Hoje, não. Bom humor total. A vida e seus variados estados de ânimo! Sugiro uma ida com elas à praia. É mergulho rapidinho. Verônica resiste, Norma dá força. E lá vamos nós. O mar tão calminho, a água tão gostosa, o sol tão bom, que esquecemos a hora. Dá até para pegar um bronze.

De volta à cobertura, já de banho tomado, não sei bem por que, começamos conversa perigosa. O tema? Eu. O que pretendo fazer daqui para a frente. Estão de brincadeira? Não quero pensar nisso agora. Verônica lembra o sufoco que passei em 99. Abril e maio foram meses terríveis, lembra? É evidente que lembro. Norma faz duo com o lado de lá. Estão preocupadas comigo. Já melhorei bem de saúde. Mas continuo sem viço no corpo, sem brilho nos olhos. Onde está aquela Gabriela cheia de sonhos? Rebato. Digo que é tudo impressão. Que estou bem. Os exames médicos estão perfeitos e... Verônica me interrompe. É direta.

— Nada justifica a vida que você está levando, Gabi. Se estivesse feliz. Mas não está. Você não consegue voar com os homens e as mulheres com quem se deita. Não consegue. Por mais que tente. A quantos você já se entregou? A quantos satisfez e já deu gozo? E você? O que recebeu em troca? Pagamento em espécie e no ato? Isso te realiza, minha amiga? O problema não é deles. O problema é seu. Deixe esse trabalho para quem é profissional e entende do assunto. O dar prazer anônimo também é dom, é missão. Exige talento, couraça. Deixe espaço para quem entende do riscado e sabe separar sexo e sentimento. A prostituição, Gabi, é a psicanálise do corpo. Há de se respeitar.

A fala bate forte. É a primeira vez que vejo Norma emocionada. E a preleção nem foi para ela. Putas choram? Cadê a couraça então? Valendo-se do momento de sintonia, Verônica me faz um pedido. Que em 2000 eu tente encontrar minha verdadeira vocação sem me machucar tanto. E sem afligir as pessoas que estão ao meu lado e que me amam. Nos abraçamos as três. Corrente. Pacto de felicidade. De continuar tentando, ao menos. De não desistir. Nunca.

Norma toma a iniciativa de desfazer o abraço. Com passe de rezadeira, estalando os dedos várias vezes em volta da cabeça, aposta que 2000 vai ser especial para todas nós — e chega de choro que hoje não é dia de se estragar a maquiagem. A cara lavada que estamos vendo dura até o cair da noite. Quando escurece, ela veste o rosto. O quê?! Que história é essa, menina?! Norma ri à nossa custa, se diverte com nossa ignorância. Diz que "vestir o rosto" é teoria que inventou e põe em prática. Os homens adoram. E por que nunca contou nada para ninguém?

Está contando agora, ué! Momento da verdade. E haja de rir. Ela inventou o *strip-tease* do rosto! Truque aparentemente fácil, mas que requer encenação de atriz escolada. Recebe os clientes com bela maquiagem e os convence de que os cílios, a sombra, o batom, o *rouge* e a base são como peças de roupa que lhe escondem a face. Depois, é preciso alimentar a fantasia, aguçar o desejo. Dizer a eles, cheia de pudor, que não fazem ideia do que seja seu rosto sem toda aquela vestimenta. Seu rosto completamente nu! Nesse instante, todos salivam de prazer e curiosidade. Perigo. O ritual de tirar a pintura diante de homens ávidos por sexo é verdadeira arte. Exige treinamento e, sobretudo, coragem. Há de se olhar no rosto deles como se fosse espelho e fazê-los acreditar que, na realidade, são eles que se miram e se despem. Há belas surpresas. Há elevados riscos nas verdades descobertas. O *strip-tease* do rosto é sempre comovente.

— Para mim e para eles. Não importa se é a primeira, a segunda ou a centésima vez que estejamos vivendo a experiência. Muitos me imploram o beijo antes mesmo de ver meu rosto despido por inteiro. Muitos nem se perguntam o que existirá do meu pescoço para baixo. Muitos entram em êxtase ao se reconhecerem em mim.

Verônica e eu nos olhamos sem saber o que dizer. Dizer o que depois dessa *master class*? Apenas constatamos que, sim, alguém à altura de tia Letícia ocupa agora a sua cama. Uma senhora mulher, uma senhora puta, de quem ela certamente se orgulharia! Norma diz que não é tanto assim. Apenas descobriu sua vocação. Quando se ama aquilo que se faz, a criatividade vem naturalmente. O trabalho é prazer. Em seu caso, prazer em sentido próprio e figurado, graças a Deus!

A grande reforma

A passagem de ano foi significativa. Verônica, eu e as 11 meninas brindando à vida, celebrando juntas o amor e a amizade, agradecendo aquela maravilha diante de nossos olhos. A queima de fogos durou vinte minutos, foi deslumbrante. E nossa festa, inesquecível. Nem fomos dormir. Quando o sol deu sinais de vida, ainda estávamos todas na varanda. Ele nasceu entre nuvens, vermelho fogo. Acendeu suas luzes com convicção bíblica e espalhafato de Broadway. Ganhou aplausos pelo belo espetáculo que nos ofereceu.

Norma, pouco mais afastada, olhou o sol como se fosse espelho, eu vi. Despiu o rosto para ele sem nenhum pudor. Tomou-o como o mais importante dos clientes — cena de Fellini. Quando percebeu minha presença, já estava de cara lavada. Sorriu. Porque era ela. E eu a reconheci.

Fui a última a ir embora. Coube a mim fechar o apartamento de Júlio, é claro. Dei uma última conferida nos cômodos para ver se estava tudo conforme havíamos encontrado. Ao sair, tive a impressão de ver Gabito passar lá na varanda. Meu amigo andava por perto. Indício, portanto, de que janeiro começava bem e o ano seguiria assim.

Influenciada talvez pelos conselhos de Verônica e pela *master class* de Norma sobre vocações, resolvo rever muita coisa em minha vida. Primeira decisão: dar um tempo na malsucedida carreira de puta. Malsucedida, sim, porque, se por um lado, entreguei-me a todos sem reservas e proporcionei prazer, por outro, criei expectativas de voos e sonhos. Imaginei a possibilidade de haver sentimento em trocas com hora marcada. Postura amadora e infantil, reconheço. Aquela história de aprendizado, de querer conhecer diferentes tatos e outros aromas de pele, existiu, não nego. Mas não me deram fôlego para uma carreira digna. Nunca fui uma profissional. Nunca honrei a classe.

Aos poucos, retomo a rotina do casarão. Levo o empreendimento com a devida seriedade, cumpro expediente no escritório. Ajudo Verônica nos agendamentos, na atualização dos dados de clientes e no fechamento das contas do mês. Enfim, passo a dar mais valor ao que recebi de tia Letícia — ao que, diga-se, resultou do trabalho de anos, quando, rompida com meu avô Gregório, assumiu com redobrada garra as rédeas de sua vida. Trabalho duro, diuturno. Fibra — esta talvez a maior herança que me foi deixada.

Acabo tomando gosto pelo negócio que, graças ao talento e à dedicação das meninas, segue de vento em popa. As meninas! Sempre alegres, falantes, divertidas! São elas que dão vida e movimento a esses salões, a esses quartos! Digo a Verônica que precisamos separar mais tempo para ouvi-las, saber que aspirações têm. As eventuais queixas, as sugestões. Ótima ideia. Criamos então o hábito das conversas periódicas no escritório para tratarmos de assuntos pessoais e profissionais. Conversas íntimas e em grupo. O resultado logo aparece. Muito assunto sério vem à tona. Assuntos que não poderiam ser abordados em nossos frequentes papos de cozinha, onde tudo é brincadeira, informalidade, provocação. Os vínculos de confiança, respeito e amizade entre nós só fazem aumentar. O diálogo torna-se cada vez mais aberto e franco. Reivindicações são feitas e acertadas na hora. Tudo vai às mil maravilhas até que, um belo dia, a queixa unânime me obriga a fechar o estabelecimento. Não por briga ou desentendimento. Pelo contrário. A queixa, justa e oportuna, vira motivo de piada: o casarão está exausto, coitado! O pobre já não dá conta do recado! Ninguém aguenta mais seu aspecto decadente que em nada combina com a qualidade dos serviços prestados. Claro! Estão certíssimas. Fazer o quê? Crio ânimo e coragem para enfrentar o desafio. Dou férias coletivas. Todas receberão seus salários e gratificações pelo tempo que durarem as obras. A medida é aprovada por aclamação. E assim é que, por dentro e por fora, a grande reforma começa em 22 de maio de 2005 — dia de Santa Rita de Cássia, padroeira das causas impossíveis. Significativo, não?

A direção oposta

Do porão ao sótão, nada escapa. Os encanamentos todos, as instalações elétricas, a reforma do telhado. Cozinha, copa, banheiros, pátio interno, quebra-se tudo. A bateção não dá trégua. Serras e madeiras queixam-se em gemidos longos e ensurdecedores. Dói, eu sei. Mas vale a pena. Lixas, poeirada. Tosse. Pinturas externas e internas. O cheiro forte do sinteco nos assoalhos. Insuportável. Operários, esses heróis! Trabalho de verdade, mão na massa. Realidade, realidade, realidade. Resultados concretos que me dão alegria. E a eles também — esta, a generosidade que comove e não tem preço. Depois, é a vez do recheio. Os estofadores fazem a festa nos sofás, nas poltronas, nos assentos das cadeiras da sala de jantar. Entram também pelos quartos e mudam tudo que é pano, cortinas combinando. Como está ficando bonito, nossa! Os banheiros com louças novas. A cozinha toda planejada. Fogão, geladeira, freezer, todos tinindo. Camas com o que há de mais avançado em matéria de colchões. E, bênção dos deuses, ar-condicionado central! As meninas não vão acreditar. Não mesmo, Verônica concorda. Só queremos ver as caras. E vemos. 22 de maio de 2006. Um ano exato! As meninas, exclamativas, estão de volta! O casarão é reaberto ao seu público fiel em noite de gala! As luzes todas acesas! As nossas, também — os olhos brilham! Obrigada, Santa Rita! Tia Letícia, onde estiver, está feliz! Hora de abrir o champanhe!

Quando me deito, já são quase cinco da manhã. Ainda bem que meu quarto é sem janelas — o tempo, esse velhaco, não se mete tanto onde não é chamado. Os dias e as noites também dependem de mim, ele sabe. Convivemos bem com isso. Apago a luz. Estou exausta e realizada. A festa foi um sucesso. As meninas não cabem em si de tanta felicidade. Putas alegres, putas que amam, putas por vocação. É possível isso? O livro de García Márquez está há uma semana sobre minha mesa de cabeceira. Ainda não tive coragem de abri-lo. *Memória de minhas putas tristes*. Amanhã, começo. É preciso — Gabito me aconselha. Não que me queira forçar a leitura. Seria ridículo. O pensamento é que pede. Não o pensamento passado, que é lembrança. Nem o pensamento futuro, que é desejo. Mas o pensamento presente, que é criação. É neste pensamento que, libertos do medo, nos habilitamos a transformar sonho em realidade ou realidade em sonho. Está certo, amigo. Amanhã sem falta, prometo.

Desde que pensei vê-lo passar lá na varanda do Júlio, naquele 1º de janeiro, Gabito volta a me inspirar em uma ou outra ocasião. Nas minhas visitas ao Jeremias e na minha insistência em levar as cinzas de tia Letícia para o alto da favela Santa Marta. Na escolha fácil das tintas para o casarão. Na macarronada que preparei para as meninas em um domingo de Páscoa e que, cismei, devia ser comida com os *hashi* — que é o que existe de mais parecido com agulhas de tricô. Ele se surpreendeu por eu ainda lembrar do sonho de menina e se divertiu um bocado com minha solução improvisada. A partir daí, por me sentir mais receptiva, Gabito passa a me visitar com mais frequência. Visitas que começam já começadas e terminam antes do fim. Visitas de palavras. Visitas só de imagens. Visitas — as que eu mais gosto! — de sensações e tato.

Tomo café tarde. Muitas meninas já estão à mesa. Bom dia, bom dia, bom dia! Segunda-feira, devoção às almas, o casarão não funciona. Digo que devo passar o dia fora, que não me esperem para o almoço. Se eu vier jantar, aviso. Por que o espanto? Não é nada do que estão pensando. Quero folga, hoje. Só isso. Elas insistem. Eu brinco. Nossa! Que gente maldosa, nunca vi! Está bem, vocês querem saber? Programa inocente. Mais inocente é impossível. Vou passar o dia lendo. Olha aqui: *Memórias de minhas putas tristes*. Quem sabe eu não contrato algumas delas para trazer comedimento a esta casa? Norma prefere que eu traga o próprio García Márquez — o tipo do *latin lover* que ela ama! Com ele, faria loucuras na cama, aposta. Ah, aqueles bigodes! Aquele ar de bolero! As meninas entram na dança e dão suas contribuições, cada uma mais imaginativa do que a outra. Fantasias sexuais que encabulariam qualquer elenco de filme pornô. Mas agora, chega, que essa conversa não leva a nada.

— Não vou ficar aqui perdendo meu tempo com essa besteirada toda. Pra vocês que ficam, tchau.

Minha seriedade pudica não convence. As meninas caem em cima, cutucam com vara curta, sabem que podem. Afinal, aprendi com elas, não aprendi? Uma brincadeira, entretanto, me causa estranhamento. Não é provocação, não é piada. É recado. Norma afirma, alto e bom som, que "Rosa Cabarcas tinha vocação". Não entendo o que ela quer dizer com isso e as meninas também não, porque no falar sem trégua ninguém acha graça ou dá importância. Como já estou de saída, faço que não ouço e sigo em frente.

Penso em caminhar até o Passeio Público e lá encontrar algum canto para me sentar e ler sossegada. Já vou pela rua da Lapa, quase chegando à igreja da Misericórdia, quando, assim do nada, decido parar e dar meia-volta. Instinto, premonição ou o quê? Firmemente decidida, tomo a direção oposta. Me vêm à mente os jardins do Museu da República, o chafariz de Vênus. Lá, com certeza, terei o lugar perfeito para meu ritual de leitura.

Em questão de minutos, chego ao palácio do Catete. Os portões dos jardins estão abertos. Nem Deus ou serpente à vista. Entro. Precaução. Alguma ansiedade. Será por outros temores e perigos escondidos? Será pelo que está no livro e ainda não sei? Será por Norma insistir no meu ouvido que Rosa Cabarcas tinha vocação? Sei é que, ao mesmo tempo, uma alegria menina, de infância miúda, me leva pela mão a me indicar caminhos. Aconselha-me a calar os pensamentos, a não fazer tantas perguntas — perguntas demais aborrecem, espantam o sonho.

Enfim, o chafariz! Vênus, lá no alto em sua concha, os anjos em volta. A seus pés, golfinhos de pedra se movimentam na água que jorra. É aqui, eu digo. Vejo o banco, propenso, à minha espera. Estou atrasada? Não, ele responde. A hora é esta. Venha, sou todo seu. Há poucos visitantes. Temperatura amena. Os pássaros estão ocupados, os insetos estão quietos. Nada perturbará o seu prazer de ler. Sente-se. Seja bem-vinda.

Aceito o convite. Peço licença e me acomodo. Amigo banco. Dele, nossa visão é privilegiada. Por isso, agradecida, detenho-me antes na paisagem, no lugar onde darei à luz essa leitura. O nascimento de uma leitura é momento de esforço — como todo nascimento. Momento solene, que emociona.

Minha curiosidade aumenta. Gabito anda por perto, eu sinto. Da paisagem, passo à capa do livro. No alto, o nome do autor: Gabriel García Márquez. Mais embaixo, o título da obra: *Memória de minhas putas tristes*. Na base, à direita, um velho, que já nos deu as costas, vai embora. Não me importo, não vejo tristeza. Sua partida, para mim, não é abandono. É convite — entendo pelo gesto discreto de seu braço direito. Sua mão me chama a acompanhá-lo, tenho certeza. Há coisas interessantes que ele quer me mostrar, histórias que não ouvi. Onde vive, há amor de sobra. Há poesia. Vem comigo, Gabi, vem. E eu vou. Sem pestanejar.

A leitura acaba de nascer. Em minhas mãos, o livro recém--aberto é todo entrega. Em vez de pele, papel. Em vez de choro, a fala que desde o início causa espanto. Logo na terceira linha do primeiro capítulo, leio: "Lembrei de Rosa Cabarcas, a dona de uma casa clandestina que costumava avisar aos seus bons clientes quando tinha alguma novidade disponível." Rosa Cabarcas. Quer dizer então que Norma a conhece. Mais até. Sabe que, como eu, ela é dona de bordel. Por vocação. Agora, entendo o recado. Norma e Rosa Cabarcas. É conhecimento recente, só pode, o livro foi lançado ano passado. O mundo é mesmo pequeno.

A leitura cresce, parágrafo a parágrafo, até que completo minhas 15 páginas. Ou seriam meus apaixonados 15 anos? Leio: "Fazia anos que estava na santa paz com meu corpo, dedicado à releitura diária dos meus clássicos e a meus programas privados de música culta, mas o desejo daquele dia foi tão urgente que me pareceu um recado de Deus."

Um homem toma a iniciativa de se sentar ao meu lado e puxar assunto. Sem nenhum constrangimento, me interrompe a leitura.

— Conheci esse livro em uma tarde. Mergulhei e fui até o fim. "Conheceu?!"

Educada, apenas sorrio. Volto ao texto. A história prende de fato e não estou a fim de conversa. O homem insiste. Sua voz grave, agora dita em tom baixo e sentido, me perturba.

— *Memória de minhas putas tristes*. Só o título já me comove.

Repito o que já disse. Essa, a primeira lembrança. Atrevido, Florentino me chegou assim pela voz. E me prendeu. Estranha ligação. Afinal, o que é uma voz? Florentino me chegou assim pela leitura — "recado de Deus"? Eu, "que estava na santa paz com meu corpo", vi-me, novamente, disposta a investir no sonho acompanhada. Voar de mãos dadas com alguém me pareceu tão fácil, tão ao alcance! E veio o tato e veio o beijo antes dos nomes de batismo ou de família. Provei. O tato era outro, o beijo era único — meu coração afirmou e a cabeça concordou de imediato. Nossa sintonia dispensou apresentações, não fez muitas perguntas — perguntas de mais aborrecem, havia aprendido momentos antes. Nossa sintonia me deu confiança, me fez bater asas e, contradição fantástica, me despertou no sonho. Florentino me chegou assim. No sonho desperto. Eu, querendo tanto me apegar à realidade, tomei a direção oposta. A direção que me havia sido apontada pelo velho da capa.

O pedido no casarão

Cronômetro, relógio e calendário são marcadores bobos de fôlegos diferentes. Inúteis. Porque os dias correm feito crianças, meses e anos perdem a conta e o tempo voa. Lugar-comum? Que mal tem isso? Florentino é homem comum e eu sou mulher comum. Com nossas delicadezas e tropeços comuns, cotidianos. Comum é o que compartilhamos, é o que nos pertence — o mesmo teto, a mesma cama, o mesmo sonho. E isso é o que dá gosto diferente ao beijo e permite o voo de mãos dadas.

Quando me ensina a andar de bicicleta, Florentino já conhece minha história de cor e salteado. Mas sempre falta alguma informação. 40 anos e nunca foi à ilha de Paquetá?! Que vergonha, moça! O passeio vem em seguida. E é em cenário de paraíso, à sombra de *flamboyants* floridos, que aprendo a me equilibrar em duas rodas. Amparando-me na bicicleta, Florentino corre comigo e, sem aviso, me solta. Uma, duas, três, quantas vezes for. Risadas, quedas, joelho ralado e, finalmente, os gritos de merecida vitória. Consigo me equilibrar sozinha! Não acredito! A peripécia me alegra, me fortalece, torna-me adolescente abusada. E lá vou eu pelos caminhos de terra, me desviando de outras bicicletas, charretes, turistas e namorados distraídos. A brincadeira quer mais e passear de bicicleta em Paquetá vira hábito. Com a prática e pela insistência de meu abnegado professor, aprimoro o equilíbrio e passo a me exibir sem pôr as mãos no guidom. Vamos eu e ele, braços abertos, como se estivéssemos voando juntos. Sensação de liberdade. Não interessa se voo movido a pedais. Aqui, é o nosso voo possível. Voo em sonho desperto.

Nossas rotinas se entrelaçam, nossos projetos se misturam. Classe média que somos, fazemos contas, fazemos planos e decidimos nos casar. Só então, Florentino se dispõe a ser apresentado à minha família. Verônica e as meninas já sabiam que eu estava feliz com a relação, já tinham visto até retrato. Mas ver de perto é outra coisa, não é não? Como meus olhos brilham, como ganho vida só de falar nele! Pareço uma menina boba, comentam. Morrem de rir com as histórias que conto sobre nossas intimidades na cama. Nada de tão fantástico assim. Nenhum desempenho para constar do *Guinness World Records*. Para falar a verdade, um papai e mamãe apimentadinho e só. Comida caseira.

— Para com isso, Gabi!

— Estou falando sério, gente!

Virginia acha que estou escondendo jogo, provoca.

— Começa que, pela diferença de idade, essa história de papai e mamãe já não cola. Está muito mais pra papai e filhinha!

Gargalhada geral. Virginia põe lenha.

— E comida caseira é que é boa, é todo dia sem falta.

E por aí vamos nessa falação interminável — bobagens que não acabam mais e que nos fazem imenso bem à saúde. Rejuvenescemos, enquanto preparamos o almoço. Hoje, 24 de outubro de 2009, será sábado diferente. O dia do pedido formal. Florentino faz questão. É realmente uma peça, não existe! Vem primeiro aqui falar com Verônica. As meninas serão testemunhas de suas boas intenções comigo. Depois, iremos à favela Santa Marta, repetir o ritual com o Jeremias e o pessoal de lá.

Tudo como manda o figurino. Afinal, já está com 67 anos, não é nenhuma criança. Solteirão quando decide se casar é sério. É no civil e no religioso. É nos conformes.

Verônica me chama à sala de jantar. Tem pergunta a fazer. Já imagino o que seja. Desde que vim morar no casarão, tia Letícia criou o hábito de pôr um prato vazio à mesa, com talheres, copos e tudo. Tinha superstição com o número 13. Com o lugar a mais, seríamos 14. Nenhum risco de morte para a mais nova ou a mais velha que estivesse presente. Quando passamos a ser 12 novamente, o prato vazio foi aposentado e só voltou à ativa com a chegada da Norma. Hoje, contando com o convidado, seremos 14. Põe ou não põe o prato? Fico na dúvida. Florentino deve conhecer o folclore? Bobagem. Acabamos concordando que mesa de 15 não dá boa arrumação. Seremos 14 e pronto.

O jeito à vontade e simples de Florentino se vai revelando durante o almoço. Isadora lhe serve o vinho, Verônica lhe pede para provar. Dá mil explicações. É vinho argentino, malbec, Gabriela adora. Mas não conhece o nome nem a safra, foi comprado em supermercado, não sabe se estará bom. Para ser sincera, simpatizou com o rótulo, foi isso. Florentino acha graça de tanta preocupação. Quem poderá saber o que se passa dentro de nossas bocas? Respeita quem conhece, mas o sabor de um vinho varia de acordo com o gosto que carregamos dentro de nós. Em copo de vidro ou em taça de cristal, tome o mesmo vinho com raiva ou com amor, alegre ou triste, vitorioso ou derrotado, arrogante ou agradecido. Cada sentimento desses nos revelará um sabor diferente. E mais. Com o tempo, desenvolvemos nosso próprio paladar — uns o apuram. Outros chegam a perdê-lo. Enfim, Dionísio não conhecia rótulos e se divertia um bocado!

— O melhor vinho que tomei na vida, o mais raro, me foi oferecido na casa de um pescador, quando fiz um parto de emergência. Depois de ouvir o choro do filho e ao me ver na sala, o pai da criança, que já vinha bebendo para passar o tempo, me passou emocionado o garrafão. Bebemos os dois no mesmo gargalo. O melhor vinho e o mais raro, repito. O aroma, a leveza e a maciez eram de safra especial. Safra recém-nascida.

Por essas e outras, "o coroa enxuto" é aprovado pelas meninas. Na brincadeira, mas falando sério, todas se oferecem para entrar na igreja como damas de honra, já que no altar não haverá espaço para tantas madrinhas. Fico imaginando a cena de comédia. Está bem, vou pensar no caso.

O pedido na Santa Marta

Florentino e eu chegamos à praça Corumbá — hoje, movimentado ponto de encontro. Damos logo de cara com meu amigo Gilson Fumaça, que está sempre por ali, recebendo visitantes, muitos vindo do exterior. É guia de turismo, conhece o morro como ninguém. Faço as apresentações. Muito prazer. Igualmente. A passeio? Vamos lá ver o Jeremias e a dona Laura — conto o motivo da visita. Fumaça se alegra, nos deseja todas as felicidades do mundo. Diz que faz as honras e nos acompanha até o bondinho. Florentino e eu preferimos ir a pé. Dia de sol, temperatura gostosa e estamos com disposição. Fumaça não perde o entusiasmo.

— Então vou com vocês até ali a escadaria.

Florentino aprecia a recepção sincera e calorosa. Fica impressionado com meu amigo. Dez passos e uma conversa, dez passos e uma conversa! Como é que pode?! Aqui no morro é assim, todo mundo se conhece, todo mundo tem assunto para pôr em dia. Olho em volta. Sinto orgulho do lugar onde passei parte da minha infância. A paisagem que se humaniza, o colorido que começa a aparecer, o sonho que se vai realizando aos poucos e com muita luta. Me emociono toda vez que ponho os pés aqui neste chão. Penso que, ao final, a alegria e a força dessa comunidade prevaleceram. Muito ainda por fazer e melhorar. Muito ainda. Mas o caminho está aberto, eu vejo.

Quando vim procurar o Jeremias, em 1982, o cenário era bem outro. Nem é bom lembrar. Sempre que voltava a vê-lo, era um susto diferente, uma decepção a mais. Vi muita coisa ruim acontecer. Vi jovens armados de fuzis pelas escadas, o mercado de drogas correndo solto, crianças se drogando à luz do dia. Vi o medo. Cada um entregue à própria sorte. Além das incursões da polícia, havia a guerra entre quadrilhas rivais. Quadrilhas que, formadas no morro mesmo, disputavam espaço. Amigo de infância matando amigo de infância — meninos que jogavam bola junto, que olhavam junto para o céu soltando pipa, que comiam bolo junto na casa de suas mães. Dá para acreditar em algo parecido? Vi muita coisa boa, também. Vi o Ronald e a Tininha voltarem para a favela e comprarem uma casinha com o dinheiro que economizaram — o filho Deivid, homem feito, veio com eles. Vi o tijolo substituindo a tábua. Vi o estado fazer o mínimo da parte que lhe cabe, com obras de melhoria que trouxeram, ao menos, um pouco de dignidade. Vi mutirões entusiasmados pondo a mão na massa. Gente que não desiste do sonho, gente teimosa como eu. Em maio do ano passado, vi o bondinho ser inaugurado, indo até a igrejinha de Santa Marta, lá no alto do morro. Vi a lei chegar trazendo a paz tão desejada. Espero que cresçam juntas. Que tenham vindo para ficar e sejam felizes para sempre. Conto de fadas possível.

Florentino vai ouvindo meu discurso e minhas histórias enquanto encara os lances de escada. Vez ou outra pede para parar. Precisa de fôlego. Não está acostumado como eu, se justifica. Aproveita e observa, quer saber detalhes. Estamos na pedra de Cosme e Damião. Ao lado, funciona uma academia de lutas e artes marciais. Seguimos morro acima. Aquele portãozinho branco ali? É da varanda do Seu Amós e de dona Olga. Passamos há pouco pelos filhos deles, o Eliseu e a Maria Eni. Subimos mais um tanto e já chegamos à casa do Jeremias, que fica um pouco abaixo de onde mora dona Laura, sua companheira de estrada — ele diz que não é, mas é. Um não vive sem o outro. Não se desgrudam. Florentino acha graça. Será que ficaremos assim?

A porta e a janela estão abertas. Jeremias, dona Laura, Ronald e Tininha já nos esperam do lado de fora. Tininha vem logo para mim. Espalhafato. Todos falam ao mesmo tempo. O Fumaça ligou lá da praça avisando que estávamos a caminho. Apresentações e cumprimentos misturados. Alegria do rever e do prazer em conhecer. As frases vão se costurando de qualquer maneira. Quer dizer que esse é o famoso Florentino! O Deivid deve estar vindo aí, saiu agora da faculdade. Você está ótima, Gabi! É que o amor faz bem! Mais risos, mais abraços de chegar. Dona Laura, que saudade! Também, minha querida! Vamos entrando, não repara! Que cabelo é esse, Ronald?! Dei corte radical. Ah, menina, o infeliz cismou de pelar a cabeça, achei horrível! Ainda bem que vocês deram sorte com o tempo, ontem choveu o dia inteiro. Nossa, que cheirinho bom! A linguicinha tá fritando! Aqui é só o aperitivo, a feijoada é lá na Laura! Vai sentando, faz cerimônia, não. Com licença. Ronald, puxa aquela cadeira ali pra Gabi, anda!

Às vésperas de completar 80 anos, mesmo com a pressão alta e os achaques da idade, Jeremias continua firme e forte. Sua sintonia com Florentino é imediata. Enquanto converso com Tininha e Ronald, reparo que os dois estão lá entrosadíssimos, como se fossem íntimos.

Faz tempo que não vejo meus amigos tão bem. Ronald resolveu ser médico de verdade. Encara uma parada dura no Souza Aguiar. Ama a profissão, apesar do desgaste, da falta de estrutura e do minguado contracheque. Descobriu a vocação logo depois do nascimento do Deivid. Provoco para encabular: a vocação veio mais cedo, nas nossas brincadeiras aqui no morro. Tininha concorda. Tudo era pretexto para a gente se abraçar e se pegar. Era um grude só, nossa! Muita cumplicidade, muito companheirismo. Ela lembra quando os dois estudavam no Albert Schweitzer, em Laranjeiras, e muitas vezes eu descia com eles pela mata sem necessidade alguma. Só para continuar perto. Verdadeira aventura. Embrenhávamos pela Volta da Macumba, pela Trilha Canalheta que vai dar na Belizário Távora, para chegar enfim à General Glicério. Ali, nos despedíamos. E eu voltava para ter minhas aulas particulares com o vovô. Tininha diz que ela e o Ronald nunca entenderam muito bem a história de eu não ir à escola. Achavam que era pura preguiça e que meu avô não se importava. Pode? Hoje, imaginam o que significava o não poder ir com eles até o fim, o ter que subir toda a mata de volta sozinha. Tininha me aconchega.

— Poxa, Gabi, não devia ser nada fácil. Dá uma peninha só em pensar.

— E a gente ainda sacaneava, dizendo que você é que tinha vida boa, que ter avô era bem melhor que pai e mãe.

Não me arrependo nem um tico. Fiz e fazia de novo, igualzinho. Ronald e Tininha — amizade que não acaba. Tato bom e inocente, que não sai do meu corpo de jeito nenhum. Porque não quero e não deixo.

Na casa de dona Laura, depois da feijoada caseira, das tantas cervejas e caipirinhas, a conversa já segue mais tranquila. Jeremias pisca o olho para a companheira. É hora. Solene, diz que tem notícia muito boa para me dar. Faz suspense. É surpresa que estava guardando há algum tempo. Jurou que só abriria a boca quando estivesse tudo certo. Dona Laura se impacienta.

— Vai, homem de Deus, deixa de falação, conta logo!

O velho Jeremias se emociona. O terreninho lá do alto, onde morei com meu avô, está liberado para mim.

— O quê?! Liberado?!

Isso mesmo. Aquela área, que esteve todos esses anos sob o domínio do tráfico, acabou sendo desocupada. Quando ele soube, passou a batalhar para reaver o chão que ele e vovô conseguiram com tanto sacrifício. Ia quase todo dia à Associação de Moradores. Reuniu toda a papelada para provar que, em 1972, negociou aquele pedacinho de terra para o amigo Gregório levantar o barraco. Muitos moradores antigos serviram como testemunhas. Só formalidade. O morro todo sabe como foi a morte do meu avô. E até hoje não há quem não se pergunte como consegui escapar da tragédia sem um arranhão. Só milagre. Jeremias valoriza a ajuda do Ronald e do Deivid para limpar o terreno.

— Eu mais os dois já demos uma geral lá em cima. O terreno tá pronto, meu anjo! Prontinho! Pra você fazer nele o que quiser!

Falar o quê? Tem palavra que expresse o que eu sinto? Algum dicionário que dê conta do recado? Não mesmo. Nem adianta procurar. O agradecimento sai em forma de choro que acha graça e de abraço apertado que não termina nunca. Sai em forma de curiosidade incontida que quer ir logo lá em cima ver o presente. E aí, sim, as palavras chegam para pedir que todos subam comigo. Agora. É, tem de ser agora.

Nem precisou pedir duas vezes. Em animada romaria, vamos todos de um só fôlego até o topo. O terreno continua na fronteira. Acima dele, a mata, onde ninguém pode construir — ainda bem. A topografia ao redor mudou um pouco depois do deslizamento que soterrou nossa casa. Na ocasião, uns tantos amigos trataram de ajudar Jeremias a replantar árvores e a recompor a vegetação — trabalho voluntário, solidariedade, prova de amor desinteressado. Junto, é mais fácil superar a perda, a dor extrema da tragédia.

— Foi mutirão bonito de se ver, Gabi. Até mulher e criança ajudou. Não vou esquecer nunca.

Jeremias me puxa pela mão, se equilibra, quer que eu veja o terreno de um ângulo mais elevado. Infância revisitada. O cenário hoje é bem parecido com aquele do meu tempo de menina. Parece até que estou vendo vovô Gregório assobiando e me levando pela mão para o nosso jardim secreto.

— Por ali ainda dá para entrar na mata?

— Claro. Tem até uma trilhazinha aberta. O seu jardim é que não existe mais. O mato tomou conta de tudo. Em compensação, olha lá! As árvores que eu plantei estão imensas. Faz a conta. Têm mais de 30 anos! Tudo dando fruta, é só chegar!

Jeremias estufa o peito. Dona Laura olha em volta e se orgulha.

— O meu velho tem os dedos verdes!

— Quem disse que eu sou velho e quem disse que eu sou seu?!

— Poxa, Jeremias, dona Laura te elogiando tão carinhosa e você fala isso?!

— Eu já nem ligo, Gabi. Ele é grosso mesmo. Repara não, Florentino.

Todo mundo cai em cima. É isso aí, dona Laura. Um grosso, sempre foi, depois de velho, piorou. Jeremias lá se importa? Morre de rir, beija a mulher, os dois se abraçam — ela dizendo sai pra lá, mas sem querer que ele saia — e fica o dito por não dito. Gosto de apreciar a cena sem ensaio, já valendo. Cena de felicidade que não esconde os arranhões caseiros. Por isso, felicidade de verdade. Felicidade feita a quatro mãos. Dia a dia. No ensinamento e no aprendizado da convivência.

— Já sei o que podemos fazer aqui. Um espaço para as crianças brincarem. A gente põe gangorra, escorrega, balanço. Tudo novinho e bem colorido! Uns bancos em volta para as pessoas poderem conversar e apreciar essa vista maravilhosa da cidade... O que é que vocês acham?

Minha ideia, recebida por todos com entusiasmo, puxa outra, saída quentinha da cabeça do Jeremias.

— Na entrada da mata, onde acaba a trilha, dá para fazer uma capina boa. A gente podia até plantar de novo uns tufos de antúrios, fazer um caramanchão com aquela trepadeira que teu avô gostava... Como é que chama?

— Jasmim-dos-poetas.

— Isso! Aí, em vez de ser "jardim secreto", fica sendo "jardim aberto"!

— Sério?! Você me ajuda, Jeremias?! Promete?!

— Claro, meu anjo. Tenho 80 no lombo, mas ainda pego no batente!

Ronald e Deivid também mostram disposição, logo se prontificam.

— A gente fala com o Fumaça, reúne uma garotada boa aí e o "jardim aberto" fica pronto rapidinho, você vai ver!

Nem preciso fechar os olhos. O sonho é mais que concreto. Sinto com a cabeça e penso com o coração — os dois se entendendo com clareza que não deixa dúvida. Nada será como antes, eles me falam em segredo. Será tudo mais bonito e melhor. Vai ser sucesso. Vai virar ponto de encontro. Muitas histórias bonitas vão nascer aqui. E nascem.

Primeiro, a inauguração do parquinho, que é um sucesso. Balões coloridos, refrigerante, cachorro-quente, música alta. A criançada nos brinquedos, nos balanços. Todas pulando e correndo para cima e para baixo. Nos bancos em volta, nenhum lugarzinho sobrando. Animação da parentada e das mães, que esticam a prosa e não vão embora. E falam e falam e falam.

Pouco tempo depois, é a vez do "jardim aberto". Que vira ponto de encontro, lugar de namoro, local de estudo até. O jardim é retiro, é sossego, é reencontro com a natureza. Convite para ficar lendo ou conversando baixinho ou se beijando — cada coisa no seu tempo. O caramanchão se enfeitando com os jasmins-dos-poetas, os antúrios fazendo careta para as tristezas do mundo, as árvores se revezando e dando fruto de graça: goiaba, laranja, tangerina, pitanga, abacate, manga, jabuticaba...

Nesse jardim, em silêncio de oração, Verônica e eu lançamos cinzas e vimos tia Letícia sair a passear pela mata. Foi ao encontro de vovô Gregório bem mais lá no alto — é que o vento soprava a favor e os dois precisavam muito se ver naquele verde.

O que achar de um homem assim?

10 de janeiro de 2010. Eu, que sempre andei pelas margens, me encanto com a ideia de ir pelo meio. Ao som de Roberto Carlos, cantado pelos convidados, Jeremias me leva até o altar, até Florentino — "Como é grande o meu amor por você" é a nossa canção, tinha de ser ela. O percurso é breve, o espaço é mínimo. A capela de Santa Marta pede cerimônia discreta e poucas pessoas. Só Verônica, as meninas e os amigos mais chegados da favela presenciam esses meus passos.

Florentino e eu nos casamos em um domingo de manhã. Tudo muito simples. Depois da celebração, só um brinde com champanhe e pronto. O que tia Letícia, tão festeira, acharia dessa decisão? O que ela acharia de Florentino? Homem que se emocionou quando eu lhe disse que, pela minha história, o buquê de noiva seria de marias-sem-vergonha, colhidas fresquinhas na hora, no morro mesmo. E assim foi. Um buquê todo em tons de vermelho e rosa, que fez as meninas chorarem sem parar e quase engasgou o canto de entrada. O que ela acharia de um homem que aceita como perfeitamente natural o fato de eu afirmar que papai, mamãe e meus mortos todos compareceram ao casamento? E também Gabito, amigo mais que vivo e a quem muito devo. Este, uma história à parte, que a ele e só a ele, por tanto confiar, contei em detalhes. O que tia Letícia diria ao saber que Florentino, com paciência sem ciúmes, se esforça para ver comigo o meu amigo escritor?

Florentino. Homem de família pobre, que mentiu para a mãe, dizendo que queria ser padre, e entrou para o seminário porque sabia que lá teria bom abrigo, boa comida e bom estudo de graça. Homem que, como meu pai, se formou em medicina, só que foi lutar em outra trincheira. Clínico geral de gente da roça, espécie de faz-tudo do corpo. Homem que assina Florentino dos Anjos, mas detesta o sobrenome — "parece nome de santo, casto e virgem ainda por cima!". Nada a ver com ele. Por isso, não se arrepende nem um pouco de ter enganado os padres sobre sua vocação. Sentiu-se vingado.

Desde pequeno, Florentino é observador de pássaros. Sabe se pássaro exibido, se pássaro modesto. Diferencia cantos com facilidade inacreditável. Fiquei boba quando, apaixonado, me disse que, para compensar o barulho, o pássaro urbano é mais criativo que o da roça, arrisca mais no canto, só para encontrar a parceira. Alegra-se porque, com o fim do estilingue, a cidade se tornou hospitaleira. Não é sinal de que nos aprimoramos? Um bairro arborizado oferece mais alimento que o campo — afirma com segurança. Então? O que tia Letícia acharia de um homem assim? Homem que mora em um conjugado e se contenta com o essencial. Que está sempre lendo e não guarda um único livro em casa, porque, terminada a leitura, os faz circular. É velho hábito. Sua biblioteca móvel vive se espalhando por aí afora. Florentino gosta de poesia. Sabe Manoel de Barros quase todo de cor — o poeta que "pensa renovar o homem usando borboletas".

— Você é engraçado. Detesta ser dos Anjos, mas está sempre falando de pássaros e seres que voam.

— Nada contra essa turma, já disse. Admiro até certas proezas. Mas não ambiciono. Nem gosto de ser comparado. Só isso. Cada um no seu canto e com suas limitações.

E Florentino as tem. Muitas. Ainda bem que reconhece. A teimosia, por exemplo. Por mais que eu peça, não há meios de fechar a torneira da pia enquanto escova os dentes e insiste em atravessar a rua sem esperar que os carros parem — verdadeiro perigo, já avisei.

O que tia Letícia acharia de um homem que só quis conhecer o Jeremias, a Verônica e as meninas quando decidimos nos casar? E daquele jeito, com pedido formal, como se ainda estivéssemos no início do século passado. Um homem que ama lasanha à bolonhesa com arroz branco e parte espaguete com a faca, porque é muito mais prático. E ao terminar a refeição, cruza os talheres, pondo a faca entre os dentes do garfo. No dente do alto, se a comida for boa. No dente do meio, se for regular. No dente de baixo, se for ruim. Os garçons que o conhecem ficam sempre atentos à nota que ele dá e a transmitem ao pessoal da cozinha.

A primeira vez que fui a Santa Teresa visitá-lo em seu apartamento, reparei em um detalhe que revelou com clareza quem é Florentino dos Anjos. Uma folha pautada de caderno espiral com texto escrito em má caligrafia.

> *Nóis pega os peixe*
> *cum cuidadu*
> *Nóis pega cum rede*
> *que dói menos qui anzol*
> *e num é morte sozinha*
> *Pros peixe açim tudo junto*
> *deve de ser menus triste sair do mar*
>
> *Condo nóis olha os peixe*
> *nóis olha cum pena e uma pitada de cupa*
> *mais Deus sabe qui é comida*
> *qui é trabaliu suadu e honestu*

O texto foi escrito pelo pescador com quem ele bebeu vinho de garrafão no mesmo gargalo. O caderno estava aberto por acaso em cima da mesa. Florentino leu e elogiou o poema. Que poema que nada, doutor, que eu sou quase analfabeto. Isso aí é só desabafo depois de um dia de dureza. Gostou mesmo? Sério? Pode arrancar a folha e levar se quiser. Isso é caderno de anotação, vai acabar no lixo. É para botar o meu nome? Aqui está bom? O dia também? Florentino agradece. Está perfeito! Pedro Salvador, 25/6/1981.

O que achar do homem que manda emoldurar a folha e põe o quadrinho na parede? Ao lado de outros quadrinhos. Com poemas de Manoel de Barros, Vinicius, Drummond, Pessoa e Bandeira.

Nossos projetos

Florentino por onde passa faz amigos. No La Trattoria, logo conhece todos os garçons pelo nome e se torna íntimo de dona Regina e de dom Mario. Mal entramos, somos convidados a sentar à "mesa da diretoria". A impressão é que ele frequenta a casa muito antes de mim. Assuntos que não acabam mais, conversas gostosas que se estendem pela tarde aos goles de repetidos cafés. É que Florentino tem delicadezas e, por esse caminho, descobre afinidades. Hoje, traz de presente para dom Mario um exemplar de *Coração*, do Edmondo de Amicis — livro que ele leu quando rapazote e que dom Mario queria reler, porque lhe traz belas recordações. Entrou na internet, foi na loja Estante Virtual e conseguiu encontrar o romance no original italiano, edição de 1896! Dom Mario leva um susto.

— *Cuore*?!

— Para o amigo matar as saudades da infância!

E tome abraços efusivos e beijos estalados de lá e de cá. A vida é festa quando há sintonia e todos se entendem apesar de línguas maternas e outras babéis.

— Não vão se sentar conosco?

Agradecemos a gentileza do convite, mas hoje, não. Florentino e eu temos coisas importantes a tratar. Optamos pela "mesa do Seba" — tem esse nome em homenagem a Sebastião Lemos, um antigo e querido cliente. O lugarzinho, junto à coluna, é especial e disputado. Por sorte, o casal que o ocupava acaba de se levantar.

Impressionante como os cenários da vida se vão modificando sem nos darmos conta. Com eles, mudam os personagens e os diálogos. Estamos em 2010. Há dez anos, passei meu primeiro réveillon no 1866 da avenida Atlântica, ao lado de Júlio, tia Letícia e Verônica. Em 2004, meu amigo mudou-se definitivamente para a França. No início, ainda trocávamos e-mails. Faz algum tempo não nos damos notícias. "A Prédia"? É passado, não existe mais. O dono faleceu, os herdeiros puseram o edifício à venda e os festivos inquilinos foram obrigados a cantar em outra freguesia. No local, foi construído um hotel de luxo. Tristíssimo. Vidros espelhados. E, em vez de varandas abertas para o mar, janelas basculantes que só concedem uma ridícula fresta por baixo. Insulto à paisagem! — Florentino e eu concordamos que, seja em cidades grandes ou pequenas, nem sempre há sinais de que nos aprimoramos.

Vinho tinto, água sem gás, pão de alho. Conversa vai, conversa vem. Quando nossos pratos chegam, o assunto já nos diz respeito.

— Você quer que a gente se mude do Rio, é isso?

— Não precisamos ser tão radicais. Mas confesso que, agora que me aposentei, sonho com uma casinha de praia em cidade pequena do litoral. A gente pode passar temporadas lá e temporadas aqui. O que você acha?

Antes, nossos encontros eram sempre lá, no apartamentinho dele, em Santa Teresa. Agora que nos casamos, dormimos também no casarão. Lembramos a primeira vez. Quer que eu troque a cama? Para quê?! Florentino deita-se onde tantos outros homens se deitaram e não se importa. Primeiro, porque a cama é imensa, e ele adora se espalhar. Segundo, e o principal, porque tem certeza de que eles tinham o meu corpo, mas não o meu amor. Este bem maior só ele conhece. As dimensões do casarão o impressionam.

Acha gozada a diferença entre nossos espaços e, por conseguinte, entre nossos hábitos cotidianos. Só "a grande alcova" — que é como ele apelidou a suíte principal — é maior que o apartamento dele inteiro! Sugere que nossa casa de praia não seja nem oito nem oitenta e que tenhamos apenas o básico. Com a idade é bom simplificarmos a vida. Também acho. E os filhos? Bom, isso é assunto para depois, pondero. Depois coisa nenhuma, que ele já está com mais de 60 e eu também não sou criança. Sou saudável, mas gravidez depois dos 40 é sempre delicada. Concluímos que o melhor é acertarmos antes onde e como vamos viver. Pelo menos termos uma ideia, ele brinca. Está disposto, inclusive, a vender o conjugado para ajudar na compra da casa.

— Outra coisa. A senhora vai tratar de tirar logo essa sua carteira de habilitação. Já está mais que preparada, é só ir lá ao Detran e marcar o exame.

Florentino me ensinou a dirigir. Besteira pagar autoescola. Aprendizado à toa. Consegui me equilibrar em duas rodas, que é muito mais difícil! Automóvel é, sobretudo, atenção e prudência — aprendi.

Quando tivermos nossa casinha de praia, idas e vindas serão frequentes, vamos pegar muita estrada. Será bom nos revezarmos na direção. Quero carro sem capota. É uma fantasia que tenho. Cabelos soltos, vento, música animada. Sensação de liberdade. Moto? Nunca! A simples ideia do capacete obrigatório me tira o ar. Sufoca.

Ao fim do almoço, já estamos acertados. Tiro a carteira de motorista, compramos o conversível e saímos à procura de algo no litoral. Mas que não seja muito longe do Rio. Mesmo com toda a ajuda da Verônica, não posso descuidar do casarão. Florentino concorda plenamente. Brindamos aos nossos projetos e bebemos de um só gole o resto do vinho que há na taça. Um malbec. Aroma, sabor e maciez de felicidade antecipada.

O despertar

Sinto mãos me acariciando os cabelos e ouço a voz afetuosa que vem de longe.

— Gabriela... Gabriela...

Abro os olhos devagar e devagar reconheço o rosto de Verônica, que me recebe com sorriso de boas-vindas. Desta vez, não me incomodo com que me tire do sono. Até gosto, porque o sonho foi colorido, comovente, o mais fantástico de todos. O recado me foi dado — e como! Portanto, quando minha amiga me desperta, já estou pronta para voltar à realidade. Diz que entrou para me trazer o café da manhã. Não se assustou ao me ver na cama dormindo, abraçada com Galileu. Sabe que tenho escrito sem trégua e que *Doce Gabito* está quase no fim. Ficou na dúvida se me acordava ou não. Acabou optando por me chamar. São mais de dez horas. Anima-se com meu ar descansado, meu humor. Que alegria é essa? Dormi bem. Foi isso.

— E quando é que você sai deste bendito quarto?

— Saio hoje. Saio agora.

O quê?! — bom demais para ser verdade. Verônica, exclamativa, não acredita. Não é possível! Salvou-se uma alma do purgatório! Uma, não! Centenas, milhares, quase todas! 12 de junho de 2011, data a ser celebrada! Isso significa que a história está pronta. Pronta, não está. Nem sei se um dia estará. Sei é que é tempo de sair e arejar. Saber o que acontece lá fora — Gabito me disse.

O terceiro lado da moeda

Sabemos que, ao sonhar, transitamos sem esforço por lugares inimagináveis e vivemos experiências fabulosas. Diante de nossos olhos, mortos e vivos confraternizam ou se digladiam de igual para igual. Conversamos com amigos e parentes distantes, fazemos sexo arrebatado e sem culpas com quem quer que seja, atuamos em cenários que aparecem e desaparecem em um piscar de olhos. De um extremo a outro do infinito, nos deslocamos com a leveza de um afago, prontos para a loucura que vier. Somos trucidados pelo inimigo mais cruel e saímos do martírio sem um arranhão sequer, até no pior dos pesadelos, porque, como nos desenhos animados, somos invencíveis. É natural que seja assim. Nada pede explicação. Nada nos espanta. No sonho, cabe o impossível. Universo portátil que, de tão fácil e perto, nos chega com o simples fechar de pálpebras. O problema é que, se no sonho dormindo não temos o controle de nada — e é exatamente isto que nos liberta e descansa a mente —, no sonho acordado, pretendemos ter o controle de tudo. É nessa ilusão infantil que reside todo o mal. Mas, a partir de agora, prometo, me esforçarei para ser diferente.

Banho demorado. Nasci de novo ou o quê? Abro o armário e — prazer que não tenho há tempos — escolho a roupa de sair. Embora confortáveis, confesso que já havia enjoado destas de estar no quarto. Desço e faço a refeição na copa com as meninas. Valorizo o fato de vê-las todas juntas como era hábito. Frida não segura o desabafo.

— Poxa, até que enfim você se tocou, Gabi! Um saco ter que levar tudo lá no seu quarto! Se fosse uma semana ou duas, tudo bem. Agora, vamos combinar que nove meses de crise é um pouco demais, não é não? Essa sua saída foi um parto!

— Frida, não fala assim.

— Não fala assim por que, Virginia?! Você era a que mais reclamava! Estou sendo sincera, não posso?

Eu mesma me encarrego de dar razão às duas. Deve ter sido mesmo uma chatice elas terem passado por tudo isso. Ainda mais com o casarão tendo que funcionar com o astral e a energia que o tornaram famoso. Norma comete indiscrições que me desconcertam e emocionam.

— Era saudade, Gabi. Não saudade física, porque no revezamento a gente te via lá no quarto. Era saudade do seu brilho, da sua alegria. Uma vez peguei a Frida chorando, porque foi levar o seu almoço e te achou péssima. Achava que você nunca mais voltaria a ser a mesma. A Isadora e a Clarice vieram saber o que estava acontecendo. Aquele dia foi uma barra, pode acreditar.

Frida concorda.

— Foi, sim, Gabi. Nem sei como encontrei criatividade para receber o cliente das 15 horas.

A conversa segue o rumo que bem entende. Vou ponderando aqui e ali, fazendo apenas a parte que me cabe. Há amor em tudo o que dizem. Até nas queixas e reclamações. Nas alfinetadas entre elas. Vamos todas remando rio abaixo, na correnteza, só cuidando para a canoa não virar. E se virar, paciência. Daremos um jeito. Estamos juntas. Ao fim, brindes chorosos com xícaras de café com leite e copos de laranjada. Muita vida pela frente, muito rio, muito mar. Já na sala, digo a Verônica que vou sair. Gostaria que ela viesse comigo.

— Claro, Gabi. Você não calcula o presente que está dando para todas nós. Não calcula. Nem de longe.

— Quando você quiser ir, me diz. Eu já estou pronta.

— Me dá só cinco minutinhos. Vou lá em cima e já volto.

— O tempo que você quiser.

Digo o tempo que você quiser porque, com Verônica, sempre estarei no vermelho. Teria de viver outras tantas vidas para lhe retribuir as horas e os anos de amizade ao alcance. O momento é especial. O coração me afirma que o que contarei a ela dará bom resultado. A cabeça, em ordem, promete não atrapalhar. Antes assim. Espero que Verônica seja receptiva.

Saímos as duas a pé em direção ao Catete. Domingo de sol. Friozinho gostoso. Feira livre na Glória. Poderia haver melhor dia? Vamos por dentro? Claro! Fartura de cores. Frutas, legumes, verduras, flores e temperos. O entusiasmo dos feirantes contagia. Pregões alegres e criativos seduzem os fregueses. Vamos avançando aos poucos e nos distraindo com as cenas do belo espetáculo. Plateia interativa de formiguinhas carregadeiras. Realidade, realidade, realidade! Que bom que me reconheço no sonho desperto!

O contraste apascenta. O silêncio dos jardins do Museu da República é convite ao diálogo em voz baixa. É estímulo ao entendimento. Os bancos ao redor de Vênus estão desocupados. Por estar mais próximo, ficamos justo naquele onde Florentino e eu nos conhecemos. A lembrança é inevitável.

— *Memória de minhas putas tristes.*

— O livro que você estava lendo quando Florentino veio se sentar aqui, eu sei.

— Parece que foi ontem. Parece que faz milênios. Depende.

— Gostei de vê-la hoje ao acordar. Carinha boa, sapeca. Parecia aquela menina de 8 anos que eu conheci.

— O sonho que eu tive é que me fez menina. Foi o sonho.

— Sonho é você ter saído daquele quarto, Gabi. Estar aqui conversando comigo.

— São sonhos diferentes. Um não impede o outro. Pelo contrário. Os dois convivem bem.

— Fiquei curiosa. Que sonho terá sido esse que te deixou assim?

— Foi a primeira vez que sonhei com Florentino. Nítido. Como se estivesse vivo. E estava. Nos abraçamos e beijamos muito. Vê-lo não me causou surpresa ou medo. Foi por isso que ele pôde me levar aonde levou.

Mar de rosas amarelas. Igualzinho ao que vi na hora do acidente. Só que Florentino não está deitado. Está em pé à minha espera. Depois dos abraços, carícias e beijos, diz que vai me levar a um lugar de difícil acesso. O cenário agora é outro. Um tapete clarinho se desenrola à minha frente — passadeira quilométrica que não vejo onde termina. É sobre ela que devo caminhar. Vou descalça e sinto que o chão é morno e sua textura é diferente. Florentino se diverte por eu não reconhecer meu próprio trabalho. Pede que eu olhe com atenção e repare no tapete que venho tecendo desde criança, no fio de macarrão que eu mesma preparei e que me conduzirá à ousadia maior: ir ao encontro de Gabito! O coração bate forte. Volto aos meus 8 anos. Brincadeira de rodar moeda. Conheço bem. A superfície lisa, a moeda presa entre dois dedos. Concentração para fazê-la girar. Preciso chegar ao terceiro lado — o lado de dentro, onde as faces se encontram. Não só a cara e a coroa. Todas as faces: o direito e o avesso, a frente e o verso, o yin e o yang, o céu e a terra, a luz e a treva, o pró e o contra, na união interminável dos opostos. A moeda começa a girar vertiginosamente até que chego aonde devo chegar. Estranho, não há paredes. Portas e janelas são desnecessárias. Homens e mulheres estão concentrados em seus trabalhos de arte. Uma senhora negra de cabelos brancos capricha na letra a bico de pena. Gosto do que leio, trocamos sorrisos de afinidade. Sigo entretida com o que vejo. Há esculturas e cavaletes com telas pelo ambiente, partituras sobre as mesas. Alguém vem por trás e me venda os olhos com as mãos. Pelo tato, sei que aquelas mãos escrevem. Mais até. Sei que foram as mãos que me salvaram a vida e que agora perguntam o que uma menina de 8 anos está fazendo no Terceiro Lado da Moeda. Sim, é ele, a voz me confirma! Gabito se revela, abre os braços. Pulo no seu colo e fico assim enganchada. Reencontro de infância. Gabito me dá os parabéns, está radiante por eu ter finalmente chegado até ele. Parabéns?! Não fiz esforço algum! Florentino me indicou o caminho. Cheguei fácil, fácil. Num girar de moeda! Gabito acha graça. Fácil, fácil? Depois de toda a odisseia? O mérito é meu, insiste. O nunca ter desistido da poesia, apesar de tudo. Diz que não foi ele que me salvou a vida no dia do temporal. Foi a poesia que já havia em mim, a poesia e "sua permanente vitória sobre os surdos poderes da morte". A poesia que fala todas as línguas e que está presente em todos os planos da criação. Quando Florentino morreu, ficou preocupado comigo, porque presenciei a tragédia e já não contava com os recursos inteligentes da infância. Ainda assim, fui capaz de, ao som de Mozart, ver Florentino deitado sobre um mar de rosas amarelas! Era a poesia dentro de mim que, novamente, não fraquejava diante da desgraça. A decisão de me expor no papel, sem receio de parecer ridícula, me fortaleceu. Foi o ato de escrever que me levou até ele. Nossa história é simples relato de fatos sem importância? Mero desabafo? O trabalho ficará esquecido dentro de alguma gaveta? Que diferença faz? Cumpriu finalidade. Levou-me até ele. Levou-me ao Terceiro Lado da Moeda. Onde todos os contrastes se encontram e, com paciência, nos aprimoram. Onde a poesia vive. A partir de agora, estou livre para encontrá-lo quando e onde quiser. É tempo de sair e arejar. Saber o que acontece por esse mundo afora.

— Sei que você nunca entendeu minha amizade com Gabito. Talvez ache todo esse sonho pretensioso e confuso, mas eu precisava...

Verônica não me deixa concluir a frase. Pede desculpas por ter sido sempre tão insensível nessa questão. Que eu não a leve a mal. Tudo insegurança. Medo do desconhecido. É que precisa manter os pés na terra para não se desesperar com o que vem depois. Só que não tem adiantado muito se ater à realidade, ela admite. Suas oscilações são constantes. Às vezes, se sente verdadeira fortaleza ambulante. Às vezes, a mais frágil das criaturas.

Somos assim mesmo, amiga. Sonhadores ou não, vamos de um extremo a outro, o tempo todo. Sou igualzinha. Horas, me julgo dona e senhora do mundo, o centro de tudo. Horas, me vejo como um desprezível inseto, preso a um minúsculo planeta, perdido em um dos bilhões de galáxias existentes no universo! Não nos convencemos de que nosso verdadeiro tamanho, nossa real dimensão, está no amor que temos. Sentimento desmedido que nos explica sem mistérios. E que se traduz em poesia.

— O que você pensa fazer agora?

— O que sempre fiz. Perseverar na realidade e encarar o sonho. Ou encarar a realidade e perseverar no sonho. Dá no mesmo.

— Coisas práticas, foi o que eu quis dizer, Gabi.

— Coisas práticas? Antes de mais nada, vou ligar para o Jeremias e marcar uma visita lá na comunidade. Pensei muito neles o tempo todo.

— Acho ótimo. O Jeremias nunca deixou de dar uma passadinha no casarão pra saber notícias suas, você sabe. E depois?

Aí também já é querer que eu saiba demais. Melhor é cantar com o Zeca Pagodinho, enquanto a gente vê o bicho que vai dar, não é, não?

— "E deixa a vida me levar/ (Vida leva eu!)/ Deixa a vida me levar/ (Vida leva eu!)/ Deixa a vida me levar/ (Vida leva eu!)."

Verônica faz duo comigo. Engraçada sintonia.

Quem assina?

A vida parece entrar nos eixos. Sigo os conselhos de Verônica. Cuido de coisas práticas. Vai dando certo. Objetividade é tudo. Cuido da saúde, da alimentação. Permito-me boas horas de sono e de lazer. Crio o hábito de passear de bicicleta no Aterro do Flamengo. Enfim, cuido do corpo, que é mais fácil, mais à mão. Cuido também dos que estão perto e são visíveis. Volto a investir nas minhas meninas, a me fazer presente, a ajudar no que posso. Vou à favela Santa Marta com frequência. Não só para visitar o Jeremias, a Tininha e o Ronald. Vou para me integrar um pouco mais com a comunidade. Alegro-me com o número de crianças no parquinho, tanta gente visitando também o "jardim aberto". Decido torná-los ainda mais aconchegantes, mais vistosos. Semana que vem chegam as flores para os novos canteiros. Cuido de coisas práticas. Objetividade é tudo. Verônica está certa.

Comprei cama nova, troquei a mobília do quarto. Reformei o guarda-roupa. Vou mais ao cinema e ao teatro. Nas noites de sábado, passo a acompanhar as meninas e a frequentar a Lapa. Aos domingos, costumo almoçar no La Trattoria com dom Mario e dona Regina. Conservo a boa amizade.

Quando Florentino morreu, já tínhamos vendido o conjugado de Santa Teresa. Parece que ele estava adivinhando. Poupou-me de dor maior e me facilitou a vida. Dele, guardo apenas a aliança e o quadrinho de Pedro Salvador. Depois que conheci o Terceiro Lado da Moeda, lido melhor com meus contrastes. Tento harmonizá-los dentro de mim. Com a poesia possível. As ausências não me machucam tanto. Convivo melhor com elas. São lembranças queridas. Vez ou outra, nos encontramos enquanto durmo. É possível isso? Encontrar ausências? Seja como for, não desperdiço a oportunidade. Vivo o sonho. Fico contente com as visitas.

Primeira semana de agosto. Acontece o esbarrar de ombros, o automático pedido de desculpas, o susto.

— Gabriela!

— Francisco?!

Perdi contato faz tempo. Nos conhecemos na Taberninha da Glória. Ele passava por acaso, como agora. Florentino viu e chamou, fez as apresentações. Os dois tinham assunto para a eternidade. Falavam, falavam e falavam. Ele, em pé. Por que não senta? Não quer incomodar o casal. Então por que não vai embora? Alguém sabe a resposta? Acabou puxando cadeira e pedindo um chope. E depois outro e outro. Ficamos ali os três de papo até de madrugada. Descobri afinidades. Francisco vive de escrever. Gosta do que faz.

A morte trágica de Florentino causa espanto. Revolta até. Como?! Não soube de nada! Justifico-me com frieza. É, não avisei a ninguém. Nem anúncio no jornal nem missa de sétimo dia, nada. Resolvi que a dor era só minha. Hoje, reconheço que fui egoísta. Mas não me sinto culpada. Naquele momento, não havia a menor chance de eu pensar em gestos de delicadeza ou consideração. Tragédias entram falando alto, causando estrago. Não são dadas ao diálogo. Espero que compreenda. Francisco pede desculpas. Não é cobrança. É que se recusa a acreditar no que acaba de ouvir. Diz que sente muito, não sabe o que dizer. Então, não diz. Melhor virar a página. Francisco lê meu pensamento. Pergunta o que tenho feito. Persevero na realidade e encaro o sonho. E ele? O de sempre. Escreve, que é o seu ofício. Pronto. A conexão se estabelece. A moeda gira. Vejo Francisco no Terceiro Lado da Moeda. Comigo. Pergunto se podemos nos encontrar com calma. Talvez ele me dê uma força. Passei nove meses trancada em um quarto, escrevendo — questão de sobrevivência. São relatos sinceros de uma vida inteira e que também envolvem uma estranha amizade. Meio complicado. Não dá para explicar. Só lendo. Há passagens boas. Muita coisa ainda precisa ser revista. Enfim, preciso da opinião de alguém isento. Opinião sincera. Quero saber se a história tem algum valor. Francisco se dispõe a me ajudar. Que eu lhe envie o texto por e-mail. Prefiro que ele leia o material impresso e anote o que quiser. Deixo na portaria. Perfeito, como eu preferir. Ainda mora no mesmo lugar? Mora. O edifício ao lado do "Amarelinho".

Na semana seguinte, Francisco me telefona. Gostou do que leu. Tem sugestões a fazer. Fico curiosa. Ansiedade adolescente. Quando nos vemos? Amanhã? Maravilha. Em seu apartamento? Por mim, tudo bem. Somos quase vizinhos.

Na sala, estantes com livros, uma poltrona, uma cadeira de balanço e um balcão, tipo bar, que une o ambiente à cozinha. Há aconchego. Da janela, vê-se a igreja de Nossa Senhora da Glória, a ladeira íngreme de paralelepípedos, o casario antigo da Vila Aymoré e muito verde. A impressão é que se está em Olinda, Ouro Preto, algo assim. Francisco vem com a papelada. Acomoda-se com o calhamaço na cadeira de balanço.

— Tudo o que está aqui é verdade?

— É a minha vida.

— Uma personagem e tanto. E sua amizade com Gabito?

— Tudo aconteceu. Os sonhos, as conversas, tudo. Você duvida?

— Pelo contrário. Acredito tanto que me vejo na história como personagem.

— Verônica, minha melhor amiga, não acredita muito, não. Agora, anda mais receptiva. Mas acho que é só para me agradar.

— Pode ser que ela já esteja mais aberta a outras realidades.

— É. Pode ser.

— E o que você pretende fazer com a história?

— Em princípio, nada.

— Como "em princípio, nada"?! Sua história tem que ser publicada!

— Quando comecei a escrever, a ideia era essa. Mas, hoje, pensando melhor, acho que não tem mais nada a ver. Biografia de uma maria-ninguém, com histórias fantásticas envolvendo nome de escritor famoso... Melhor, não. Posso até me complicar.

— E se a gente transformar a biografia em romance?

— Será que funciona?

— Claro! Não conhece o ditado? Toda ficção é biografia e toda biografia é ficção.

— Vai dar muito trabalho. Não, nem pensar!

— Eu encaro. Dedicação 24 horas.

— Está falando sério? Vai me cobrar quanto?

— Vou te cobrar nada. Fica sendo uma homenagem minha ao nosso Florentino.

— Não, assim não quero. Você precisa, é o seu trabalho. E se nenhuma editora se interessar em publicar?

— A editora vai se interessar, tenho certeza.

— Vamos fazer o seguinte, então. Trabalho de risco. Você faz a adaptação, assina o romance e, se for publicado, ganha no percentual de venda. Que tal?

— Não, aí também não é justo.

— É isso ou nada.

— Se é assim que você quer, tudo bem.

— A gente registra a história no seu nome e pronto. Você faz o que quiser com ela. Só tenho um pedido. Aliás, dois. Primeiro: que você, ao escrever, não tenha receio de parecer ingênuo. Que seja poético e sonhador como eu. Segundo: que mantenha o título *Doce Gabito*!

Francisco fica radiante com a oferta e eu, por ele ter aceitado. Aperto de mão é pouco para selar nosso entusiasmo. Colamos o rosto e apertamos o abraço. Gosto do tato — bom sinal. Ficamos então acertados. Nada de conta de padeiro ou lápis atrás da orelha. Nada de vaidades, de quem é que assina. Afinal quem é o dono da voz que nos sopra a história? Estamos felizes e isso é o que interessa. Lembro-me de tia Letícia. Se o negócio é bom para todos, dará certo.

O amor que nos falta

De onde o Francisco mora até o casarão é um pulo. A distância só aumenta porque quero chegar logo, contar a novidade. Verônica precisa saber que alguém gostou da minha história. Vai transformá-la em romance e, quem sabe até, publicá-la. Tudo por causa de um esbarrar de ombro. Mistérios da trama.

Meto a chave na porta, subo as escadas correndo, vou direto ao quarto da minha amiga. Ela se veste para sair. Chego eufórica, nem quero saber, faço cócegas, atrapalho. Verônica se perde de rir. Que isso, Gabriela, que isso?! Para! Não sabe da maior, não sabe! E aí vou desfiando de uma só vez a alegria incontida por alguém ter acreditado em mim, um escritor ainda por cima! Acredita em tudo, em tudo, repito mil vezes! Verônica me dá os parabéns, mas logo muda de assunto. Também está animada e precisa se gabar. Conseguiu ótimo inquilino para as duas lojas da avenida Gomes Freire! Jura?! Vai entrar um bom dinheiro por mês, já está até com um plano mirabolante na cabeça. Que plano? Conta, vai! Depois, com calma. Agora não dá tempo. Está em cima da hora e eu atrasando ela ainda mais.

Como podemos ser tão amigas? Eu chegando, Verônica saindo. Não tem jeito. É assim e pronto. Ela caminhando para o leste e eu para o oeste. Tempos diferentes, direções contrárias, não perco a esperança de nos esbarrarmos ao fim da grande volta. Até pressinto que irá acontecer. Em nossas frustrações, nos completamos, eu sei. Os temperamentos podem ser diferentes, o modo de ver a vida, também. Mas nossa essência é a mesma. E afinidades sempre há. Somos putas tristes, sem vocação alguma. Por métodos diferentes, estamos sempre à procura do amor que nos falta. Quem nos dera a alegria, o profissionalismo e o desempenho das meninas! Putas realizadas, conscientes do bem que fazem a esta sofrida e carente humanidade. Psicanalistas do corpo, sempre digo. Prontas a dar prazer e conforto aos solitários. Aos que precisam aliviar tensões, descansar a mente. A elas, o meu respeito, a minha admiração.

4 de outubro de 2011. Viva! A Terra é redonda! Verônica e eu finalmente nos encontramos.

— Ano sabático!

— O quê?!

— Exatamente isso que você ouviu. Vou me dar um ano inteiro de presente! Sair por aí sem fazer absolutamente nada. Ou fazendo absolutamente tudo!

— Alô?! É a Verônica que está falando ou é miragem?! Alô! Câmbio!

— Pode gozar à vontade. Logo, logo estarei de malas prontas. "Se alguém perguntar por mim/ diz que fui por aí..."

— Ah! Então esse é o tal plano mirabolante.

— Hum, hum.

— E vai quando?

— O mais rápido possível. Já falei com a Norma, ela disse que assume o meu lugar sem problemas. O casarão já vai no próprio ritmo. A senhora pode ficar tranquila.

— E quem disse que eu quero ficar?

— Ué?! Vai tirar férias também?

— O que você acha?

— Acho ótimo!

— Já tem destino?

— Nenhum.

— Avião, navio, ônibus ou trem?

— Aceito sugestões. Estou aberta a tudo.

— Que tal pegar estrada, irmos de carro? Carro sem capota!

— Thelma e Louise?!

— Nossa, nem tinha pensado nisso! Claro, Thelma e Louise!

— Só que não pretendo fugir de nada nem de ninguém. Ao contrário. Quero conhecer gente nova! Quero é ir ao encontro do amor que me falta!

— É isto exatamente o que eu quero: gente nova, o amor que me falta!

— Se o negócio é bom para todos...

— Dará certo!

Despedidas

Tudo muito rápido. Quem pensa não viaja. Quem viaja não pensa. Compro logo o carro, que é para materializar nosso meio de transporte. Lindo, azul, conversível! Zerinho, cheiro de novo! Uau! As meninas se apaixonam com o moço. Querem batizar, motivo de festa. Pega o champanhe! Que nome vai ter? Ah, sei lá, vocês escolhem. Verônica me surpreende, me desconcerta.

— Gabito.

Gabito! Gabito! Gabito! Aprovado por aclamação! Aplausos, gritos de bravo, champanhe entornado! Banho de água benta no carrinho também vale! É bênção, é sorte, é proteção! E eu olhando para todas elas, chorando feito uma pateta.

As despedidas vêm em seguida. A festa na favela Santa Marta dura o dia inteiro, sabe como é. Começa cedo, com o pessoal reunido lá em cima, no "jardim aberto". Depois, segue até o pôr do sol, na laje do saudoso Dedé, eletricista tão querido no morro. Dona Laura diz que aquela beleza de luz pintando o horizonte deve ter a mão dele, com certeza. Os amigos em volta concordam. Bom, minha gente, hora de ir embora. Jeremias se faz de durão.

— Está chorando por quê? Vai ser saudade boa de viagem alegre. Melhor presença distante do que ausência perto.

Sabedoria iletrada, intenção de me dar força, mas é aí que eu choro. Evidente que ele se refere ao tempo que passei trancada no meu quarto. Tininha e Ronald insistem que ainda é cedo.

Deivid faz palhaçada, dança com Verônica ao lado da estátua do Michael Jackson — inaugurada depois que o cantor dançou aqui na laje e hoje uma atração turística na favela. Verônica e eu optamos por descer de bondinho — a essa altura do campeonato não dá para encarar a escadaria, o cansaço é tanto que mesmo para baixo os santos se recusam a ajudar. Jeremias e dona Laura se despedem na estação de cima. Encenamos a breve separação, o até loguinho. Pelos engasgos e falas mal decoradas, vê-se que somos todos péssimos atores. Ronald, Tininha e Deivid descem conosco até a praça. Tudo é pretexto para esticar a conversa, fingir que ninguém vai embora, que é viagem de dois, três dias. E hoje tudo é tão perto, não é verdade? Então por que o nó na garganta, o olho cheio d'água? Ninguém fuma. Mas é fumaça. Falando em fumaça, olha ele aí! Fumaça! Está vindo de onde? Da aula de francês. Nossa, que *chic*! A gente tem que se aprimorar para receber bem os turistas que nos visitam, ele se orgulha. Pois chegou na horinha, já estou de partida. Faz isso, não, Gabi. Fica mais um pouco. Não dá, Fumaça, Verônica e eu precisamos mesmo ir.

Por que será que, em despedidas assim, a gente se divide? Um pedaço se apega, outro quer ir embora. Um resiste, outro anseia. Um permanece, outro já não está. Por que, nessas horas, o corpo todo dói? Corpo indeciso que, até o último instante e mesmo ao se desprender, não sabe se vai ou se fica, se parte ou se volta.

Sábado. Noite. Rio de Janeiro. A mais doida e mais festiva de todas as despedidas! Vamos todas a pé, da Glória até a Lapa. Mulherio com disposição, clube da Luluzinha, nem adianta chegar — hoje, menino não entra. A festa é nossa. Marias-sem-vergonha, vamos cantando pelas ruas sem nenhum pudor.

— "Em qualquer esquina eu paro/ Em qualquer botequim eu entro/ Se houver motivo/ é mais um samba que eu faço..."

Enveredamos pela Joaquim Silva, o beco do Rato é nossa primeira parada.

— Vira, vira, vira! Vira, vira, vira! Virou!

Depois, o Bar Ernesto, que fica no largo da Lapa, coladinho à Sala Cecília Meireles.

— Vira, vira, vira! Vira, vira, vira! Virou!

Subimos a Teotônio Regadas e, é claro, paramos no Ximenes, bem em frente à famosa escadaria Selarón — nosso ponto mais querido.

— Vira, vira, vira! Vira, vira, vira! Virou!

Daí, vamos ter nos Arcos e na avenida Mem de Sá, que aos sábados, sem automóveis, libera geral e vira passarela dos boêmios. Aí quem é que segura? É Leviano, é Sacrilégio, é Lapa na Pressão. Nas esquina com a rua Lavradio, o quadrilátero irresistível: Bar da Boa, Boteco da Garrafa, Antonio's e Belmonte.

— Gente, acho que chega, já bebi demais!

— Nada disso, dona Gabriela, a noite é uma criança! Olha ali o Bar Brasil e o Nova Capela!

Seis da manhã. Mal nos aguentamos em pé. Não consigo dar mais um passo. Nem eu. Merda, a droga do salto quebrou, ninguém merece. Melhor tomar um táxi. Gabi, a gente te ama, você sabe disso, não sabe? Sei, Virginia, sei. Acho que vou vomitar. Em cima de mim, não, Frida, pelo amor de Deus! Segura a testa dela, gente! Olha um táxi ali! Chama, menina, chama! Ei, táxi, táxi! Parou, parou! Vão vocês, primeiro.

Copa e cozinha. Rodada de café forte e comprimidos de Engov. Confere aí, vê se não falta ninguém: Rachel, presente! Clarice, presente! Virginia, presente! Tarsila, presente! Anita, presente! Isadora, presente! Frida... Frida? Apagou, teve de ser carregada para a cama. Camile, presente! Simone, presente! Florence, presente! Norma, presente! Verônica, presente! Contando comigo, o time está completo. Bem ou mal, chegamos todas de volta ao casarão. Lar doce lar. A família reunida em volta da mesa me emociona. Cumplicidade no alvoroço e no cansaço. Olho as minhas meninas com saudade antecipada, Verônica lê meu pensamento, vem e me abraça.

— Já está arrependida de viajar?

— Claro que não. Só estava pensando o quanto amo as meninas, estas paredes, a nossa história...

— Pensa bem, Gabi. Amanhã, a essa hora estaremos na estrada.

— Quem pensa não viaja. Quem viaja não pensa. Vamos dormir.

Que importa se 7:30 da manhã, se dia claro? Me despeço com um boa noite geral e cada uma responde o boa noite como pode. Isadora ainda tem fôlego para perguntar se o almoço de hoje vai ser mesmo no La Trattoria. Claro! Quem aqui vai ter disposição para encarar uma cozinha? Mas, pelo visto, vai ser almoço ajantarado. Nossa mesa de 13, com mais um lugar vazio, não vai atrapalhar o movimento de dom Mario.

Rumo a Macondo

Segunda-feira. O casarão não funciona. Podemos sair com calma, descer as malas sem pressa. O dia começa a clarear, promete bom tempo. Gabito já está estacionado lá fora, capota e portas abertas para nos receber. Carinhas de sono, as meninas ficam o tempo todo abraçadas na calçada, encostadas no casarão como se fossem a parede frontal — a verdadeira, a que sustenta, a que dá vida. Agora são 11. Time de verdade. De vocação e talento.

Verônica e eu vamos acomodando a bagagem no carro. Nossas meninas continuam onde estão. Abraçadas, só olhando. Não tomam qualquer iniciativa, não movem um dedo para nos ajudar. Não por preguiça, não por pirraça, não por tristeza. Entendem apenas que a aventura é nossa, bom já nos habituarmos sem elas. É até favor que prestam.

Não esquecemos nada? Acho que não. Boa música, boa leitura... O Galileu veio? Até parece que você não conhece a peça. Foi o primeiro a entrar e já está bem refestelado, no banco de trás.

Tudo pronto. A parede se movimenta, vira círculo que se fecha comigo e Verônica no meio. Parede que continuará ali, firme e forte, a nos esperar. O tempo que for. De geração em geração. Porque é parede levantada no dia a dia. Parede que tem história. O círculo se desfaz naturalmente. Com tantos abraços e beijos, nenhuma de nós sabe mais quem é que vai e quem é que fica. Risos e lágrimas juntos mostram serviço

— é adeus de felicidade e de sonho. Podemos ir descansadas, vão cuidar de tudo direitinho. O casarão seguirá no próprio ritmo — prometem.

Viro a chave na ignição, engreno a primeira e acelero. Acenos de lá e de cá. Verônica olha para trás, quer reter a imagem o mais que pode. Vejo diferente: o casarão da Glória e as meninas se vão afastando no *zoom-out* do retrovisor até desaparecerem. Feito filme, feito sonho.

Quando o sol nasce, já estamos na estrada. Seguimos pelo litoral rumo ao norte. De lá? Quem é que sabe? A gente verá na hora, sentindo com a cabeça e pensando com o coração. Em cada curva, Galileu muda de janela, ajeita os óculos, sempre atento à paisagem que passa. Nas retas, espera paciente pelo que vem depois — Macondo é logo adiante. Verônica escolhe a trilha musical. "Esse papo já tá qualquer coisa/ você já tá pra lá de Marrakesh!" Estou mesmo, meu poeta Caetano adivinhou. Poesia tanta que não cabe em mim. Capota aberta. Dou grito agradecido para o céu. Verônica aumenta o som e eu, a velocidade. Faço festa no assento, dou muitos beijos no volante. Gabito não diz nada, mas bem que gosta.

Carta

Francisco, querido,

Acabo de abrir a correspondência e ler seu e-mail. Você não calcula a alegria que sinto ao saber que nosso *Doce Gabito* será publicado! Alegria por mim e por você que, sei, sempre quis levar o projeto do romance adiante. Loucura, eu achava. Mas sua obstinação acabou me convencendo do contrário. E pensar que o ponto de partida foi aquele esbarrão que nos demos casualmente na rua do Catete. A vida é mesmo uma caixa de surpresas. Outro fato significativo: hoje, dia 2 de novembro de 2011, faz exatamente 22 anos do falecimento de minha tia Letícia. Não lhe parece fantástico?

Obrigada, amigo, por ter confiado em mim. Por ter acreditado na minha história com Gabito (que todos continuarão a pensar que é delírio. Que importa? Melhor assim.). Os meus relatos e desabafos, agora então em forma de romance e com a sua assinatura, parecerão mesmo pura ficção. Até me divirto com isso.

Um pedido apenas: antes de enviar a versão final à editora, por favor, passe lá no casarão e deixe cópia dos originais com a Norma. Penso que será legal se ela e as meninas puderem ler o material antes da publicação. Pode ser até que tenham boas sugestões a fazer. O que você me diz?

Enfim, amigo, por enquanto é só. Chegamos a Salvador ontem pela manhã. Dia esplendoroso de sol. A viagem tem sido ótima. Verônica manda beijos. Também ficou entusiasmadíssima com a novidade.

Receba um grande beijo e o carinho
especial da Gabi.

Calendário

anos de nascimento

1915 Teresa, avó materna de Gabriela.
1917 Gregório, avô materno de Gabriela.
1927 (6 de março) Gabriel García Márquez.
1930 Jeremias Santos.
1936 Letícia Garcia, tia de Gabriela.
1938 Paulo Marques, tio de Gabriela.
1940 Egídio Marques, pai de Gabriela.
1942 Florentino dos Anjos.
1943 Luzia Garcia, mãe de Gabriela. Teresa morre no parto.
1947 José Aureliano Dias.
1953 Verônica de Souza.
1967 (6 de março) Gabriela Garcia Marques.

acontecimentos

1963 Egídio e Luzia se conhecem.
     Letícia rompe com o pai e com a irmã.
1964 golpe militar no Brasil.
     Egídio vai para Minas Gerais.
1965 Luzia vai ao encontro de Egídio.
1966 Letícia inaugura o casarão da Glória.
1967 publicação de Cem anos de solidão.
1968 AI-5, Egídio, Luzia e Paulo vão para Xambioá.

1971 o governo militar descobre a localização do núcleo guerrilheiro. Primeira investida do Exército. Morrem Luzia e Egídio. Gabriela está com 4 anos. É levada pelo tio Paulo até o avô Gregório, que se abriga nos arredores de Brasília.

1972 Gabriela e o avô vão morar no Rio de Janeiro.

1975 morre Gregório Garcia. Gabriela conhece sua tia Letícia e Verônica.

1982 Gabriel García Márquez ganha o prêmio Nobel de Literatura. Gabriela, 15 anos, faz redação de português. A professora lembra que ela tem o mesmo nome do escritor colombiano.
Gabriela conhece José Aureliano Dias.

1988 Gabriela conhece Júlio Tavares.

1989 Morre Letícia Garcia.

1993 Gabriela termina a relação com José Aureliano.

2006 Gabriela conhece Florentino dos Anjos.

2010 morre Florentino dos Anjos.

2011 (12 de junho) Gabriela encontra-se com Gabito no Terceiro Lado da Moeda.
(2 de agosto) Gabriela e Francisco se esbarram na rua.
(4 de outubro) Verônica e Gabriela decidem viajar juntas.
(2 de novembro) Gabriela fica sabendo por Francisco que *Doce Gabito* será publicado.

Posfácio

Para mim, realidade mágica: Gabriel García Márquez, ainda vivo, tornava-se personagem de romance publicado pela Record — sua editora no Brasil, nossa Casa. Lançado em 6 de março de 2012, justo quando o mestre completava 85 anos, este *Doce Gabito* foi meu tributo a quem até hoje me inspira — por sua criatividade, seu estilo, seu fazer poético. E me é referência — por sua história, sua humanidade.

O fácil trânsito de García Márquez por universos incomuns sempre me fascinou. Penso que, em sua obra, essa falta de medida do real era uma forma de retratar o desespero humano diante de nossa finitude e, portanto, diante do aparente absurdo de nossa existência. Coincidência ou não, foi em momento de luto que ele me veio fazer companhia e me instigar pela primeira vez:

Janeiro de 1974. Morre Dona Maria da Soledade Alonso, minha avó materna, figura essencial, que me educou e formou. Aos 22 anos, vivendo a dor da recente perda, me chega às mãos *Olhos de cão azul*. O livro, uma coletânea de onze contos, tem a morte como tema central. Por estranho que pareça, as histórias e suas insólitas personagens me comovem, ensinam e confortam. Diferentes visões da morte me são sugeridas: por um lado, existências sem sentido e sem vida. E, por outro, contraditoriamente, finais que, embora tristes, realizam e trazem plenitude. É assim que, na juventude, nessas horas de silêncio e recolhimento, sou apresentado a García Márquez, que, pela força de sua palavra, me aconchega e me consola. Palavra que me estimula a recriar a realidade e a aceitar a vida plenamente, com todos os seus fardos, mistérios e atribulações, com toda a sua magia e luminosidade. Sou apanhado de surpresa: em vez da religião, é a literatura que me permite o voo de mãos dadas com minha avó "revivida". Voo que perdura e me dá acesso a sonhos despertos.

De repente, minha relação de leitor com García Márquez torna-se amizade. Não que eu o tenha conhecido pessoalmente. A amizade provém da leitura de *Cheiro de goiaba*, do que descubro nas conversas do autor, já ganhador do Prêmio Nobel de Literatura, com Plinio Mendoza. Nelas, Gabriel nos fala da infância, que, também por circunstâncias especiais, passou sob os cuidados da avó materna, único menino em meio a inúmeras mulheres. Fala da autoridade dessa avó que governava uma imensa casa e lhe contava as aventuras de antepassados mortos e os fatos mais atrozes sem se comover. Por diversas vezes, me dá a impressão de estar narrando passagens de minha infância, meus anseios de adolescente. A partir de então, sua vida e sua visão de mundo passam a me cativar tanto quanto sua obra, a ponto de eu ser levado a contar a história de Gabriela Garcia Marques — mulher imaginativa de destino tortuoso, que sonha e conversa com ele.

O curioso, entretanto, é que foi um poema de Ferreira Gullar, "O duplo", que me permitiu trazer a figura do renomado autor colombiano para o romance. Em seus versos, Gullar nos diz que ia se formando a seu lado um outro que se apossava de tudo o que ele via e fazia e que pelo país flutuava livre da morte e do morto. O texto, que inseri na íntegra como uma das epígrafes deste livro, é a chave para o entendimento da relação que se estabelece entre Gabriela e Gabito — na realidade, o duplo de

García Márquez, que se desdobra em milhões por esse mundo afora. O duplo que, com seu dom de encantamento, me veio visitar e aconselhar quando perdi minha avó.

Hoje, tanto Gullar quanto García Márquez já não estão entre nós —pelo menos da maneira como os víamos. Sei é que ainda chegam em silêncio e nos emocionam com sua presença inesperada. Sempre bem-vindos, entram em nossas casas sem precisar bater à porta ou pedir licença, porque continuam a nos falar à alma, a nos instigar e provocar. Como não os reter e sentir, como não os respirar e os reencontrar em cada romance, conto ou poema? Imortais. Vidas tantas, que não se acabam!

Personagem, autor e leitor: relações complexas, vozes que se misturam e se completam, que se preenchem e se dão sentido. Perda de tempo querer separá-las. Férteis e essenciais, todas. Vértices de inusitado triângulo amoroso, onde tudo acontece às claras — entregas e traições. Impossível rejeitar este ou aquele para formar o par, porque, movidos a paixão, dividem perpetuamente o mesmo teto. Que se amem, que se odeiem, que se desprezem, não importa — trindade que não se desfaz. União sagrada, porque três é o número divino, porque *Doce Gabito*, como qualquer outra história, depende desse convívio obrigatório, dessa tolerância familiar — prova inconteste da importância de cada um. Porque, de uma forma ou de outra, somos autores de nosso destino, leitores dos enredos que se passam ao redor, personagens deste mundo fantástico, onde a própria realidade é mistério.

Sim, somos todos protagonistas de dramática e intrincada trama. Pelos vínculos que nos unem, dentro e fora de nossos lares. Pelos conflitos e rivalidades que surgem daí. Pelo esforço que fazemos para chegar ao outro, para entendê-lo e nos fazer entender, sempre influenciados por nossos interesses e formação.

Essa luta que travamos com nós mesmos o tempo todo, a vida inteira — séculos de solidão e procura. Luta que acontece na cidade ou na roça, no morro ou no asfalto, na mesa de acadêmicos ilustres ou na roda de homens simples em algum botequim da periferia. Em qualquer nível social, em qualquer cultura ou canto do planeta. Portanto, também em *Doce Gabito*, o que me move é o sonho de nos aprimorarmos pela diversidade, pela troca de experiências e pelo diálogo. Seja com quem dividimos a refeição ou a cama. Com quem esteja perto ou, forasteiro, cruze de repente nosso caminho e nos cause espanto. Assim, escrevo. Reunindo personagens e leitores, juntando-me a eles, aprendendo com eles. Tentativa de, pelo menos em planos paralelos, realizar o sonho.

Este livro foi composto na tipografia Minion
Pro, em corpo 12,5/16, e impresso em
papel off-white no Sistema Cameron da
Divisão Gráfica da Distribuidora Record.